南風原朝光《サモアールのある静物》
（1948年、沖縄県立博物館・美術館所蔵）

名渡山愛順《郷愁》
（1946年、沖縄県立博物館・美術館所蔵）

大嶺政寛《赤瓦》（1966 年、佐喜眞美術館所蔵）

大城皓也《南の海の噺》
（1972 年、沖縄県立博物館・美術館所蔵）

山元恵一《貴方を愛する時と憎む時》（1951 年、沖縄県立博物館・美術館所蔵）

安次嶺金正《群像》（1950 年、沖縄県立博物館・美術館所蔵）

玉那覇正吉《老母像》
（1954 年、沖縄県立博物館・美術館所蔵）

安谷屋正義《望郷》（1965 年、沖縄県立博物館・美術館所蔵）

タカエズ・トシコ《桜》（英題：Cherry Blossom）
（1996年、沖縄県立博物館・美術館所蔵）

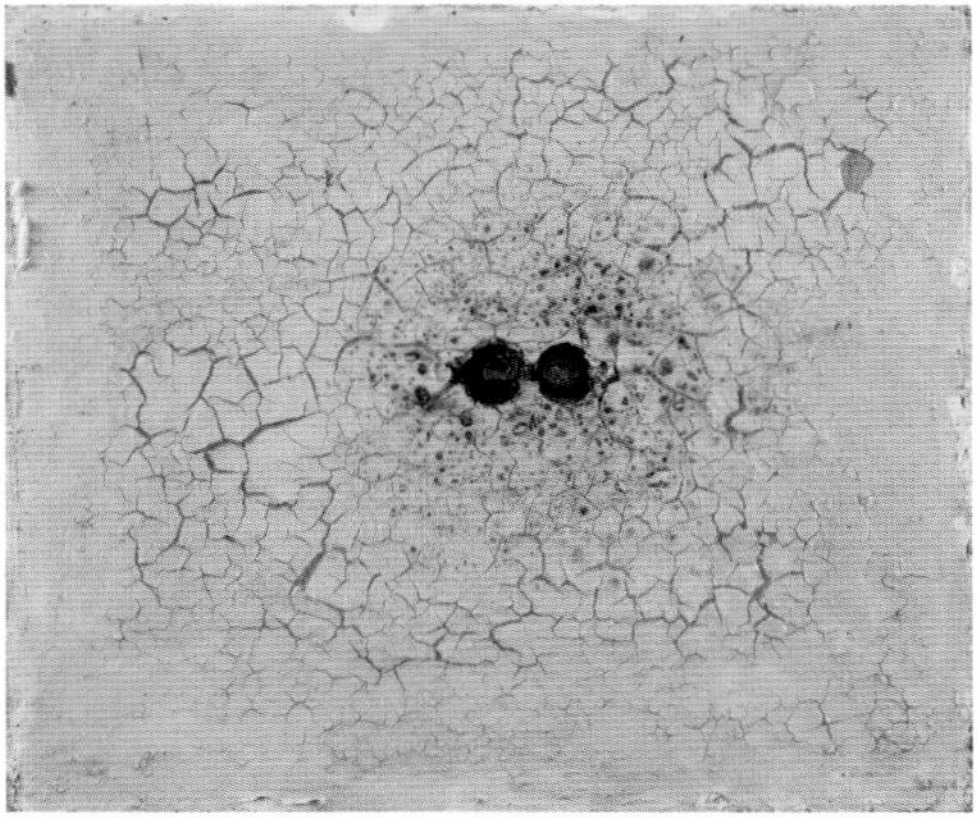

大浜用光《鳥瞰》（2000年、沖縄県立博物館・美術館所蔵）

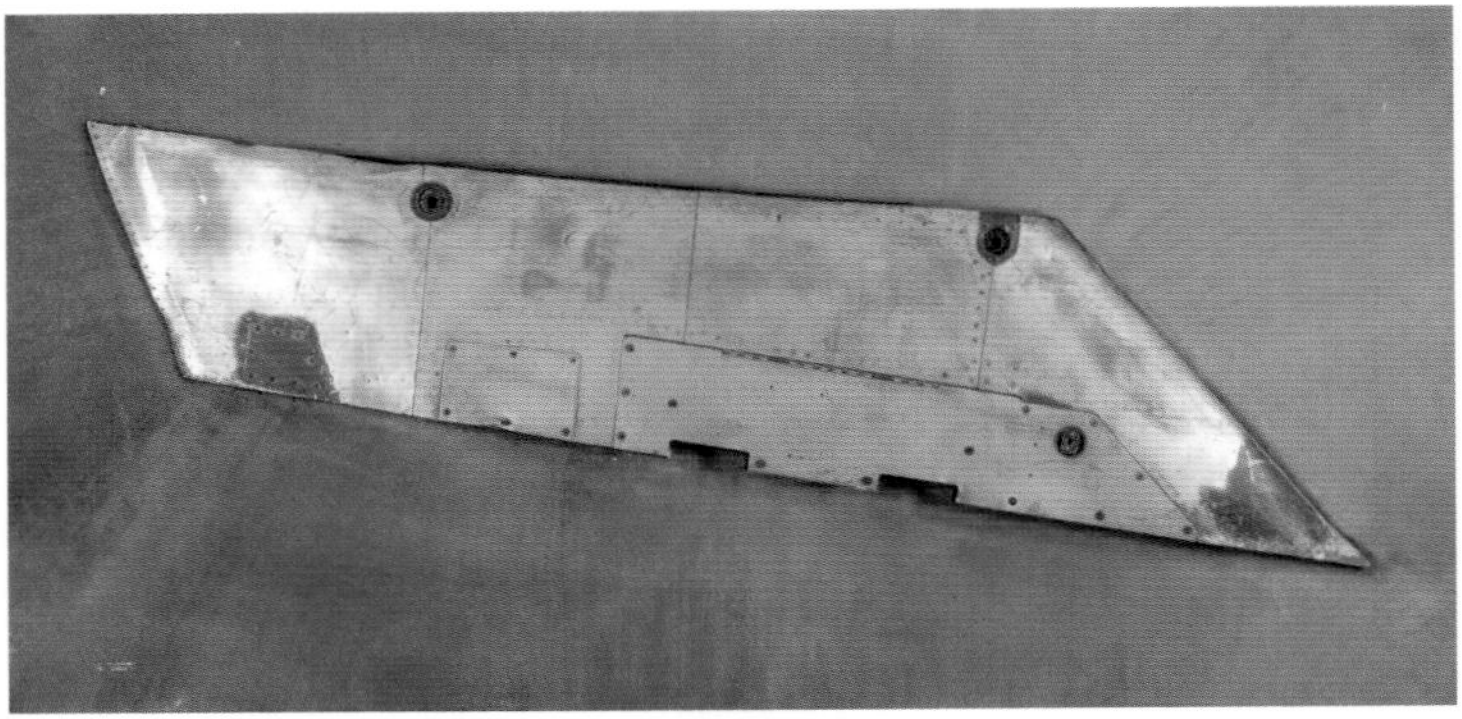

城間喜宏《亜熱帯の島から》（1968 年、沖縄県立博物館・美術館所蔵）

山城見信《無題（クルー）》（2015 年、作家蔵）

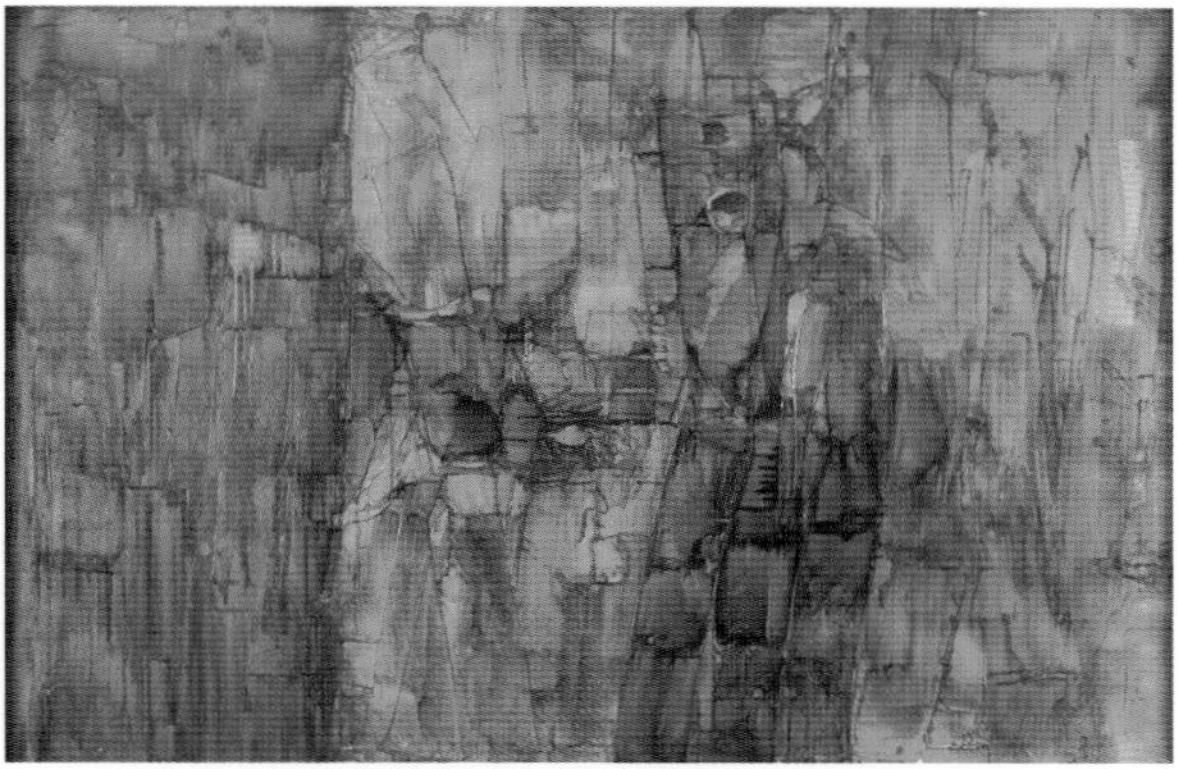

永山信春《ほね影 83-1》（1983 年、沖縄県立博物館・美術館所蔵）

中島イソ子《凝視》
（1988 年、沖縄県立博物館・美術館所蔵）

真喜志勉《カウントダウン》
（1976 年、沖縄県立博物館・美術館所蔵）

大浜英治《風景の中で》（1987 年、沖縄県立博物館・美術館所蔵）

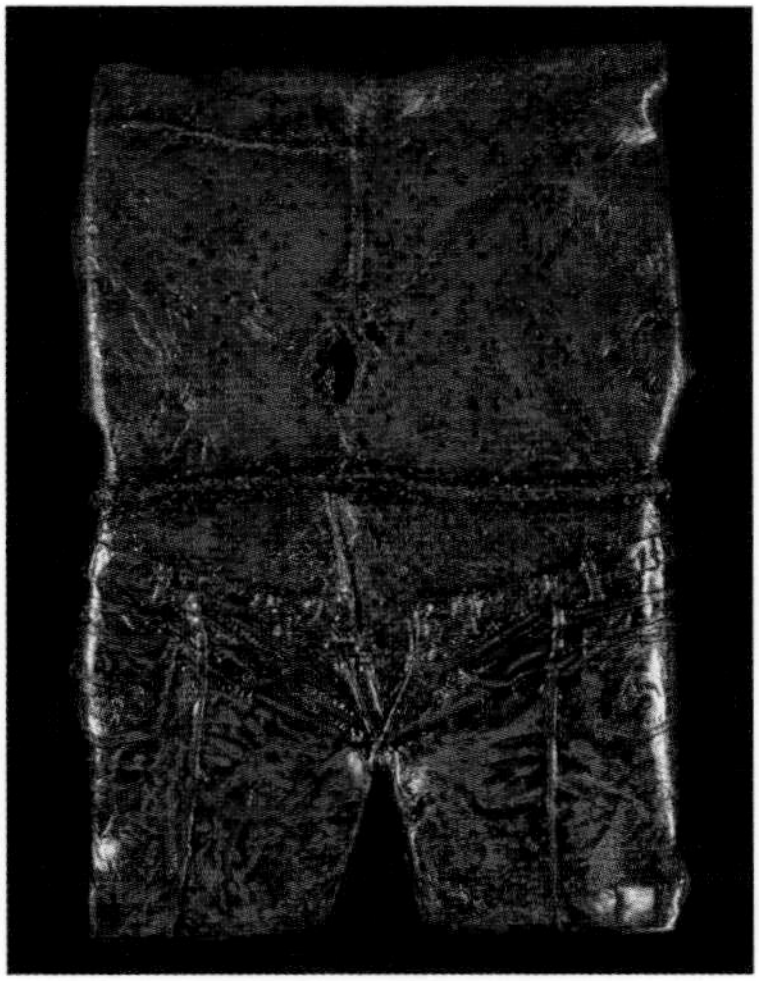

宮城明《ジーンズ(アイデンティティー A)》
(1991 年、沖縄県立博物館・美術館所蔵)

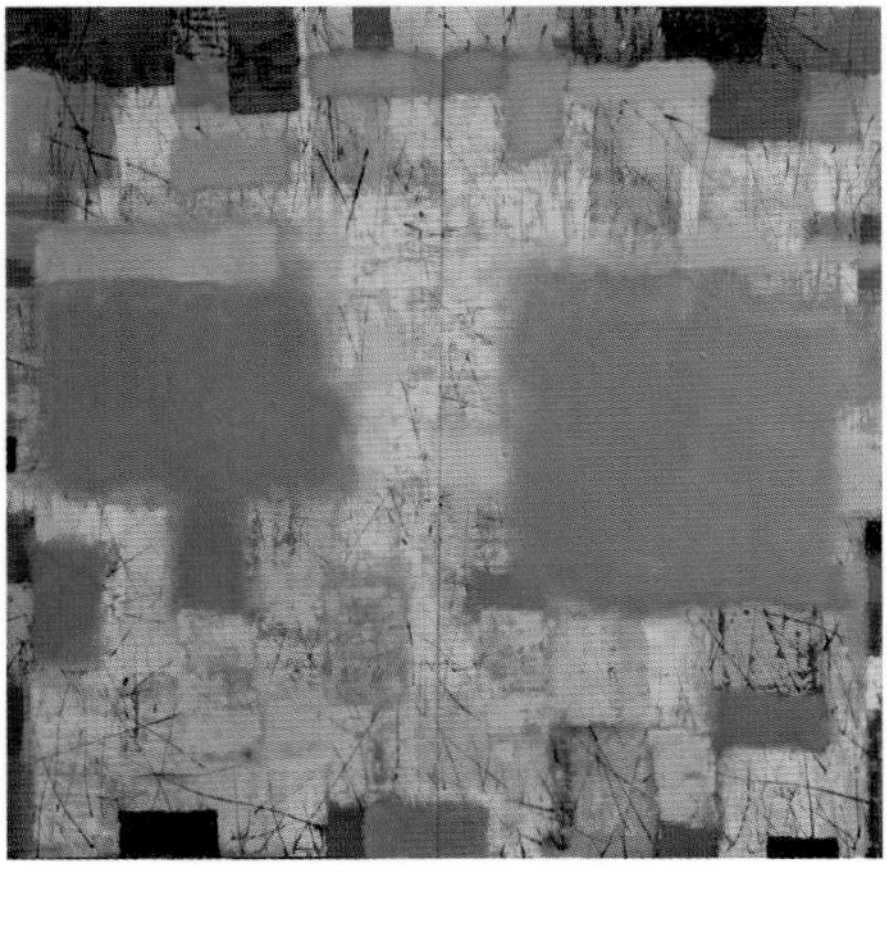

鎮西公子《太古との対話》
(2018 年、作家蔵)

川平惠造《キー・ストーン》
（1979 年、沖縄県立博物館・美術館所蔵）

屋良朝彦《My Space》（1979 年、作家蔵）

栗国久直《Cube-Suger&Strawberry》（2007 年、沖縄県立博物館・美術館所蔵）

阪田清子《残華》（2002 年、作家蔵）

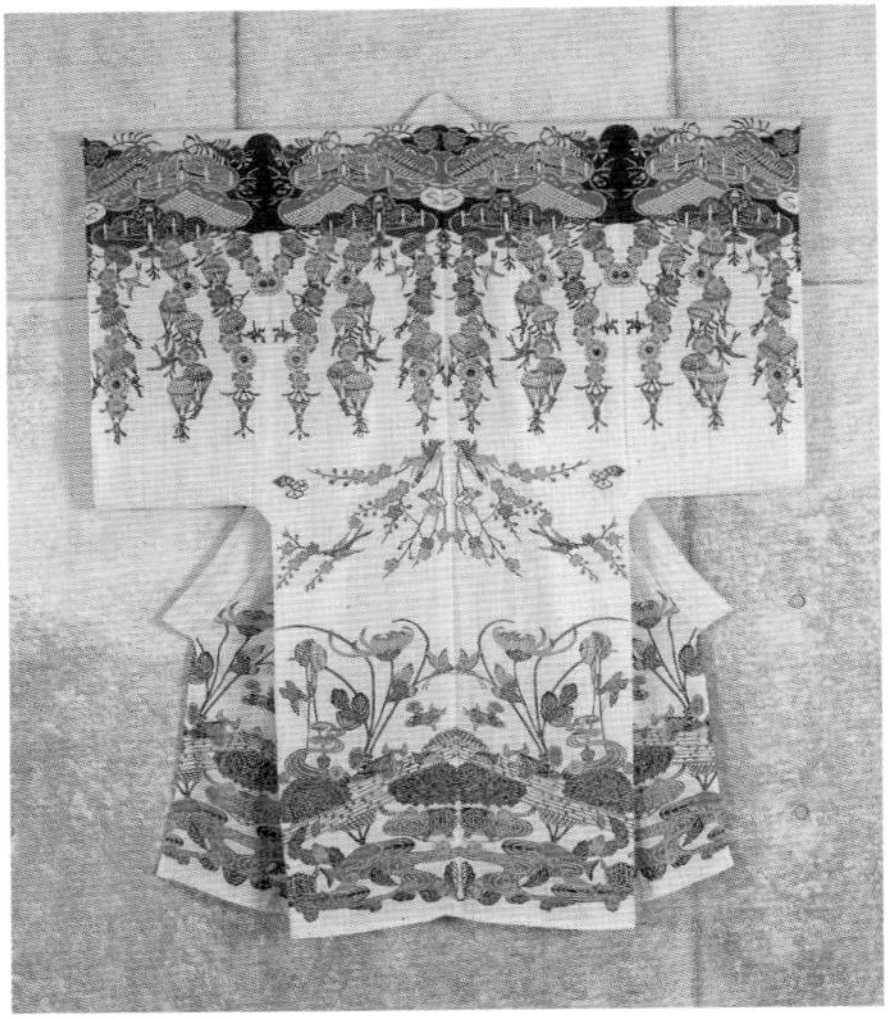

照屋勇賢《結い ,you-i》
（2003 年、佐喜眞美術館所蔵）

山城知佳子《オキナワ TOURIST》
（2004 年、沖縄県立博物館・美術館所蔵）

沖縄美術論

境界の表現　１８７２―２０２２

翁長直樹

はじめに

この本は一八七二年から二〇二二年までの沖縄美術について述べたものである。構成は大きく二つに分けてある。Ⅰ部は美術の流れ、Ⅱ部で作家論について。戦後美術が中心であるが、沖縄の主体的表現を考えた時、戦前の動きが必要とのことから「戦前期の沖縄美術」を設定した。沖縄戦は根こそぎかたちあるものを奪ったが、文化の流れはつづいていた。戦前期のポイントとなる事象について述べたが、かなり短い、骨だけの要約である。

この本では沖縄の美術を便宜上一〇年ごとに分けている。エポックとして大きく分けると、①戦前②戦争直後の米軍統治下から復帰まで（一九四五年〜一九七二年）③日本復帰（一九七二年）から九〇年代後半まで④九〇年代後半から現在、と考えられる。

戦後美術史の中で特にフォーカスすべき論は、戦後二十七年間の米軍政治下での表現と、一九七〇年代の日本復帰である。五〇年代以降、日本では読売アンデパンダン展など戦後を謳歌する表現が花開いた。ところが沖縄では日本と異なって米国統治の下にあり、植民地状態が二十七年間続いた。沖縄の美術表現は六〇年代に前衛が出現して、政治的な表現が反米、反復帰にまで高まる。その流れは七六年がピークであった。

日本への復帰がもたらしたのは、大量消費社会が目に見える風景であった。沖縄国際海洋博覧会（海洋博、一九七五年）に象徴されるリゾート化、そして社会、経済、文化は日本化の道程を辿った。

補論「復帰後の沖縄美術」では、七〇年代以降の突出した表現と、環境の大きな変化を詳述した。抵抗の美術として反復帰、反海洋博を掲げ、屋内外で展覧会が活発に開催された。その一方で八〇年代後半からは公立美術館や諸施設、沖縄県立芸術大学などのインフラ整備が行われた。八〇年代後半の自主画廊「匠」、九〇年代のパブリックアート、二〇〇〇年代前島アートセンターなどの動きは時代の先端を走っていた。その分析がこれからも必要であろう。

二〇〇〇年代以降、特筆すべき美術状況はポップ感覚にプラスし、沖縄の伝統的モノや形態（紅型や亀甲墓など）の使用による政治・社会的メッセージである。これまでのモダニズムの美術家ができなかった現代美術の手法、例えば、アプロプリエーション（流用）、コラボレーション、発注芸術や、媒体としてビデオ、マルチスクリーンなどを使用して沖縄の主体性を問い、国内外で活躍する作家が現れた。手法、主題とも時代が切り開いた通路でもある。二〇〇〇年代の大きなトピックは県立博物館・美術館の開館である。沖縄の著名な美術家の調査・研究、展示が急速に進んだ。沖縄美術の情報センターとしての役割は大きい。

各論では特に詳述したい項目や「美術史」に取り上げられないテーマについて述べた。「ニシムイ美術村コミュニティ」「沖展」「琉球イメージを求めて」「海外の沖縄系アーティスト」は文字通り、その内実と、背景について述べている。「ニシムイ」で取り上げたスタンレー・スタインバーグ氏はユダヤの出自。スタンフォード大学で精神分析を学んでいる時に、世界的詩人であるガートルード・スタインの義姉でマティスのコレクターであるサラ・スタインと親交があった。

そのことが沖縄の美術家との交流を深めた背景にあった。

一九四九年から開催されている「沖展」は現在県内最大の展覧会である。沖縄県立芸術大学が開学して、ここ数十年は若手の出品が増えてきた。「琉球イメージを求めて」では、戦前から沖縄ブームがあったことを述べた。戦前は主題を求める画家が数多く来沖し、戦後は写真家の来沖が増えた。「琉球イメージ」は柳田國男、柳宗悦、岡本太郎、東松照明と、ジャンルを変えながら連綿と続いている。

Ⅱ部作家論では著名な物故作家はほとんど論じている。それ以外は紙数の関係で取り上げられなかった作家がかなりいるのは、大きな心残りである。

この本によって戦後沖縄美術の流れの一端を知ることができたら幸いである。

二〇二二年十一月　著者

沖縄美術論　境界の表現　1872―2022　目次

II　作家論

19　目次

凡例
・巻頭口絵の作品は「Ⅱ作家論」と対応させている。
・作品名は《》、シリーズ名は〈〉で括る（固有名詞を除く）。
・用語集で取り上げた語句に＊を付す。
・敬称は基本的に省略する。

Ⅰ　沖縄・美術の流れ

1、戦前期の沖縄美術——自己表現を求めて

統合された主体へ

一八七二年、〈沖縄〉は琉球国から琉球藩になり、一八七九年の日本への併合＝廃藩置県により沖縄県に改められる。いわゆる琉球処分*を経て、はじめてひとつの統一した地域として、民衆のイメージに上る。しかし、それは当初、ひとつの主体として統合されたものではなかったといえる。

琉球処分によって、日本政府は沖縄を取り込まなくてはならなくなったが、その道程が見える最たるものは、日本本土同様、学校という制度と軍隊によって身体が近代化＝日本化していくことでもあった。言語を日本語に変え、次に髷《まげ》を切り落とし、短髪とした。それは琉球から沖縄への表象変化でもあった。

廃藩置県後すぐに、日本政府はまず『沖縄対話』（明治十三年、初代県令鍋島直彬による四季を折り込んだ八章からなる会話形式の読本）で日本語教育に取りかかったのである。音楽の要素を取り入れた「鼻歌」形式であったので、またたくまに沖縄全土に広がった。哲学者の市川浩は『〈身〉の構造：身体論を超えて』（青土社、一九八五年）の中で、生きられる身体として述語的連合と主語的連合を挙げている。市川の言う「感覚的」述語的統合形式によって、音楽として聴覚的に覚えさせることにより、言語を身体レベルで身につけさせようとしたのである。

「沖縄学の父」といわれる伊波普猷《ふゆう》*が中学時代に経験した強制的な結髪《カタカシラ》*の断髪はその後に来る身体的な同化政策であった。伊波はその時のことをひどく衝撃的な体験としてくり返し語った。それは視覚的にわかる変化として表された。日本に従属するものとして、沖縄の主体を形作る視覚的な統合が強制的に開始されていったのである。服装の日本化もすぐに始められたが、特に女子の服装について徹底して行われ【写真1】、一九三〇年代には学校においてはほぼ完成され一般的にも琉装から和装に転向するものがふえた。しかし沖縄の人の服装が完全に切り替わるのは戦後に入ってからである。昭和の初期までに沖縄を訪れた木村伊兵衛や土門拳らが撮影した那覇の市場風景や、戦争で焼け出された人々の米軍写真を見ても、沖縄の民衆の服装は軍服か国民服以外は沖縄の伝統的な服装がまだずいぶんと多い。

作家の大城立裕*は「たとえば、婦人の服装が琉装という特異なものであることは、ヤマトとの異質感をもたらしめるに十分であった。大正初年、高橋知事というひとが、精力的に各中等学校で教育上の演説をしているが、生活万般にわたって「内地」と一体化させることを旨とした。中でも、女性の服装については非常な関心事であった」（大城立裕「沖縄で日本人になること」『沖縄文学全集　第一八巻　評論Ⅱ』国書刊行会、一九九二年）として、高橋の演説内容に触れている。

何処へ行っても女が帯を締めないとか又は袴を着ない処はありません。朝鮮でも袴をはいて居ります。帯を締めないと云ふと実に風が悪いものでありますから、年をとった人は仕方がないから皆様は是非今から女は必ず帯又は袴をつけるものだと云ふ習慣をつけて貰ひ度いと思ひます。今のままで内地に行つて御覧なさい。笑はれる許りでなく必ず人から下げすまれます。……太さはどうでもよいが、必ず帯を締め後ろに結ぶやうにせなければなりません。内地で帯を前に結ぶは職人だけでありますが、しかしすぐあれは職人だと安く見られます。それでも御祝とか何とか晴れの場所に出るときは必ず後に結んで出でます……

（前掲書に引用。『琉球新報』一九一三年十月六日）

しかし和装化はスムーズに推移したわけではない。大城は自分の母親が琉装から和装に〝転向〟した姿を驚愕とともに覚えており、「母の異様な服装、髪型をみて、おどろき、違和感をもった。母にはすまないが、琉装のよく似合った母がいかにもチンドン屋じみて不快な感を催さしめたのである」。たぶん女学校や裕福な家庭以外では和装も難しかったであろう。またヤマト風俗に抵抗したような俗謡のようなものを作って囃《はや》したりしていたという。

近代の眼差し

日本本土においては近代の眼差しを獲得していく必要があった。吉見俊哉によれば、そもそも日本の博覧会の当初は「殖産興業はまず、全国からモノを蒐集《しゅうしゅう》し、それを分類し、広く国民に展示していくところからはじめられなければならなかったのだ」（吉見俊哉『博覧会の政治学　まなざしの近代』中央公論新社、一九九二年）。それは〝見る〟ことで、分類、評価を強化することであった。

日本が沖縄をその版図に組み入れ、日清戦争により、領土を拡張していくことは、西洋帝国主義をなぞり、自ら近代＝西洋化していくことに他ならず、国内外の文物を集め、そのことを誇示する場を必要としたのである。その延長上に一九〇三年三月、大阪で開催された内国勧業博覧会会場入口における民間による、いわゆる「学術人類館事件*」がある。北海道アイヌ・台湾高山族・琉球人・朝鮮人・中国人・インド人・ジャワ人・トルコ人・アフリカ人などが雇い入れられ、彼らは民俗衣装をまといながら産物売りや楽器演奏などの見せ物興行的演出を強制されたのである。沖縄側が抗議し問題となったのは、沖縄の遊郭「辻」の女性二人が展示されていることであった。

日露戦争直前の帝国主義的な拡張主義もあらわに、周辺国家民族への優越意識を示すために開催されたものがこの博覧会である。博覧会とはそもそも、当初より植民地的な発想から生まれており、出自を切り離されたオブジェを同一空間、同一の時間に並べて見せることで、世界を所有することへの代替行為ができるということである。

博覧会そのものについてもう少し敷衍するならば、一九世紀の西洋における市民社会の勃興《ぼっこう》期にその展開の時期が重なる。市民の欲望＝視線の欲望が拡大されていく時代でもある。それは世界規模の資本主義の拡大＝帝国主義の拡大と結びついた「ディスプレイ装置」であった。当時の帝国主義的発想からすれば、その中に人間が含まれていてもおかしくはなかったのである。

近代は活版印刷の発明により、視覚中心の文明に変化していくが、それは市川が述べるところの、述語的統合から主語的統合へと向かうことにより、主体が形作られ輪郭をはっきりしていく時期で、視覚偏重の時代に向かって行くことであった。視覚偏重とは、聴覚的・触覚的感覚が切り離されることである。つまり潜在的な統合関係が抑圧され、顕在的な、表面に現れるものを偏重して行くことでもある。活版印刷、その後、写真が加わることによって、近代のジャーナリズムである新聞によって人々の国家観や社会観が共有され、世論が形勢されていく。

身体ごと日本に同化し、日本近代の眼差しに曝されながら自らを同定し、主語的統合＝主体を構築しつつも、流用、節合し表出することで沖縄は近代をきり抜けてきた。戦前期において大正から昭和にかけても、新たな異文化にふれつつ、文化を創出する場面があった。それは例えば、沖縄学を創出した伊波普猷などの学者、「滅びゆく琉球女の手記」の久志芙沙子*から昭和に入って活躍する詩人山之口貘らの書き手、戦後の沖縄芸能の発展の礎となった功労者普久原朝喜や、沖縄人の移民先*である南洋*における沖縄芸能の発展と創出に尽くした芸能人らの活躍であった。

明治期の美術

沖縄における美術上の近代＝日本化とその内実をたどることにより、沖縄の表象について考えてみる。

首里王府に仕えた絵師は琉球王朝末期まで広がりを見せたが、昭和に入って以降、彼らの仕事は後の世代には継承されず、わずか数人が携わるのみとなった。昭和まで活動を持続した絵師で、南国の風物を描いた水墨の長嶺宗恭《ながみねそうきょう》（華国《かこく》）やその弟子で風俗画を主に描いた比嘉盛清《ひがせいせい》（華山《かざん》）などがいた。しかしながら王朝絵画の伝統は、徐々に日本近代に飲み込まれていった。

洋画の魅力はやはり、明治の初めに高橋由一が洋画に感じたような「迫真の写実」であったろう。当時の絵画を志すものにとってその技法の習得を目指すことが目標であったと思われる。日本本土においては一時期、強烈な国粋主義の巻き返しがあり、洋画排斥運動にまで発展し、伝統的な日本の絵画の革新があり、洋画も続いて日本化するのであるが、沖縄ではそのような反発は起きなかった。それはたぶん沖縄にとって明治は日本の文化と西洋の文化が同時に入って来たため、体制を整えるには、あまりに急激な変化であり、また琉球絵画に底辺の広がりがなかったことが原因であると思える。もうひとつは明治政府の明らかな植民地政策による沖縄側の自己卑下である。

ところで前述の画家たちは沖縄をテーマに描くことが多かったのであるが、それは王府時代には見られなかったことである。長嶺華国の《芭蕉の図》【写真2】などのような独特の沖縄のモチーフと筆さばきの妙を見せるようなユニークさは王府時代においてはほとんどなかった。その時代、絵画は献上品のひとつであり、画家が自分の風土を描くというような意識はなかったのである。テーマは主に中国を題材にしたものであった。しかしながら明治以降の長嶺たちが捉える沖縄は、近代的自我によって発見された風景とは異なるもので、題材を沖縄の風物に移しかえただけであろう。つまり、一八世紀以前から日本画や浮世絵は琉球にすでに入って来ているが、様式的にはほとんど変化がないからだ。

沖縄近代における美術の発展は学校の教師によるところが大きい。一八九六年に日本画の専門である山口辰吉（瑞雨《ずいう》）が沖縄県立師範学校に赴任する。山口は沖縄に赴任する前年に日本美術協会秋季展に《羅漢図》を京都から出品し、入選している。沖縄における山口の活動は、かなり活発であり、赴任した翌年の一八九七年一〇月の日本美術協会秋季展では《酔後納涼図》、《登庁賀正図》が入選、翌一八九八年一〇月の同展では《羣雀啄花《ぐんじゃくたっか》図》が二等賞銀杯を受賞している。また、同展では兼城蕙園《かねぐすくけいえん》が《南窓佳人図》で褒状三等入選を果たし、両人は一八九九年の同展でも入選を果たしている。一九〇三年三月には比嘉華山らと、第五回大阪内国勧業博覧会美術館に沖縄風俗画を出品し入賞する。奇しくもそこは人類館事件が起きた博覧会である。九月には自らの作品を頒布するために「沖縄絵画同好会」を結成している。一九〇八年には沖縄で最初の団体展である「丹青協会」*を立ち上げ活発に活動した。

山口は一九一二年に沖縄での任期を終える。山口より後の一九〇一年に赴任し、二年後に帰った山本森之助は黒田清輝門下で天真道場出身であった。東京美術学校卒業後、白馬会員になり、二年後に沖縄県立中学校に図画科の教師として赴任している。山本は中央でも著名な、新派である洋画のホープであり、その影響力はおそらく十分あったであろう。沖縄の絵画は洋画に偏していく。山本は沖縄滞在中の一九〇二年八月、第七回白馬会展に《琉球の灯台》《首里の夕月》《雲天》《日中》を出品、会員となっている。洋画が主流になる背景には近代＝洋画と受けとめられたことがある。実際、沖縄から中央の美術学校に入学する者のほとんどが西洋画専攻であった。沖縄初の東京美術学校卒で西洋画専攻の絵画教師が西銘正楽《にしめせいらく》といわれる。西銘は神戸一中の教師を経て、沖縄県立師範学校に赴任、山口の主宰する丹青協会を引き継いだ。残念ながら作品は現存せず、玉那覇正吉のテキストが現在残る唯一の西銘について語るものである。

それは画面一杯にただ一つ、大きな果物鉢のようなものを描いた絵であった。その絵具の厚みには、初めて「油絵」を見たという以上に、眼をみはるものがあった。その絵はきれいな色には見えず、絵具ではなく、むしろ、粘土を画面に盛り上げたのでは、と思うほどの厚みをもっていた。今思い起こせば、その作品は六号のキャンバスに描かれたものであり、ブラマンクのような色彩と、強さを持っていた作品であったのでは、と思われる。

（玉那覇正吉「第五章　美術」『沖縄県史　第六巻　文化』沖縄県教育庁、一九七五年）

このテキストを読むと沖縄にはすでに大正期にフォービズムや表現主義的な手法が入ってきているのがよく分かる。

洋画家で文筆家の山里永吉*は大正後期、当時、伊波普猷が館長をしていた沖縄県立図書館で美術全集を読みあさり、白樺派の影響を受ける。美術家を志して日本美術学校に入学、村山知義の前衛グループ「MAVO（マヴォ）」の同人となり、第一回MAVO展のパンフレット表紙に山里の作品が掲載されている。昭和に入ると東京美術学校に入学する者が次々と現れるが、彼らが揃って目指したものが、中央の団体展で入賞することであった。沖縄において美術表現が本格的に展開するのは、一九三〇年代に入ってからである。

表現の芽生え——一九三〇年代

明治・大正時代に沖縄は政治・経済とも日本の同化政策に呑み込まれ、疲弊していく。また土地整理により、土地の売買が自由になると、土地を売って移民のための資金を作り、北中南米や南洋へと出稼ぎに行く者が増えてくることになる。製糖業が自由化されると、沖縄のほとんどの農業が砂糖生産へと大きく変化するが、やがて世界の安い砂糖が輸入されると、沖縄は壊滅的な打撃を受ける。いわゆるソテツ地獄*が始まり、本格的な移民の送り出しとともに沖縄ディアスポラ（移民・植民）の始まりとなる。南米、ハワイへと多くの移民が送り出された。日本の南進政策は沖縄の人々にとっても、疲弊する土地から逃れ、成功するための希望のひとつとなった。南洋には多くの沖縄の人々が集来し、劇場が建設され、数多くの沖縄芝居の劇団が巡業に出かけた。

そのような過酷な社会にあっても、文化の近代化は進行し、文学や美術を志す者がいた。特に一九三〇年代になると、沖縄の美術と日本中央との関係が活発になってくる。比嘉景常《けいじょう》、南風原朝光、名渡山愛順、大嶺政寛らがその主役である。

名渡山や大嶺など昭和期、戦前世代の作家と作品をめぐる状況を論じる前に彼らを育てた教師である比嘉景常について語りながら、その当時の沖縄の時代背景を考えることが必要であろう。比嘉は柳宗悦や「民藝」の人々と交流があり、当時の文化の中枢にいた。比嘉は沖縄県立第二中学校*（二中）に赴任している間に数多くの美術家を育てたことで沖縄の美術史に名前が登場するが、名渡山愛順、大嶺政寛、大嶺政敏、大城皓也、山元恵一、安谷屋正義らを指導した功績はかなり大きい。

比嘉は一八九二年に首里に生まれ、東京師範学校卒業後一九二二年に二中に赴任、美術クラブ「樹緑会」*【写真3】を指導して、二一年間、二中の美術教育に力を注いだ。琉球文化への造詣と愛情を生徒に吹き込むことで生徒への影響力は絶大であった。前述の美術家のみならず、大城立裕、川平朝申、写真家の山田實らも比嘉から沖縄文化の薫陶を受けている。

比嘉は、沖縄の美術史を研究するために、首里桃原町にあった最後の琉球国王の子、尚順男爵の家（松山御殿）に通い、美術品を調査しながら尚順男爵から聞き取りをし、家譜を写し、みずから各地を訪ねて文化財調査を実施し、論文を書いたという。彼の著作で今、われわれの手元にみることができるのは、ごく一部であり、膨大といわれる「琉球画人伝」は一〇・一〇空襲*（一九四四年の那覇大空襲）で焼失して読むことができない。比嘉はしばしば本土の『民藝』や県内の新聞及び雑誌に寄稿し、沖縄文化の紹介につとめている。大城立裕によれば、学校での授業はユニークなもので、生徒に各自の地域にある文化財を調査測量させ、レポートにまとめる課題を課していたという。大城は沖縄差別のために自己卑下に陥る中、二中で比嘉の教えを受けることで、沖縄文化に自信を与えられたとして、比嘉を大いに評価している。

比嘉は美術の教師であったが、沖縄の歴史や芸能に親しみ、特に演劇には熱を入れていたようである。「久米島記行」(『琉球新報』、一九三七年)を読むと、建築から民俗、宗教、祭祀、美術などが書かれている。その万物への博物学的な興味は大なるものがある。比嘉の沖縄学への入れ込みようが尋常ならざるのも、この時代が背景にあるはずである。このような美術教師を大きく逸脱するほどの琉球文化への情熱はどこからきたのであろうか。

民藝との関係を見ると、柳田國男*や柳宗悦などの大正から昭和の初期の思想と繋がってくると思える。一九二一年、比嘉が論文「線と内部的運動の感受」を執筆のころ、柳田が民俗調査のために来県し、二カ月あまり滞在している。翌年には南島談話会を設立し、その四年後に沖縄研究の最初の成果である『海南小記』を発行し、沖縄や本土の文化へ大きな影響をおよぼすのである。村井紀によれば、南島は柳田にとって「『日本人』または日本語、日本の宗教『原郷』・『原日本』という特別な意味あいの下に民俗学のいわば『約束の土地』として見い出されている」(村井紀『南島イデオロギーの発生』福武書店、一九九二年)場である。その系譜は連綿として戦後まで繋がってくる。

比嘉は柳宗悦とも交流があった。民藝運動*を牽引した柳は一九三八―四〇年の間に沖縄を四度訪れており、一九三九年一二月から翌年一月にかけては日本民藝協会や国際観光協会の一行とともに訪問した。一月に行われた観光と文化についての座談会の席上、県の行き過ぎた標準語励行について柳らが反対意見を述べ、議論が起こった。そのことで県が柳一行の意見に対し反対声明書を出し、それに対し柳が「沖縄県学務部に答ふる」として琉球新報、沖縄朝日、沖縄日報の三紙で沖縄語の大切さを呼び掛けている。

しかし柳は、沖縄の人々から「沖縄を好奇の対象としている」と大きな批判を浴びることになる。論争は県内に止まることなく、約一年近く中央紙を巻き込んで展開した。この「方言論争」*については、現在でも評価が二分されるところであるが、小熊英二は文化的にも経済的にも上位にある者が持つ、オリエンタリズムであるとして論じている（小熊英二『日本人の境界』新曜社、二〇〇二年）。柳個人を単に内なるオリエンタリズムであると切って捨てるわけにはいかない。同時代を超える思想と分析力、そして沖縄に対する強い愛情を持っていたことを認めないわけにはいかない。もうひとつの要因は前年に来訪した藤田嗣治など来沖画家たちの影響も多分に存在するであろう。

柳は疲弊する沖縄の工芸を救い出そうとし、沖縄の人々に生きる勇気を与えたともいえる。しかし一方で民藝そのものが歴史を度外視し、戦後はあまりに一人歩きし、多様な工芸を抑圧する装置となってきた。とはいえ柳が意図したところは、近代的な芸術観が見落としてきた、自然・風土・伝統などに照明をあて、無名の職人が作り出す機能美を評価し、その価値を前面に打ち出すことであった。比嘉のような優れた教育者に影響を与え、その比嘉が戦後の沖縄文化の中枢となる人物を生み出していることを考えると、一義的な評価にはならないであろう。

主体的な「沖縄」の表現へ

名渡山愛順は一浪の後、一九二七年に東京美術学校西洋画科に入学、二年生の年には第九回帝国美術展覧会に入選する。この快挙によって同級生からは一目置かれた存在となっていた。名渡山がテーマを絞り、沖縄を描き始めたのは一九三〇年代半ばからである。それ以前は風景画や人物画が主である。名渡山が琉球の固有な図象に目覚めるのは、一九三九年、第三回新文展に入選した《琉球古典調》からである。

戦後、首里にニシムイ美術村が作られるが、名渡山はその中心となる。その胚胎は戦前の池袋周辺にある。学生時代、名渡山が住んでいた界隈は「目白文化村」と呼ばれ、また通称「池袋モンパルナス」*がすぐ近くにあった。美術村には大正から昭和の初期にかけての白樺派による新しき村の発想やコミューンの思想も下地にはあったと思える。

名渡山が学生時代に住んでいた下落合界隈の高級住宅街、目白文化村には佐伯祐三、金山平三、刑部人《おさかべじん》、曾宮一念、中村彝《つね》、安井曾太郎、ずっとのちに松本俊介らが住んでいた。そこから近いにもかかわらず、池袋モンパルナスは、がらっと異なった雰囲気の一角だった。多くの若く、貧しい美術家が住んでいて、いわゆる大正デモクラシーを経験したアーティストたちが、自由な気風の下に「放恣と求道の精神で芸術に向かっていった」（宇佐美承『池袋モンパルナス　大正デモクラシーの画家たち』集英社文庫、一九九五年）のである。

沖縄美術家協会

東京での沖縄美術家たちの動きが活発になり、展覧会を開催するのが一九三〇年代からである。一九三二年には南風原朝光ら、東京にいた沖縄出身者が沖縄美術協会*を結成、第一回展（東京神田・三省堂画廊）に、南風原、大城皓也、兼城賢章《けんしょう》、森田永吉、新川唯盛《いせい》、當原昌松《まさまつ》、仲間武が出品している。

南風原は一九三一年に白日会賞を受賞、大城は二中で比嘉景常の指導を受け、一九三〇年に東京美術学校油画科に入学、その年に南風原の誘いで白日会に入選している。兼城も二中で大城の四年先輩だが、森田もやはり二中で名渡山らと樹緑会メンバーであり、比嘉の薫陶を受けている。森田は東京で油彩の勉強を始めて四年目、前年に帝展に入選している。新川は前年に全国組織の教員中心の団体展である「大潮展」で特選を受賞している。當原はこの年に東京美術学校研究科を修了、横須賀市の女学校に赴任している。沖縄のほぼ同世代の若き美術家の自信に満ちた熱意が絵画展を可能にした。一九三四年、第二回展が神田の東京堂で開催された。メンバーは南風原、大城、兼城、山元恵一、仲嶺康輝、西村菊雄、新川らの出品であった。同展は二回で終了する。軍靴の音が聞こえ始めていた。戦後のしばらくは沖縄の美術家と中央との交流はなくなり、一九五〇年代まで日本との断絶が続く。

戦前期の沖縄は未だ主体的なかたちをもたない前主語的な段階から、拡張する日本の外部による視線によりかたちを与えられ、自らを主体化していった過程ともいえる。しかしその中にも交渉があり、「文化の流用・節合」（ピーター・ブルッカー『文化理論用語集』有元健・本橋哲也訳、新曜社初版、二〇〇六年）があり、新たな文化を構築しようとする努力と意思があった。戦後においても、また反復されていく経過をたどるかに見えるが、より多様な文化の可能性を探って行く必要があるだろう。

【写真 1】沖縄の女学生の服装の変化。右から 1898 年頃、1900 年頃、1904 〜 1910 年代初め、大正時代の運動服、昭和時代（那覇市歴史博物館提供）

【写真 2】長嶺華国《芭蕉の図》（沖縄県立博物館・美術館所蔵）

【写真 3】樹緑会の記念写真（山田實氏提供）

2、戦後沖縄美術の流れ

戦後沖縄美術史とは

沖縄の戦後美術の流れを追っていくと、欧米の美術の流れが日本本土経由で時をずらして再現されているともいえる。しかし、日本も含めたアジアの現代美術を眺めると、ほとんど欧米由来の美術とはいえ、それが少なくとも百年以上続いており、各地において、それぞれ異なる色合いに染め上げられてきたことは確実であろう。であるならば地理上の位置、かつて海外貿易で栄えた王国の歴史、その後日本、アメリカ、また日本と施政権が移る特殊な歴史、全土が焦土と化した沖縄戦の過酷な体験、風土もかなり日本本土と異なる沖縄には特有な美術の流れがあると考えるのは当然といえよう。勿論、戦後の沖縄の美術は自律的、内在的に変化してきたのではないので、戦後の沖縄の美術史に影響を与えたとおぼしき、独特な社会的要因も考えてみることが沖縄の美術の特色に繋がってくる。

沖縄の戦後美術史を規定してきた社会的要因は大きく三つのことが考えられる。

第一の要因はアメリカ（軍政府）との関係である。これまで沖縄の戦後美術に対するアメリカ美術の影響は、琉米文化センターの美術雑誌やニシムイ美術村などの一部の交流以外、直接的影響はほとんどないとされているのであるが、エリートの美術家を終戦直後の一時期軍政府が直接的に雇用したことを重視しなくてはならない。二〇数年間にわたる米軍統治下における文化の保護育成政策と沖縄住民への人権無視というアンビバレンツは、大きな現実的問題として美術家の前に存在していたのである。

第二の要因は日本との関係である。戦前から沖縄の画家達にとって本土の団体展に入選し、賞を受賞し、会員になるのが大きな目標とされていた。それは狭い沖縄の中では自分の芸術の実力がどの程度なのか不安であり、「客観的」な評価を得たいということと、自分の仕事を社会に認めさせ、社会での安定した地位を得るためでもあった。それはやがて本土に追い付き、追い越せという、対抗意識に変化し、団体展の会員が増えてくる一九七〇年代になると各支部が県内に結成されるようになる。欧米の前衛運動や西洋美術の様式、美術思想は美術雑誌から日本本土経由で入って来た。また、米陸軍省後援によるいわゆるガリオア資金（米国による戦時救済資金。日本本土は五一年まで、沖縄は復帰前まで続く）の活用による米国留学は一九七〇年までに千人以上に上ったが、美術への進学希望の学生はもっぱら琉球大学以外は日本本土の美大で学んだのである。

第三の要因は県内におけるアカデミズムとジャーナリズムとの関係である。新聞社（沖縄タイムス社）とアカデミズム（琉球大学教官）が一体となって県内最大規模の総合美術展「沖展*（沖縄美術展覧会）」を育て上げた。少なくとも戦後一九七〇年代までは沖展において作家は育ってきたといえる。また、一九八六年に設立された沖縄県立芸術大学も一九九〇年代に入り、影響力が目に見えるようになった。

沖縄の戦後美術史の特徴をあげると、①琉球王府時代の絵画の伝統は衰弱し、日本本土から入って来た洋画が主流であること、②政治的、社会的メッセージ性のある作品の多くが二〇〇〇年代以降出てきたこと、③日本的な画壇のヒエラルキーがないことなどが考えられる。もう一つ加えるなら、④この十年ほど琉球絵画の復活が若い世代に目立ってきたことがあげられる。以降、約一〇年単位で流れを追ってみた。ただ終戦からの五年間については、「戦後復興期」として章を立てている。戦後すぐに、画家たちが石川市東恩納の軍政府に集められ、美術技官として従事し、一九四九年には沖展が開始され、一九五〇年に琉球大学が開学する復興期として重要な期間だからである。

一九四五〜四九年──戦後復興期

沖縄諮詢会からニシムイ美術村まで

沖縄戦で沖縄は全土が焦土と化した。軍民一体となった戦場は、地獄絵図そのものとなった。カンポーヌクエーヌクサー（艦砲の食い残し）と形容される、生き残った人々が見たものは、視覚的にも精神的にも戦前との大きな断絶であった。風景が一変する事によってそれまでの価値観も大きく変わることになった。戦前とは異質な風景と、爆風で真っ白でむき出しになったサンゴ礁の島、その風景が戦後美術の出発であった。

終戦直後からこの期間は、米軍政府のきわめて迅速な難民対策と文化の保護育成政策に特徴がある。それは実際の軍政担当が海軍であり、担当将校が学者軍人であったことから沖縄に民主主義社会を樹立し、文化を保護しようとした意図が政策に反映されていたといえる。勿論、本国政府の沖縄の統治方針もあるが、いずれにしろ、直接の政務担当であったウィラード・ハンナ*少佐は東アジアの歴史、文化に造詣が深く、沖縄占領が沖縄の住民にとって日本軍国主義からの解放であるという認識をもっていたのである。沖縄の民衆が独自の文化に目覚め、振興し、アイデンティティを確立することによって、日本との差異を明確にし、分断政策をやりやすくすることも目論んでいたわけであるが、そのためには文化の保護育成が急務であると考えたのである。

太平洋艦隊司令長官C・W・ニミッツの布告第一号（米海軍軍政府布告第一号）によって一九四五年四月五日、沖縄における米軍政府の設立と日本政府のすべての行政権の停止がなされる。敗戦後、それを受けて米軍政府の諮問機関として一九四五年八月二〇日、中部地区石川市東恩納にて沖縄諮詢会*がスタートし、組織の中に文化部が設置された。文化部の設置に関しては沖縄側からの要望を軍政府が受け入れた経過がある。翌年の一九四六年二月、「美術技官」という職名で美術家たちが集められ、職を与えられた。仕事内容は、後進の指導、各地での展覧会の開催、米軍の注文に応じて風景画や風俗画を描くこと、クリスマス・カードの作成などであった。

特に学者軍人であるジェームス・ワトキンス海軍少佐（後のスタンフォード大学教授）やハンナ少佐は、沖縄の伝統文化の保護育成にきわめて熱心であった。芸能家や画家たちを集め、米軍部隊や住民のために公演させ、東恩納の民家を修復して博物館（東恩納博物館）*【写真1】を開設し展覧会を開催するなど、戦禍で破壊された傷痕を癒し散逸した文化財を収集した。

一九四六年四月一日に軍政府は南部の知念（現南城市）へ移動したが美術家は東恩納に残った。その年に文化部は民政府に統合されている。直接的な軍政府による統治ではなく、民政府という間接的な統治形態をとった。一九四七年には沖縄美術家協会が会長・屋部憲、委員に名渡山愛順、大嶺政寛、大城皓也、山元恵一、金城安太郎らによって結成された。

集められた画家たちは決して喜んで米軍の仕事を遂行していたわけではなかった。時にはクリスマス・カード制作やイベントの装飾などに反対したし、市場価格で取引されることにも拒否の意志を示した。川平朝申『終戦後の沖縄文化行政史』からは画家たちの矜持が伝わってくる。また芸術家の描いた絵はすべて米軍内のショップを通すようになったことにもかなり異を唱えている（A.P.Jenkins「復興期の沖縄美術市場―公文書に見る米軍の管理・統制　1947～1948」『名渡山愛順が愛した沖縄 名渡山愛順展』、沖縄県立博物館・美術館、二〇〇九年）。

一九四八年三月三一日、文化部が廃され、新たに活動拠点を探すことになった画家達は、首里儀保にある通称ニシムイ（北森）を美術村として選び、そこにアトリエ付住宅をつくって移り住み、活動を再開した。東京美術学校卒の画家が多く、当初は米軍将校や家族などの肖像画を描いたり、風景画などを描いていたが、一九五〇年代からは大学や他の職に就く者が多かった。本来的な活動はその頃から開始される。戦後の美術はニシムイという場所から始まると言ってもよい。

この時代は荒廃した沖縄文化全般への復興の気概が強く、様々な人々がジャンル関係なく沖縄の工芸や絵画の復興に従事したといえる。画家から工芸家になる者も多かった。戦後すぐから五〇年代まで、戦前に比べて画家として生活できるほど絵が売れた時代ではあった。

新しい風景の発見

首里儀保に美術家の共同体ニシムイが建設された（間接的には米軍政府の文化奨励策があったが）。時がたつと新旧交代が起こって来る。

琉球大学図書館に、美術家たちと交流のあった軍医将校、ウォルター・H・エイベルマンが撮った写真が寄贈されている。それを見ると、当時の沖縄は戦火の跡がいちじるしく、かなり貧しい。当時の貧しさと比較すると、ニシムイの画家が恵まれていたのはよくわかる。「一枚描いて一ドル＝百二十円。公務員の給料が八百円前後」（安次嶺金正個展　記事「戦後沖縄の姿浮き彫り」『沖縄タイムス』一九八九年九月二日）であった。しかし、それも米軍政府の美術市場の管理・統制がもたらしたものでもあった。戦後、沖縄中に多くのにわか絵描きが生まれた。ニシムイの画家たちはもちろん生活のために絵を売ったが、本物の芸術家であったが故に、いわゆる売り絵のみには満足しなかったのである。

ニシムイが長い間両義的な位置にあったことはうなずける。交流のあった軍医、スタンレー・スタインバーグの出自がユダヤ系、医学博士エイベルマンは現役のハーバード大の教授という経歴の持ち主で、彼らは沖縄に赴任した後、毎週のようにドライブして撮影しており、偶然ニシムイの画家たちと出会い、共に絵を描き、本国から画集を取り寄せ、画材を送らせたのである。

終戦直後の勝者と敗者という酷薄な現実の中で、彼らは唯一絵画という領域を共有しながら、「友情」を築いたのだろう。文化は大きな政治の狭間にあり、それ自体は抑圧されたものの異なる表現として、捉えるべきかもしれない。

安谷屋正義の《中城湾の眺め》(一九四八年)は、自然の柔らかな風景と対照的な「空間を切り裂くような米軍道路のまっすぐな白い道」、そして長方形のコンセットの組み合わせという新しい風景を夢中になって描いたように思える。現実的な風景と芸術の対象となるモチーフとしての風景画があった。安谷屋は風景のなかに新しい異物を見て描いた。安次嶺金正は、一九四〇年代は沖縄的というより、あか抜けたモチーフを描いていた。それが一九五〇年代の「ローカル」論によって沖縄のモチーフに変化していく。スタインバーグやエイベルマンが持って帰ったのは、その変化の直前の作品であった。五〇年以降の安次嶺は《ばなな》(一九五三年)や《佇住《たたずまい》》(一九五八年)、《赤い幹》(一九五九年)などで平面と風土を融合させる画法を確立し、安谷屋は壷屋や瓦屋根、沖縄のモチーフを半抽象の画面に取り入れた、いわゆる「新しいローカル」であった。

一九五〇年代—展覧会の始まり

沖展から五人展まで

一九五二年のサンフランシスコ講和条約発効により、沖縄の施政権は完全に日本と切り離され、米軍政府は徹底した軍事優先政策を敷き、軍用地の強制接収を強行した。一九五〇年代は、伊江島、伊佐浜等での強制的土地接収による基地建設が強化され、米軍と沖縄住民との対立が激しくなる時期でもあった。いわゆる「島ぐるみ闘争」がおこった。しかし美術界は直接のメッセージは出していない。ニシムイの時代が終焉に向かう頃、琉球大学が一九五〇年に開学した。大城皓也が教授に就任し、その後、山元恵一、安谷屋正義、安次嶺金正、玉那覇正吉、宮城健盛《けんせい》が講師として就任している。

戦後初の大規模な公募展である沖展第一回の審査員は大嶺政寛、名渡山愛順、大城皓也、山元恵一、沖縄タイムス社の豊平良顕《りょうけん》である。第二回展には、山田真山《しんざん》が加わっている。上記の審査員は明治末年か、大正の初期に生まれている美術家たちで、いわゆる戦後美術の第一世代たちである。その中心の作家は名渡山と大嶺である。戦前から中央画壇とつながりがあり、光風会や春陽会の会員となっていた彼らは沖縄の風土にこだわり、沖縄のモチーフを全面に押し出して描写した。名渡山は琉装の女性を沖縄の工芸品などを背景に描き、大嶺は戦後急速に消え去りつつある赤瓦屋根の連なりのある風景を求めて離島まで出かけて描いた。どちらも現実とかけ離れた古き良き沖縄であるが、彼らは最後までそのロマンにこだわったのである。

一九五〇年、戦後最初の美術運動体として安谷屋正義、安次嶺金正、玉那覇正吉、具志堅以徳、金城安太郎による「五人展」*【写真2】が結成され、三月に第一回展が開かれる。五人展のメンバーは世代も出自も方向もばらばらであり、特に最も若い安谷屋と具志堅、金城とでは一〇歳近くも年齢が隔たっていた。そのいきさつは、沖展の運営に関する不満があり、また、第一世代がアカデミックな「写実」＝再現性を専らとすることに対し、金城、具志堅以外の三人は「表現」＝造形を全面に打ち立てようとしたことから始まる。このことは明治末から大正時代に日本の美術上で起こった変化を思い出させる。白樺派などが押し進めた絵画のモダニズムが当時の美や再現のみを芸術としていた段階から、内面を表出すること＝表現へと変わっていく移り行きに酷似している。もちろん歴史がある程度たっており、そのまま比較することは無理があるが。

最初は米軍からの要請による展覧会から始まったとはいえ、五人展は確実に戦前戦後通じてはじめての美術運動体であった。第一回展は一九五〇年三月三一日～四月二日までの三日間、壺屋小学校で開いている。安次嶺は傑作《私はつかれた》ほか油彩四点を出品、パンフレットの所感には芸術が自然の模倣ではないことが強調された。安谷屋が《首里風景》ほか油彩五点、図案三点、金城安太郎が《琉装》ほか二点の日本画、具志堅が油彩《那覇への道》ほか五点、玉那覇が油彩《白い木立の風景》ほか四点、彫造三点をだしている。

彼らは展覧会毎にパンフレットを発行し、自らの画論や期する所を述べた。いわゆる「絵描きに言葉はいらない」という職人的な絵描きに対する明らかなアンチテーゼであった。特に名渡山や大嶺などの前の世代への描写主義に対する反発が強かった。安谷屋はこう述べている。

石膏デッサン、リアリズム、印象派、セザンヌ、フォーヴと段階的に進むことが、画家の取るべき道である、とする概念が、如何にはやる若駒の足を止めていることだろう。画家が一つの美を感じた場合、それを表現すべき総ゆる方法はすべて、此れ、立派な技術である。技術の伴わぬ先ばしり、とよく人はいう。それは間違いだ。感覚の伴わぬ先ばしり、と私は云いたい。感覚に自信があるなら進め。リアリズム、フォーヴ、キューヴ、アブストラクト、シュール、絢爛たる花壇は汝と直結している。リアリズムを感覚乃至技術の発展的段階と誤解するな。

（『第八回五人展パンフレット』一九五三年一二月四日―六日）

描いている内容は、近代絵画の域をでなかったりするが、安谷屋や安次嶺、玉那覇には明らかに造形性をはっきり打ち出しているのが見える。いわゆるモダニズムを展開しているのである。五人展のパンフレットには安次嶺金正が「画面のレアリテと実生活のレアリテをわけて考える必要がある」「技術というのは手が創り出すのではなく、眼が作り出す事を忘れてはならない」（第二回展）。そこには絵画の自律性と眼＝思考の優位性がはっきりうたわれ、安谷屋は「絵画性と文学性」（第六回展）という題で「要するに絵画は絵画性だけで成立するもので他の文学性などというものは単なる不可物にすぎません」「絵画であればより造形的になり、平面的になってくるのは当然の事と思います」と述べ、ジャンルの確立をはかろうとしている。五人展は第七回展から沖縄タイムス社の後援を取り付け、パンフレットもガリ版刷りから活字印刷になった。新聞も会期中連日のごとくとり上げ、かなりバックアップし、第九回展は千人を越す観客が訪れている。五人展は一九五〇年三月から第九回展の一九五四年七月まで続き解散する。安谷屋は『沖縄タイムス』に解散の経緯を書いている。

半ば頃から共通の造形的研究テーマを持つようになってはきたが、それはあくまでも、試作的な問題に過ぎず、一つの絵画運動としてはあまりにも基礎が貧弱であった。絵画活動に於ける精神的結合は新しい時代に対決する前衛的な精神によってのみ純化されるのであって素朴な友情だけでは、或は単なる形式の追求だけではその目的が達成された暁に、残されるものは単なるセクショナリズム以外の何ものでもない。社会的評価が高まれば高まる程この弊害は増大するわけであり、ひいては個々の制作活動に悪影響をおよぼす恐れありとして、相互の意見によって幕を閉じる事にした。（『沖縄タイムス』一九五四年十一月二十五日）

安谷屋にとっては密度の濃い運動が欲しかったのである。彼らのグループはまさしく近代を追いかけていたのである。モダニズムはボードレールから始まるとされる。近代に関する批評家の言葉を聞いてみよう。

すでにフランス革命を体験した一九世紀フランスにおいて、「近代」はたしかにはじまっていたにちがいない。そしてまさしくこの近代がもたらした個人の解放、それにもとづくアナーキーな自由こそ、ボードレールが当時の絵画の貧困の病原として見たものであった。（中略）「偉大な伝統はうしなわれ、新しい伝統はうまれていない」そのとき、そこにあるものは統一を失った虚弱で凡庸な個人の乱立でしかない。「絵画を殺しているのは画家なのだ」

（宮川淳「絵画における近代とはなにか」『美術史とその言説』中央公論社、一九七八年）

手厳しい指摘であるが、つまり、過去を懐かしむのではなく、過去に理想の美の範例を見ることをいましめ、現在を強調したのである。五人展の戦後世代の画家たちにとってはまさに現在こそがすべてであった。

「五人展」以降の絵画運動

第一世代に対するアンチとして出てきたのが第二世代である。第一世代に対する不満がその原因と言われるが描写第一主義へのアンチでもあった（「第一世代」「第二世代」の分け方は稲嶺成祚「戦後美術の流れと現状」『沖縄現代画家七十八人』一九八二年を参考）。一九五〇年に結成した「五人展」は、一九五四年に第九回展で解散するまでパンフレットを出し続けた。それぞれの所感も英語に翻訳された。一九五四年、最後の展覧会となる九回展では同人として安次富長昭《ちょうしょう》、当間辰が加わっている。「初期の目的を達成し終えた」として、最後に解散宣言を出している。「五人展」は近代芸術の啓蒙運動であり、個性＝表現を鑑賞者に知らしめる活動と言えた。

五人展解散の四年後の一九五八年、安谷屋が一年間の東京研修から帰沖、新たな美術グループが結成される。安谷屋、安次嶺、玉那覇、安次富による「創斗会」*【写真3】である。創斗会は会員を広く募集し、研究会を行なった。芸術の啓蒙的な運動を目指し、作品の批評会を倉庫を利用して行うなどした。後半は学生も参加できるようになり、教授と学生が交じり合う、きわめて民主的な会であったと言われる。一九五〇年代なかば以降は日本国内の美術は「具体美術協会」が結成され、アンフォルメルや抽象表現主義の作品が紹介され、日本の美術界に衝撃を与えた。創斗会もその動きに刺激されて結成されたとも言える。

「吾々は創斗会を結成いたしました。うたわざる詩人、描かざる画家は、吾々の仲間では認めることができません。」という宣言文を出して展覧会（一九五八年一月十一〜十三日、タイムス・ホール）を開催している。同年は安谷屋が《塔》を描いた年である。創斗会は琉大の教授と卒業生を主力とし、一九七三年に解散するまで沖展など美術界に大きな影響を与えた。

一九五〇年代は沖縄の美術界も動きが活発になり、団体展が生まれ始めた時期でもあった。創斗会の動きを沖展が反映しだし、抽象絵画が多くなったことに反発して伝統的写実を旨とするグループが生まれた。名渡山愛順をリーダーに具象画を中心とした「美緑会」は会員に慶田喜一、仲里勇、大城精徳がおり、一九五六年から一九五九年まで続いた。一九五二年には、一九五五年までに中央の団体展で入賞者を出そうという趣旨で「一九五五年協会」*が結成されている。また、一九五六年には大嶺政寛を会長とする「沖縄美術家連盟」、「琉球国際美術連盟」も結成されている。後者は琉米親睦の美術団体の性格を持つものであった。大城皓也は、アマチュアの団体、ぴよびよ会を母体に二科会沖縄支部を結成。治谷文夫、渡慶次真由《しんゆう》などの画家を育てた。東京本展の支部としては沖縄初の美術団体であり、現在まで続く。

ニシムイ美術村に住む作家たち以外はどうしていたのか。大嶺政寛は越来《ごえく》（現沖縄市）に大きな住宅兼アトリエを構えていたのでニシムイ建設には参加せずに独自の画業を歩んでいる。沖展の第一回審査員に招かれ、一九五〇年には戦後の荒涼とした風景と、ひっくり返った戦車、遠くに見える兵隊を描いた《西原》を仕上げている。「いったい何を描いていいのか。しょう然となり、虚無状態に陥った」（「大嶺政寛」『私の戦後史　第３集』沖縄タイムス社、一九八〇年）という言葉に状況がよく伝わってくる。

実際、この時期大嶺は抽象的なというか、構成画風の絵画に挑んでいる。後述するように、抽象化の波が押し寄せていたのである。大嶺信一はニシムイの近く、平良に住んで、ニシムイに通っていた。嘉数能愛は戦時中から、もっぱら米軍施設において壁画製作に従事する。その後は首里にアトリエを構え、米軍人・軍属の肖像画や静物、風景を描き、生計を立てた。《海底》（一九五七年）は、沖縄のサンゴ礁と熱帯魚が泳ぐさまを鮮やかに描写している（大城精徳「焦土の中から甦った画家たち」『写真集沖縄戦後史』那覇出版、一九八一年）。大御所の山田真山は宜野湾の普天間に大きな屋敷を構え、「デイリーオキナワン」（米軍向けの新聞）などの沖縄紹介の挿絵の仕事をしていた。その他、美術家たちはそれぞれの場所で絵を描いて生計を立てられた時代であった。

批評・論争

一九五〇年代半ばは日本でも五五年体制の確立のもと、批評活動が活発になる時期である。「具体」が活動を開始した年は、国外においては、アジアに対するフランスの撤退に変わって、アメリカがアジアの侵略を開始したということ、さらに国内においては、日本共産党による《極左冒険主義路線》の自己批判、社会党統一、自由民主党結成に代表されるような戦後民主主義体制の最終的な完成がなされた年だということだ。また、これらの「文代劇」が、日本の現代美術の基本路線にも無視出来ない影を落としているということ。

（椹木野衣「閉じられた『円環の彼方』は?」『日本・現代・美術』新潮社、一九九八年）

沖縄でも新聞紙上という限られた場ではあったが、批評に伴う論争が始まった。一九五五年三月二六日の『沖縄タイムス』一面に「覆面批評」として匿名の筆者が第七回沖展を批評しながら画家たちを三グループに分けた。伝統的写実、いわゆる具象画の傾向、新しい波として抽象画の傾向、その他の個性的な作家たちに分類した。さらに、匿名の複数の記者や関係者に「沖縄画壇を斬る」と題し、続編を三回掲載している。一九五五年にはすでに沖展に抽象画が多くなったことを意味している。その年の『沖縄タイムス』七月一日付には豊平良顕が沖展にからめて、「文化界の批評欠乏」として批評不在を訴え、その中でいかに沖縄の文化で美術が突出しているかについて述べている。沖展のマンネリ化をもっとも警戒していたのが、創設者の豊平であった。

一九五八年には慶田喜一と安谷屋正義の伝統と絵画をめぐっての論争があった。といっても慶田の論に安谷屋が反論して終わっている。写実を背景に論陣を張る慶田と新しい造形を目指す安谷屋。この論争は描写を旨とする世代と安谷屋ら新しい造形の傾向の世代との対立が露わとなった。慶田は、フランスでの主流は必ずしも抽象ではなく、シュルレアリスム、アブストラクト、ノンフィギュラティブ、写実派の四つに分類される。伝統の下に抽象があるのであり、そのことをしっかりとわきまえず、西洋のコピーではだめだと述べたのである（『沖縄タイムス』一九五八年二月二四日、二五日）。それに対し安谷屋は慶田の伝統概念が曖昧であること、抽象と写実を対立して考えること、現代の美術家が対面していることがまさに「伝統」と「ローカル」であるので看過し得ない問題であると述べた（『沖縄タイムス』三月三日〜四日）。日本本土での伝統論争（丹下健三『新建築』新建築社、一九五五年一月号〜五六年八月号）に影響を受けたと思われる沖縄での展開となった。だが、時代は抽象化へと辿りつつ、一九五〇年代後半は「新しいローカル」として「ローカルプラス抽象」へと向かっていくのである。

一九六〇年代――前衛の時代

前衛グループの台頭

一九六〇年代は沖縄でも前衛の動きが活発に起こる頃であった。創斗会研究会は若い美術家たちにとって刺激的な場所でもあったようだ。ところが一九六一年五回展の後に、創斗展に反発するように結成されたのが、グループ「耕《こう》」＊【写真4】であった。「耕」の結成は理論的支柱であった大浜用光と当時琉球大学美術工芸科の学生であった城間喜宏の出会いから始まる。「耕」は本土公募展へのみ焦点を当てる創斗展に対して、当時盛んに日本に紹介され始めた世界の動向を受けて何か実存的な「表現」を欲していた若者の必然とも言える結成であった。沖縄においても同時代を生きようと考えた。新しい本土の動向を伝えたのは大嶺實清であった。彼は京都で学生時代を過ごし、京阪神で起こった日本の戦後前衛美術の運動「走泥社」「具体」「パンリアル」などの動向を肌で感じていた。

第一回展は一九六二年八月一八日から二〇日までタイムス・ホールで開催され、大浜用光、城間喜宏、大嶺實清、永山信春、新垣吉紀、上原浩の六人展となった。大嶺が「一九六〇年から毎日が前衛活動であった」という言葉に象徴するように燃えたぎる表現の情熱をホールの壁面を漆喰やドンゴロス、セメントなどでキャンバスやボードにぶつけた作品が埋め尽くしたのであった。第一回展の図録には先輩であり、教師でもある安次嶺金正、安谷屋正義、玉那覇正吉と大城精徳を招いて座談会を開いている。おもしろい座談会であるが、結果的に若い「耕」のメンバーの求める答えにはならず、グループ論、ローカリズム、形式論と、テーマはバラバラでまとまりなく終わる。安谷屋のリリカルな孤独感と芸術の結びつきと、あくまで乾いた形式論者である安次嶺の絵画論が若干展開されている。展覧会評を安谷屋が書いたが、期待と批判の入りまじったものであった。「表現そのものの未熟さから来ているというより、どうも表現そのものの意識の不鮮明さから来ているもののように思う」と言いつつ「それでもなお私は、この展覧会に強くひかれる。それは一口に言って未知数の魅力といえよう」（『沖縄タイムス』一九六二年八月二一日）。一九六二年は針生一郎が「前衛芸術に疲れました」、（『藝術新潮』八月号、一九六二年）、中原祐介「前衛のゆくえ」（『美術手帖12月増刊』、一九六二年）を書いている。すでに東京では前衛が大衆に飲み込まれて、無関心に行き着くことについて触れている。沖縄ではそうはならなかった。大いなる関心に包まれた。肯定と否定の両極の言葉が新聞紙上にあふれたのである。

沖縄の社会は、米軍の土地強制収用への反対運動を通じて、民衆の権利獲得運動が大きくなり、ついに復帰運動になだれ込んでいく。美術においては前衛グループが誕生し、先鋭になる。具象絵画から始まった沖縄の戦後美術も、一九五〇年代後半から抽象絵画が増え、一九六〇年代からは反絵画的な「過激なスタイル」が出て来る。その筆頭がグループ「耕」であった。しかし、一般の人々にとっては抽象画さえ難しい時代である。「耕」のメンバーは実際、一九六三年に抽象画の解説展示会を那覇市のホールで行ったりしている。

グループ「耕」は創斗会のリーダー達に、ある種のアカデミックな権威主義を感じていた。「耕」の既成画壇へのアンチの姿勢は、沖縄の現実からくるものでもあった。大浜用光は新聞のコラムで、ある展覧会への「絶対権力者」（高等弁務官*）のオープニングの訪問へ皮肉を投げる。「ゲイジュツに国境なし。文化の交流！アア」。これは直接芸術とは無関係であるが、芸術もその現実から踏み出す以外にないとする。そして「今日の芸術は、この矛盾を引き裂かれたまままるごとつかまなければならないのではないか」、そして「芸術主義のワクを出なければ、芸術は、現代的虚無と頽廃にのめりこむばかりではないか」（『沖縄タイムス』一九六三年五月二八日）と論を展開する。「耕」はアンフォルメル（不定形。戦後フランスを中心とした抽象美術運動）に影響を受けて制作してきたメンバーが集まって結成されたグループで、本土における具体美術協会の活動やネオダダ的な動きに刺激を受けつつ活動したのである。「耕」の動きはある意味、歓迎される反面、反発も根強かった。大浜が書いた同じコラムに一週間後には違う筆者が「大衆と絵画が了解を得られない地点で対立していることは、現代の不幸である」「現代絵画の目まぐるしい変動が様式の新しさだけを追っかけているとすれば表現の虚無に終わる」と、痛烈な批判を浴びせている。第二回展が始まる八月には別の筆者が挑発的な文章で「エセ抽象画家の氾濫」として「ニセモノたちを〝前衛の耕作者〟たちはまず絶縁しなければならないだろう」、そして類型をやぶることを述べてエールを送っている。

理論的支柱である大浜はこう述べている。「私は絵画のイメージを物自体のもつ言葉によって表わしたい。ものさながらの姿においてみるということ」（「存在自体の絵画化」『沖縄タイムス』一九六五年一二月一六日）。シュルレアリスムの運動とは異なるが、「芸術の生活化」を図ろうとしたのである。その後、「芸術家の自由」と題した同コラムで、ペンネーム淡水魚は「いやにスマートになりかけた若い抽象画家たちの作品を眺めながらどうしたものか、やりきれない寂しさに襲われた」と書けば、それに対して大浜が「現実に横たわる膈膜」と題して沖縄の戦後の保守的、閉鎖的な政治、社会、美術状況を批判的に述べながら三回に渡って持論を展開、その後、安谷屋や詩人の大湾雅常の論が続き、さらに大湾に対して、清田政信が批判するという、熱い論議が『沖縄タイムス』で約二ヶ月近くに渡って繰り広げられた。

大浜の〝大衆とともに〟という論にも関わらず、安谷屋の論調は要約すると「素朴な大衆をおいてけぼりにするな」（「告白的絵画論」『沖縄タイムス』一九六三年一〇月一〇日―一二日）という内容であった。それに対して大浜はこう述べる。「私は、自我とグループ、画家としての自己と大衆を対立するものとして考えない。それどころかこの接点を、まるごと統一的につかむところに今日の芸術運動の課題があるのではないだろうか」（『沖縄タイムス』一九六三年一〇月二〇日）。多くの反対意見にも関わらず、この論が声高に言えるほど、モダニズム＝進歩することの価値観が社会に浸透しつつあったのだろうか。実際「耕」の展覧会には大勢の観客が集まっていた。「わからないなりに面白い」というのが当時の展覧会に来た観客の感想でもあった。

日本において、いわゆる自己「表現」が導入されるのは近代、明治以降となる。しかもニュートラルな空間で、壁にかけた絵画を立ってみることになるのも明治以降である。そして美術という新しい概念が導入されて数十年で西洋美術を咀嚼し、内面化した日本の美術が表れたのである。作者というものが現れると、自ずと「自己」表現を取らざるを得ない。しかし二〇世紀に入っての前衛運動は、特に戦後は「運動それ自体が目的」となる。つまり何かしら有用の目的があるのではない。結果的にそれは目的や結果を求める社会の制度と反駁するものとなる。「自己否定の論理」でもある。大浜の〝大衆とともに〟という理論は、当時の社会に置き直すとよくわかるが、社会革命の論理である。ロシア・アバンギャルドは革命に奉仕するためという大きな命題があったが、その流れと思える。「芸術」と「生活」はいつでも論議の的になるが、ロシア・アバンギャルドも結局大衆の支持が得られず、スターリンによる批判等で一九三〇年には終息する。

「耕」は、完全にはキャンバスから離れることなく安谷屋の死と同年の一九六七年に解散する。その翌年「亜熱帯派」*が安次富長昭、大浜用光、城間喜宏、大嶺實清によって結成され、一回の展覧会で終了している。この展覧会で特筆すべきは、城間喜宏が素材に使用した墜落したジェット機の羽根が、街のスクラップ屋で売られているものであったことである。旧来の既製品を使うオブジェではなく、禍々《まがまが》しい沖縄の状況を、美術に取り込んだのであった。一九六〇年代はじめは前衛美術の沖縄での誕生の年ともいえたであろう。

「真夏の太陽と作家の出会い」は、比嘉良治、真喜志勉、西銘康展の三人が参加した。「古タイヤにテープをグルグル巻きにしたもの、数個のジュース空き缶にケロシン（灯油）を入れて火をともしたものを真っ白いカンバスの前にぶら下げた作品、一五〇号大の赤と白の単純な抽象構成の作品にレモンを二個あしらったもの、同じく白と黒の作品の画面に、小さい手鏡で太陽の反射光を投射させたものなど、奇抜なデザインで作品構成を試みている」（『沖縄タイムス』一九六三年八月二三日）と当時の新聞に載っている。

一九六〇年代全般を通じて、沖縄は幾分経済的に安定し、豊かになる時期であった。「創斗展」は一九七三年まで持続し、琉球大学の美術教師を中心に多くの美術家を育てていた。いわば現実の政治を作品に反映させず美術に打ち込む美術家たちが多くいたのである。

状況へのアンチテーゼ

一九六五年、アメリカが北ベトナムを直接北爆し始めた頃、沖縄嘉手納基地からB52爆撃戦闘機が毎日のように飛び立った。この年には佐藤・ニクソン会談が始まり、沖縄の処遇が議題に上ろうとしていた。この年に安谷屋正義は《望郷》を描いて沖展に出品する。当時の社会状況としては反基地、反米軍が主流である。しかし、参観者には感銘を与えたようである。空も海も白っぽい背景の明らかに米軍基地のゲートがあり、その前に歩哨が右側に立っている構図の作品である。安谷屋にしてはまことに珍しい人物の入った横長の絵画作品である。沖縄も復帰運動の高揚とともに、世界と連帯した反戦運動に変化して行く時期であろう。安谷屋の作品は米軍対沖縄という図式を通り越した、普遍的な反戦＝厭戦意識とも結びついたものかもしれない。

一九六四年に、グループ「耕」は第三回展を開催している。大浜用光ら六人から石川ハツ子を入れて七人へと増えている。三回展で特筆すべきなのは、永山信春の急激な変貌であろうか。トタン板にノミで穴をあける仕事をし、翌年一〇月には初個展でトタン、ワッシャー、ボルトなどを使い、モノで作品表現を志向している。当時としてはかなり大胆な作品づくりである。

物質が作品に変貌するという、一九六〇年代に日本にも流入してきた物質、素材論である。キャンバスや筆で絵画制作が成り立ち、石や木材にノミを入れたり、鉄、石膏で造形するのが彫刻という常識の時代である。作家が素材を選び、それに手を加えて表現するのが美術作品であるが、彼はそれをトタンにノミで穴を開ける行為を通して表現したのである。

当時の展評に興味深いものとして西銘康展の「グループ耕へ」と題した文章がある。今回の作品展示は、従来の絵画、彫刻と同様な態度であり、「モノ」そのものの提示ではないのではと批評している（『沖縄タイムス』一九六四年一〇月八日、一〇日）。あえて言えばグループ「耕」の志向は反絵画であったが、永山は反芸術を志向し始めていたのか、その途上であった。永山は、第二回から第四回までグループ「耕」に出品していた新垣吉紀とともに一九六六年には脱会する。同時に創斗会も同年脱会する。二人ともモノそのものに語らせるという方向に傾いていったのである。永山、新垣は一九六七年一月には個展を開き、一二月には二人展を開催している。一九六〇年代後半からキャンバスの代わりに、トタン、バッテリー、手袋その他日常で使用されるものが素材となった。グループ「耕」が沖縄タイムス社のホールで活動していたのに対し、折しも新しい琉球新報ビルができたので、若い作家たちは、そのロビーを使って展開することになった。

永山と新垣は新垣安雄を加えた三人で、『沖縄タイムス』紙上で「前衛絵画の方向」（一九六七年三月十日、十一日）というタイトルで座談会をしている。「従来の既成概念を打ち破ろうとする動きが最近若い作家の間で目立っている」として、三人とも〝素材〟という概念で取り組んでいるが、一般には未だ理解を得ているとは言いがたいと前書きで触れて、若い美術家が何を考えて「モノ」を使って制作して展示するのかを二回にわたって連載している。その中で新垣吉紀が「物が拾われて使われた時に物から素材になる」ということを述べている。これはシュルレアリスムやデュシャンの作品に見られるレディメイド（発見された物、既製品からの意味の剥奪）を意識した言葉で、イメージや既成の言葉にさらされない物を素材として使うという意味であった。彼等に共通な心情が「既成なものへの反抗」であった。さらに「自己否定」の論理がここでも流通する。一九六〇年代後半の時代に身を置くとよくわかるが、時代潮流としてこれまでの人間像が解体し、自明なものを疑う思潮が世界的に広がる頃だ。一九六八年のフランスの学生革命の兆しは沖縄にも若干伝わっていたはずである。

その時代の流れと沖縄の既成画壇と沖縄の状況へのアンチ、「耕」からの決別として、永山、新垣は高良憲義と金城暎芳を加え反芸術の方へ大きく舵を切ったのである。一九六八年にはグループ「現代美術研究会」*を結成し、与儀公園で公園空間をいっぱいに「モノ」を使った展示をしている【写真5】。潰された空き缶の塊、黄色く塗ったベニヤ板に一セント硬貨を貼付けた六メートルの長さのキャンバス、重ねられ円形状に並べられた古タイヤ、空き缶をつるしたり、金網で囲った円形空間や段ボール六〇個をランダムに積み上げた。当時なにもない広場だった与儀公園を相当なスケールで席巻した。

その当時の沖縄タイムス社発行の英字新聞『Weekly Okinawa Times』は「Angry Young

Artists（怒れる若き美術家たち）」として掲載し、紙面全面を使って大きく取り上げている。他の新聞では小さな記事扱いで掲載されたが、屋外展はいわば環境を大きなキャンバスに見立てたひとつの合作展という性格を持ったものとして理解された。実行委員会の代表として高良は「消費文化の凄まじいまでの排泄物の洪水、たたきこわされ、押しつぶされた物量の集積、さばさばにかわいたメカニズムを表現している」（『琉球新報』一九六八年一一月二一日）、あるいは「既成の絵画を否定した若者らしい作品展を開きたいというのが私たちの長い間の夢でした」（『沖縄タイムス』一九六八年一一月二三日）と語っている。一九六八年から一九七二年までに公園や那覇市内の川などを使用してオブジェによる野外展を数回繰り広げた。しかし、彼らはこれという理論を持たずに、その後もグループ活動をせず、制作をやめるか、長い期間にわたって制作を断った。結局、六〇年代の前衛は自らの活動を理解し、支える基盤をもたず、短期間で終息した。

他の作家の作品

一九六〇年代は戦前からの作家たちが活躍する時期でもある。まず一九六〇年には第一回琉球美術展*（昭和会館）が開催されている。山里永吉、山田真山、慶田喜一、名渡山愛順、高江洲盛一らに大嶺信一が参加、沖展から離脱した具象系のグループである。同年には第四回創斗会展が開かれ、安次嶺金正、安谷屋正義、玉那覇正吉、安次富長昭、宮城健盛、岸本一夫の会員のほか、研究生の永山信春、喜久村徳男、神山泰治、仲村盛光が出品した。翌年から若い美術家、画学生なども参加する大きなアカデミックな団体となった。一九六〇年代もっとも大きな勢力で、足跡を残したのがこの会である。前の「五人展」の主要メンバーを中心に、ある意味沖展をリードしていった。安次富は人体の運動をとらえた、キュービックなフォルム。がっしりした構図と厚いマチエールの闘牛を表した神山。ダイナミックな動きと物質のボリューム感のある作品が多かった。その中でも安谷屋の鋭い線と背景の白色は緊張感と叙情が溢れ、若い作家の魂を捕まえていた。

一九六八年前後

一九六〇年代後半は、現在の文化状況に大きな影響を及ぼす新しい思想や、近代が生み出した副産物＝公害や自然破壊など近代の歪みが目立ちはじめ、反近代的な思想が生まれる時代である。沖縄では日本復帰の直前ということで社会が騒然となる。一九六八年一一月深夜の嘉手納基地へのB52の墜落は轟音とともに反基地運動に一層火をつけた。一九六九年には佐藤・ニクソン会談により復帰が確実となり、一九七一年には「コザ暴動＊」が起こる。政治、社会的な激動の時代であった。

そのような時代を背景に、絵筆にキャンバスというには抵抗のある美術家が次々と出てきたのである。一九六〇年代は学生たちの中から独自のスタンスで積極的に活動をする者が現れた。城間喜宏、永山信春も琉球大学在学中に「耕」に参加している。あるいは新垣安雄、山城見信、真喜志勉なども独自に個展を開催している。表現のエネルギーに溢れていた時代であったといえる。

「現代美術研究会」は与儀公園でのダイナミックな屋外展のあと、名称を改め「NON」とし、翌年一九六九年一一月末には漫湖で、岸から真ん中までを発砲スチロールの箱をロープで結んだ実験的な作品に挑む。小禄高校寄りの岸辺から川の真ん中に杭を打って筏《いかだ》と発泡スチロールの板をつないで浮かべ、風と潮の満ち引きにより筏が揺れると、筏に取り付けた米軍のパラシュートは風で膨張し、萎む。発泡スチロールの無数の板も同様に複雑な動きをする。要するに自然の力を利用した、動きと時間を取り入れた作品であった。さらに岸辺に三〇〇個ほどの色とりどりの風船を膨らませて浮かべて、流したのである。

絵筆を使った絵画表現からモノへ、そこから屋外へと発展した。そもそも彼らはなぜそのような体を使った大掛かりないわゆるハプニング的な行為をしたのか。しかも短い期間、美術作品を設置するには難度の高い場所で開催されたのである。それは現代美術のもつ体質といってもいいかもしれない。いわゆるはかなさの美学でもある。アメリカでも戦後の美術はポロックに代表される、床に敷いたキャンバスの中で動き周りながら、踊るように、筆にたっぷりしみ込ませた絵具をたらし込んで描く、抽象表現主義と言われる絵画から出発した。

一九六〇年代になるとランドアートという、大自然の環境を使った表現も出てくる。砂漠や湖水などで行われ、しかも見に来る人は限られているので、写真が根拠となる。形やモノそのものでもなく、行為の軌跡としての美術。つまり概念が芸術となった。近い例で言うと一九九七年に来沖したクリストという、現代アートの巨匠にも通じることである。彼の場合には、もっと大規模な布のカーテン「ランニングフェンス」は四〇キロメートル近くにも伸びる。島を包むプロジェクトなども膨大な準備期間にもかかわらず、短い期間設置され、解体される。究極の現在性の追求である。残るのは記録と記憶である。しかし、（沖縄の）彼等は記録することとさえ意に介せず、写真もわずかしか残していない。このグループは行為そのものに存在をかけていた。とにかく行為としての芸術そのものを信じていたのである。後に永山信春が地元紙に「現代芸術の無償性」（『沖縄タイムス』一九六七年一二月一五日）と書いたことがあるが、売ることを考えないという時代でもあった。沖縄に画廊が生まれる前の、ある意味純粋な芸術行為であった。

彼等を突き動かしたもう一つの理由はモダンの持つ前進運動の力学でもある。世界的に頂点に達したモダニズムとは、前の世代を否定し乗り越え、新しい運動や思想を築いて行くことだ。先行世代であるグループ「耕」は一九六八年に解散し、新しく「亜熱帯派」を結成する。「現代美術研究会」、「ＮＯＮ」、次に名前を変えることになる「現」にとってグループ「耕」は自分たちの考えている表現より狭いと感じた。表現がキャンバスの枠の中に収まっているように見え、「理論と作品の齟齬」が見えたのである。

一九七二年の復帰の年に「現」は那覇市文化センター（現在の那覇市中央図書館）で室内展を開催する。この展覧会に先立って、新垣吉紀と永山信春は二人展を琉球新報ホールで開いている。それを毎日新聞が記事にした。「暗い絵」「混とん、不安な現実」と見出しをつけ、なぜ暗いのかを新垣の作品を手がかりに取材している。新垣は「無数の、糸満の海で見た爆発によってちぎれた手、サメの中から出てきた頭と手、ベトナム戦争*のちぎれた手の写真が強迫観念として夢に出てきた。にょきにょきとはえてくるような手で、沖縄の暗い不安な現実を作品化」(「沖縄」『毎日新聞』一九六八年一月一五日)したのであった。

一九七〇年代——帰属と固有性

固有性の模索

沖縄にとって、一九七〇年代前半は日本復帰に象徴されるように政治や文化が日本へ帰属する過程であり、復帰(施政権の日本政府への返還)と沖縄国際海洋博覧会(海洋博)の狂想曲の後、自分自身の内部の闇を探る季節でもあった。一九七〇年代初頭の世界的な景気後退は沖縄の経済にも影響を与えたが、国による「格差是正」のための公共投資の過熱や、海洋博開催による国家的行事が一気に沖縄を近代化=日本化する契機となった。消費経済の波を象徴するように、ハデな自動販売機、塾、サラ金の看板が街に目立つようになり、街の風景が急速に変化していった。

一九七〇年代はそれまでのグループ「耕」、「現代美術研究会」の前衛や「創斗会」などモダニズムに対する「反動期」であり、美術家は本土の団体の系列に入るか、固有なものを懸命に捜す、内面への傾斜の時期であった。「一九七〇年代の美術は『拡散と個別化の美術』といわれているが、要するに、『静かな沈滞の時代』ということである」(仲井間憲児『沖縄タイムス』一九七八年一〇月五日)、「沖縄の近代建築は、人間の精神をもコンクリート詰めにしたようである」(仲井間憲児「美術月評」『沖縄タイムス』一九七七年九月四日)とも嘆いている。沖縄の風景が、最初は戦争によって、その次は経済の津波によって赤瓦からコンクリートの「墓」になったのである。

当時、第三の琉球処分などとも言われた日本復帰は、美術家の情熱にも水をかけ、しらけたものにしたともいえる。とはいえ、自由な渡航、情報の増大・加速はこれまで沖縄だけで自足していた美術界に広がりが出て、直に作品を見て、情報を得ることが以前より容易になった。

一九六〇年代以降の日本の美術はすでに前衛が市民権を得ており、その中で、中原佑介による企画、国際美術展第一〇回東京ビエンナーレ「人間と物質」が一九七〇年に開催された。これは語り草になっている国際展である。現在では参加作家のほとんどが大御所になっており、油彩画からのサヨナラ宣言とも言って良い、物質が強調された展覧であり、ジャンルからの解放であった。一方、沖縄はそのような展覧会の発想以前の問題であった。大きな政治的、社会的問題を抱えていたのである。復帰以後は前述したように怒涛のように日本の経済、文化が流れ込んできた。意識的な美術家は無力感を覚えた。

一九七三年、沖縄でこの時期にかなり影響力のある展覧会が開催された。「現代の幻想絵画展」(タイムス・ホール)【写真６】である。この展覧会は、時代の閉塞感に風穴を開けた。西洋のシュルレアリスムには思想があるが、日本には思想がなく、「幻想絵画」だと言われた。しかしポスターの原画ともなった藤井一友の空洞になった女性の裸体は衝撃的で、個々の作品が「日本的な緻密さ」故、逆に新鮮であった。ある意味では社会的、政治的な情況からの逃避とも言えるし、一方で八方塞がりの状況に回路を開いた感じもする。その影響は、大嶺信一主宰のエンブリオ教室に活気を与えたように見える。大嶺は、《OFF LIMITTS》（一九七三年）、《伝馬船》（一九七〇年）など、構成的画面と社会的メッセージを主題にしていた。画面の併置と新聞紙やグラビアのコラージュのある作品と文筆で後進に影響力のある作家でもあった。一九七三年以降エロスとシュルレアリスティックな画面に変化する。大作《女》（一九七三年）、《繁殖の季節》（一九七五年）など、今思えば、沖縄の基地から派生する暗いエロスと理不尽さを独自の視点で表現していたかもしれない。

団体展でいえば「光陽会沖縄支部」（一九七二年設立）であろう。吉永ます子の叙情、我如古彰一の乾いたシュルレアリスムなどの作品が次々に生まれた。あるいは比嘉武の内臓の飛び出したような画題、筆触の見えない絵肌など多様な展開を見せた。デフォルメされた女性の顔の全体が美しくまとまった屋富祖盛美、幻想性とメルヘンが融合した大浜英治、神事に題材を取った金城規克などかなり活発にグループ展を開催した（「四人展」）。一九八〇年代に活躍する川平恵造の世代にも影響を与えた。

それまで沖縄の美術家の目標は中央の団体展で賞を受賞し、会員になることであった。前述した第一世代と第二世代の確執の遠因もそこにある。特に第二世代の場合、施政権が分断されたために本土への出品等が難しくなり、しばらく不自由を余儀なくされた。そのことの抑えられたエネルギーが運動に高まったとも言えるが、彼等もやはり、本土の公募展で会員になるのが目標であった。一九七〇年代は琉球大学の教授陣が上野の美術学校出身からほとんどが琉球大学出身の戦後世代へと移る過渡期でもある。復帰は本土団体展への応募を活発にさせる要因となった。問題は作家のそれぞれの差異も、団体展の中での差異であり、たぶんそれも同化の過程の一つといえるが、固有性の模索もその中でなされた。

そのようなチルダイ（ダレた）した四海波静かのような状況に一石を投じたのが新垣安雄、新垣安之輔、山城見信、豊平ヨシオ、喜村朝貞、真喜志勉によってタイムス・ホールを借りきって開催された「'76展」であった。それまでも新垣安雄による反戦・反米を標榜した野外展が開催されていたが、今展は海洋博の閉幕と同時期にそれを意識したようなモノをぶちまけた状況を反映した展示であった。

復帰とグループ

一九七〇年代に解散するグループに、琉米親善的な団体である琉球国際美術連盟（一九七二年）、具象画を旨とする赤土会（一九七八年）、彫刻の団体である槐《えんじゅ》会（一九七八年）があった。新しい本土系列の団体展として二科会（一九五六年）、旺玄会（一九六七年）、新象作家協会（一九七〇年）が結成されて現在にまで存続している。

もうひとつ特筆されるのは、先述した復帰による個性喪失の不安から、固有性を守りぬくために一九七〇年七月一日に「ヤチムン会」が結成されている（一九七三年「やちむん会」に変更）。会の趣旨はヤチムン（焼き物）の収集であるが、沖縄の文化を守るという呼びかけの下、会員は徐々に増えて工芸のジャンルを超えて広がっている。例えばグループ「耕」の元メンバーの大浜用光、城間喜宏、ネオダダやポップ・アートで知られる真喜志勉なども名を連ねるほどであった。主要メンバーである普天間敏は各地を回って、ヤチムンや、古い工芸品、処分されようとしている水がめなどを収集して、そのために民家を借りていたほどである。普天間は沖縄の固有な風土を組み上げるために一回きりのモノタイプの版画である石膏版画を手がけ、画題として沖縄の伝統的な焼き物や工芸品を取り入れた。ヤチムン会は賛同者も徐々に増えて、沖縄文化を守る団体的な性質を帯びるようになってきた。また、ヤチムン会では、宮城篤正、普天間などを中心に研究会史『ヤチムン会誌』を発行している。

祖先の生活のしみこんだ日用品が時代の変遷にまきこまれて破壊され、また商品として県外に流出され、又好事家によって隠匿されることから守るために、収集に努力しよう……（略）……我々の会の存在価値がないと考えたら、自分たちでこの会をつぶします。吾々は粗野ですので時に不遜のそしりもうけましょう。しかし吾々は、中央の文化人先生の基準に、徒にもみ手はいたしません。吾々は自分達の目で沖縄のものを見たいのです。吾々は闘志満々勇気凛々です。……

（曽根信一「序」『ヤチムン会誌一号』）

文化的な沖縄喪失の危機感というよりも文化を守るという荒々しいまでの気概に溢れている。一九七一年の会員には学芸員、教員、工芸家、画家などすでに多彩な顔ぶれが揃う。その後、三〇周年の記念会誌に掲載された関係した者リストを見ると七八人に上る。しかし当初の沖縄文化を守るという理念が薄れてきていることも確かである。

七〇年代後半に目立つのは具象への回帰である。高度経済成長と軌を一にするモダニズムの隆盛、つまり抽象画やアンフォルメルが隆盛を極めた六〇年代から、復帰後急速に日本の消費社会に組み込まれる時期と連動して、やがてすべての技法や様式がやり尽くされたという実感から、美術界は大きく原郷回帰ともいえる展開をすることになった。前衛運動は終焉し、静かにタブローにかえっていったのである。そして、たとえば土俗をモチーフとした作品や現代社会を風刺した絵画、あるいは幻想絵画などが目に付くようになった。また一方では、個々の営為を続ける美術家たちは情報の増大と本土や外国との交通の緩和によって、現代美術の成り立ちや手法を直に学び始めることになるが、それが獲得され、内面化されるのは八〇年代に入ってからである。

彫刻の七〇年代

立体―彫刻についても触れねばなるまい。沖縄で彫刻に携わる人口は極めて少ない上に、玉那覇正吉の影響が大きかったため、沖展などもほとんど具象で占められていた。しかし、玉那覇門下生である西村貞雄は独自の模索を続ける。初期のジャコメッティーやデビッド・スミスを思わせる塑像、鉄の線描のような作品から、《僻日》(一九七六年)にいたる。それはあるシーンを切り取ったかのような生き生きとした描写で、一つの世界を抽出した作品であった。八〇年代に入るともう一つの転機が訪れる。《風に吹かれて》(一九八九年)では引き伸ばされた人物——極めてバロック的であるが——とその軽やかな動きが魅力的である。西村は、まつわりつく衣服にもこだわることによってダイナミックなフォルムを抽出しようとしたのではないだろうか。西村の軌跡は都市化していく時代の相を反映した仕事であろう。

一九八〇年代——モダニズムからポスト・モダニズムへ

都市の美術

一九八〇年代には沖縄の近代化(都市化)も達成される。風景は確実に変容し、いわば、日本のリゾート地として、「オキナワ」に生まれ変わり始める。各地の行事、神事も「まつり」となり、「南島」らしい装いをますます整えていく。そのエスニシティも観光=商品の対象となったのである。一九八〇年代は日本の高度消費経済と文化の解け合った、記号の消費とでもいうポスト・モダニズムが沖縄にもひたひたと押し寄せることになる。日本本土と共有する部分が増えていく一方、固有性へのこだわりは沖縄のアイデンティティを強烈に希求することにもなる。ポスト・モダニズムという言葉が流通し始めたのも一九八〇年代からで、もともと生産システムや急激な社会変化に対応して使われた言葉であるが、社会の仕組み自体が生産から消費に移り、個人がシステムにより動かされていることをさして言うようになった。

一九七〇年代半ば、一時期の観光客の落ち込みは、日本企業による〝第二次ディスカバージャパン〟と一九八〇年代後半のリゾートブームによって挽回し、観光客は年間二百万人から三百万人に突入する。これによって沖縄は「悲劇の島から南の楽園へ」と脱皮し、沖縄の人々の風景を見る視線が変換された。つまり我々の視線は外から見る視線に自ら同化する。自らを見られる存在としていくことに抵抗を感じなくなり、また、より積極的に売り込み始めたのが一九八〇年代であったともいえるだろう。「差異」として文化を積極的に発信したともいえる。

この時期の美術界の大きな特徴も社会と同様、沖縄の戦後美術の近代が達成された季節といえよう。一九七〇年代を通じて、静かに推移していた状況が一九八〇年代、都市化と共に多様な様相を見せ、民間のギャラリーや公立ギャラリーがオープンし、展覧会が各地で行なわれるようになった。団体展はますます盛んになり、支部会員も確実に増えてくる。沖縄の作家全体の色彩が明るく、冴えてくる。ある意味で、これまで「遅れている」と思っていた沖縄の美術家も技術的に本土と肩を並べることができると、今度は「差異」が問題となってくる。永津禎三《ていぞう》など琉球大学への本土からの若い教官の赴任は、沖縄の美術界に徐々に影響を与え、自主画廊「匠」*の運営を通じて若手作家の活動の道を開いた。

本土直通の（ポスト）モダニズムと地域性の相克の場面が展開されることにもなる。それとは別に地域の風土とまったくかかわりなくモダニズム美術を標榜するグループが出てくる。ポップ・アートやミニマルアートの影響を受けて作品作りをする、コザを中心とした作家たちである。彼らの生み出す作品はスマートで明るく、都市の風貌をしていた。誰いうことなくコザ派の名称がついたメンバーは沖縄の風土や地域性とはまったく無縁に、世界のアートシーンとつながった、現代美術の言語を内面化した世代である。彼らにとって、沖縄にこだわることや固有な風土性を作品から発生させること自体すでにナンセンスなことであった。彼らがコザからでてきたのは、やはり地域の持つ無国籍性の色合いが大きかったからであろう。

そのうちの一人、青山映二は一九七九年に沖縄に帰郷、一九八〇年の「Ｓｐａｃｅ水曜展」で、画面を色面と直線で分割する作品を展示している。特に画面の枠を際立たせることによって、絵画の物理的な（何も描いてない）平面性を意識させるもので、それはミニマルアートの影響を受けた極めてクールで知的な作品群である。色彩をかなり押さえ、色面と色面の微妙な相互の干渉を直線と細長い色の帯で分断し、物理的な面を最小限の形態が区切ることによって、絵画であることを成立させようとしているのである。

ミニマルアートはアメリカの戦後抽象主義の後、絵画から絵画以外の一切のものを取り除くことを目指した結果、三次元的物体を主流にするようになるが、青山は一貫して絵画の平面にこだわり続けている。一九八三年には段ボールのボードの表面をはぎ取りながら、地と図の関係を逆転させせたような絵作りをする。他の連想を呼び起こすことが容易な作業に移ったといえる。これはある意味で、見ることから作ることへの関心の推移ではなかったのだろうか。その後、ローキャンバスに染めるようにアクリルを置き、形態のイリュージョンを呼び起こさせないように注意深く、円弧の重なりと渋い色彩との融点を極めた。

山内盛博は一九八二年の個展「ズームアップシリーズ」において、極めて明快な線と色彩で、からりとしたポップな風景を提示してみせた。その後〈ＳＵＫＩＭＡ〉シリーズにおいて独特な世界を確立する。それは枠に張ったシルクの色面と背後のボードの色面を、同様なかたちで少しずらすことで色を形から解放することであった。山内はつねに平面にこだわり続けている。それはアメリカの現代美術が行き着いたモダニズム絵画を踏襲し、その先を手探りで実践しようということである。朝内信二郎も山内同様、初期ポップ・アートの影響を受けた後、ミニマルな形態に自らの仕事を転換していく。一九六〇年代後半から本格的に絵画を志した朝内は、裸婦をテーマにした厚塗りの油彩から一九八五年以降はパネルを抽象的で幾何的な形態にくり抜いて組み合わせる仕事に変わる。

画廊「匠」――もうひとつの空間

都市的な環境が進むにつれ、今迄にない展示や出会いの空間をつくりだす要求も出てくる。戦後、特に一九七〇年代以降、現代美術が作品の存立構造や、見ることそのものをも問題にし始めたこと、あるいは作品をテキストや作品間の関係性で見るようになったことによって、既成の画廊や美術館のスペースでは対応できなくなったのである。それは一九七〇年代のアメリカの都市地区を中心に生まれた、作家主体の「もうひとつの空間」オルタナティブスペースの出現を促すことになった。その意味で宜野湾市に開設された画廊「匠」（大浜用光主宰）【写真7】は、世界や日本の現代美術と同時代を共有できる場を目指していた。会員制による自主運営の画廊は、企画展のみによる実験的な空間であった。約一ヶ月単位の企画展示は、一九八六年から一九八八年迄の三年間で二八回を数え、ほとんど毎回パンフレットを発行した。企画展の中から数人の作家について触れてみよう。

知花均の平面へのこだわりは興味深いものがある。知花はコンテによるモノクロのドローイングを続けることによって、絵画の根本的な成り立ちを問題にする。一本の線による絵画の生成と線を重ねることによる深い空間の現出が、「匠」での展示以後の彼の方向を決定した。スピード感のある、切り裂くような線が激しい精神性を表す。水平に伸びる帯による地の遮断、あるいは図の出現が次の課題となる。一九九三年以降は、線による崇高で厳しい空間性から、色面による柔和な空間へと変わりつつある。素材もコンテ、メタル、コーヒーと移り変わってきた。厳しい精神性＝線から、柔和な自然＝色面へと知花の内的な興味も変化してきたのであろうか。

金城馨は、従来の自立した彫刻の概念に対して、現象学的な知覚を優先した概念を提出する。それは結果的にはミニマルアートを支える哲学と通底するものがあるが、金城はそのような視覚を重視した作品を発表する。「匠」での個展では、床に置いた鉄板の上の四隅に荒く削った樹木を置き、前方には祭壇のような台を設置して、儀式的空間を醸し出した。金城の作品は見る側が参加して成り立つという意味で劇場的である。見る者は、それぞれの「物」が相互に緊張感を持って関係し合う空間を歩きながら、さまざまな連想を試みることが可能である。金城はその後「沖大ギャラリー」で、一六本のグラスファイバーで作った円柱を並べるインスタレーションを展開している。

奥田実は、焼き物の持つ従来のイメージを転換させる実験的な器物やオブジェに挑んでいる。一九八六年の「クレイワーク展」では、泥をしみ込ませたスポンジをそのまま焼き上げ、天井からつるすことにより、あるいは紙のような薄い焼き物を（セラミックスというべきかもしれないが）展示することによって、視覚をだます遊びの空間を作った。奥田の器物は用を否定するのではなく、「どんなものにも用をみつけよう」というものであった。

伊江隆人は一九八七年の展示では太い木枠で画面を分割構成し、新境地を見せた。伊江はさらに留まることなく過剰な逸脱を持続する。「匠」の実質的な企画者である永津禎三は、パネルにテンペラで描かれた、壁から自立する組織的な衝立のような作品を提示した。「匠」は約三年の活動のあと閉廊する。毎回の批評のテキストの連載にも関わらず、関係者のみに知られ、それ以上の広がりを持たないままに終わったかに見えながら、後述するように、前島アートセンターにその思想は受け継がれていったといえる。

彫刻と都市空間

一九八〇年代の特徴に、急速な都市化に伴う公共彫刻の需要が増えることに関連して、形態の抽象化、素材の多様化があげられる。新しい都市の景観にみあうための形態が必要とされたのである。さらに従来の木や石膏、石という素材から、樹脂、人造石、鉄などが使用されるようになった。このような大きな流れの変化の中から、新しい彫刻家が出てきた。能勢孝二郎、能勢裕子は、公共建築がますます盛んに行われ、ポスト・モダン風な建築も随所に見られるようになる時期と軌を一にし、場や関係といった、彫刻の概念を広げて見せる作品を制作、シンポジウムの企画を通して、現代彫刻の地平を紹介した。この時代目立つのは、他にゴヤ・フリオ、上江州由郎、能山宗忠などである。彼らの中にはかなりの数の公共彫刻をこなす者も出てきた。

沖縄では唯一といえるストーンアートの職人である上江洲由郎は、一九八二年のテラゾー（人工大理石）を卵形にかたどった三つのオブジェ《e・g・g》でデビュー。具象の流れの強い彫刻界では、数少ない抽象彫刻の大型新人であった。《JAKU・寂》（一九八五年）においては、台座のない磨き上げられた円錐が、高中低と変化をつけて床の上に置かれた。それは個々の作品の関係性と周囲の空間の取り込みを意識しており、県展（沖縄県芸術文化祭）で初のインスタレーションでの受賞であった。また、もっとも高い円錐の上には雲状の黒い石が置かれ、重力に逆らうかのような視覚を楽しませる仕掛けも考案。一九八六年頃からは磨かれていない石の自然なマチエールを、そのまま生かすような作品も手がける。自然石をそのまま構成したように見える《蒼穹》（一九八七年）では、「広々とした原始的な祈りの空間」を現出する。一方、石彫技術は緻密になり、かなり薄い作品も手がけるようになる。

能山宗忠は、樹脂作品《色相》（一九八〇年）を制作する。これは布で包んだ頭部が球体になった塊であるが、能山はその塊と布の襞の対比にその関心を向けたのである。その関心の方向性は、バロック的な物に対して向けられていたといえよう。禅宗の徒である能山は、東洋的な関係概念で彫刻を捉え始める。自由奔放に造形に遊び、彫刻と絵画（禅画）を両立させようとするが、一九八〇年代後期から造形の冴えを見せ始める。一九九二年の「三人展」では鎖が縦につながって上方に伸びる、トリック性のある作品を発表する。能山の東洋と（ポスト）モダンの融合は、一九九四年の「街と彫刻展」における作品にも見ることができる。直立させた鉄板の半円筒のなかに生木をびっしり詰め込み、歩道まで溢れさせたインスタレーションに、能山の今後の方向がみえた。

日本の中の沖縄美術

一九八〇年代は、日本国内で展覧会を通して美術を取り巻く枠組みや日本の美術受容のあり方を含めて近代を考える企画が目に付くようになった。その中で沖縄の異質性を日本における自己と他者、あるいは内部と外部を考える契機としようとする企画が現れるようになった。

一九八六年牛窓国際芸術祭、一九八七年「今日の作家〈位相〉展」の豊平ヨシオ、能勢孝二郎、あるいは一九九一年、日鉱ギャラリーでの企画「南からの放射」での山城見信、一九九二年、川崎市のかわさきＩＢＭ市民文化ギャラリーで開催された「Topos,Ethnos ―現代美術におけるはざまをめぐって」の能勢裕子、そして一九九四年、ＩＢＭ市民ギャラリーの「かたちとまなざしのゆくえ」における上原美智子などがあげられる。これらの企画に共通して言えることは近代化の持つ普遍主義に対する地域性あるいは固有性について考えさせてくれることである。それは今まで負の歴史として沖縄が絶えず本土との「差異」を「格差」として捉えていた認識の変換ともいえよう。

一九九〇年代――スクラップ&ビルドの崩壊

沖縄の発信

一九九〇年代は沖縄の文化全般において、世界へ広く発信し、自立を目指す動きが見られる。かつての大交易時代を想起した県外、海外との積極的な様々な交流が見られ、沖縄がこれまで「南島」として語られる側であり続けたのが、語る側へと転換する可能性を探る時期ともいえよう。

美術においては、沖縄美術家連盟による琉球弧を意識した奄美との交流（一九九〇―二〇一三年）、済洲島との交流（一九九五―二〇一二年）もたびたび行なわれるようになる。モダニズムの衣に包まれながらそれを対自化しえず、脱ぎさることもできなかった世代に代わって、やすやすとそれを脱ぎ去り、あるいは素裸のまま「自然」に表現する若い世代が現われた。沖縄の風土にこだわる世代が、結局大正期以来作られた南島イメージに押しつぶされたり、抗ったりするなかで、彼等はモダニズム言語をすでに内面化しながら自己の領域をエネルギッシュに押し広げていくのである。また、つくられた風土を超えて新たな固有性を探る試みをする若手も現われた。彼等の心性はアジア的とでもいうような開かれたものである。ではあるが「自然」に、インスタレーション等に取り組むことは、単なるこれまでの反覆であり、今後の展開に注目したい。

建築の風景と復帰二〇周年

一九八〇年代後半から沖縄にもバブルの風が少しずつ吹き始めた。国際通りのビルが次々と壊され建て替えられ、都会の装飾をまとわせるようになってきた。原宏が城西小学校を設計し、安藤忠雄が国際通りの中心に直方体のコンクリート打ち放しのフェスティバルビルを設計した。その動きは一九八〇年代初期から開始され、名護市庁舎【写真8】を「象」設計集団が設計している。次いで宜野湾市のコンベンションセンター（大谷幸夫）など本土の設計者の建てたビル群に競合して、沖縄の設計者たちが次々とユニークな建築物を建てていった。一九六〇年代から活躍する金城信吉のあと一九八〇年代から活躍し始めていた真喜志好一、末吉栄三、洲鎌朝雄などが活躍を見せ始める時代となった。それに伴い新たな彫刻の動きが広がっていった。その端緒は一九八二年の彫刻家や建築家によるシンポジウム「造形空間における関係性」が象徴的である。一九九〇年代はその都会の風やリゾートに「琉球」を加えてやってくるのである。『沖縄タイムス』は「建築の風景」ということで記者によるレポートを四五回にわたり連載している。その他にも建築の特別連載をしている。風土を新しい意匠に取り入れる建築ということは、きわめて近代的な発想であり、いままでの沖縄の近代建築にはなかったことである。

その最初の大きな波が一九九二年の首里城の復元である。国が復元し、正殿一帯は国の所有、周辺の公園が県の管轄というのが象徴的でもあった。沖縄の第三次ブームが起こったというべきか。しかし前年の一九九一年には、沖縄のアイデンティティを問う、国際シンポジウム「占領と文学」が開催された年でもある。とはいえ、国内におけるエスニックな位置づけは強化されつつあった。一九九二年は復帰二〇周年の節目として、法政大学の沖縄文化研究所所長の外間守善を代表とする「沖縄研究シンポジウム」が開かれ、工芸の分科会も開かれた。分厚い報告書も編纂され、沖縄研究の将来の見通しも明るい期待を抱かせた。

その勢いの中で、沖縄の「造形」＝建築・造形が、全国的に大きなブームとなり紹介された。ニューヨークタイムズに、「象」設計集団の名護市庁舎の画像が掲載された。つまり風土プラスモダニズム、ポスト・モダンの沖縄風景であった。それをニューヨークで最先端の建築としてみるというのは、なんとなく面映《おもはゆ》い感覚であった。ポスト・モダンにより、辺境の地沖縄が、世界のトップに躍り出ることができるという思いにかられたものである。それは髙嶺剛のＭｏＭＡでのヤングディレクターズ部門でのオープニングの上映も同様な感慨であった。

建築のポスト・モダンとは、時代の制約がなく流用していくもので、どこでも同じ普遍的なモダニズム建築と異なり、その地域の文脈を導入するものである。ところが一九九〇年は、巨大なヒンプンのような県庁舎落成が嚆矢であった。それまでの建築などと異なり、まるで街を遮るかのような威圧感で、沖縄には似つかわしくない異様さであったが、時間の経過とともに風景の一部になってしまった。さらにすぐ横の、琉球立法院の議会棟は保存すべきだという多くの声もむなしく、当たり前のように取り壊された。その間の行政の感覚はよく伝わってくるが、内部にはまったく声は届いていなかった。保存という方法があるという選択肢は全くゼロであった。しかし外部の声に押されて、最終的に柱の一部が公文書館に保存されただけで終了となった。文化はむしろ「後回し」という意識があった。まだバブルの名残で、スクラップ&ビルドが当たり前の時代であった。つまり数字で量れないし、指標として表すことができないからだ。県の財政から言えば、文化施設等は後回しという考え方が主流であったと思える。

二〇〇〇年代以降――美術館とオルタナティブスペース

ポスト・モダンの風景

二〇〇一年にニューヨーク貿易センターの二つのビルに旅客機が体当たりした。いわゆるアメリカ同時多発テロ事件「9・11」である。現実感のないままずっとテレビで流される画像をみていた人も、米軍の戒厳令であるコンディション・デルタが発令されて、初めて現実感を味わったのではないか。バーチャルとリアルのギャップを感じさせるものであった。観光客が激減し、県が「大丈夫さぁ〜沖縄」キャンペーンを展開せざるを得なかった。ブッシュはアフガン、イラクの国自体を完全に壊し、現在に至る中東の混乱を作り出した。

この時代の特質として、これまでのモダニズム（造形主義を含む）の世代に代わり、ポスト・モダニズムの影響を受けた作家が、沖縄の文脈を意識したことである。照屋勇賢に代表されるようにこれまで暗黙のうちにタブーとされていた手法を表現に取り入れたのである。それは例えば伝統工芸である紅型の手法、素材そのものを使用し、沖縄の社会的現実を訴えるメッセージ性を強く帯びたものである。それはポスト・モダニズムの「流用」と呼ばれるような手法である。ベテランの喜久村徳男、砂川恵光もこの時期にメッセージ性のある表現に向かうようになる。それまでは一部の作家のみに政治的・社会的なメッセージ性のある作品の制作は限られていた。例えば儀間比呂志、宮良瑛子、金城実らは制作の動機から沖縄の闘う民衆像を描くというような直接的な表現であった。社会的な表現に向かう作品が増えたことは、一九五〇年代半ばからの抽象、モダニズムの考え方が覆っていたこと、それが二〇〇〇年代に表現が多様化し、くびきがとれたことが理由として挙げられる。

重要なインフラとしては、欧米のアートセンター同様な機能を想定した組織＝前島アートセンターと、戦前戦後通じて、初の県立美術館が開館したことが大きなトピックとなった。前島アートセンターはもともと結婚式場「高砂殿」が入っていた高砂ビルを活用し、地域を再生させる目的であった。前島アートセンターのようなオルタナティブ・スペース（もうひとつの場所）は、欧米では公的美術館ができて、それを補う、あるいはカウンターとしての施設であるが、沖縄では逆に美術館ができる前の橋渡し的な役割をもってしまったのである。

写真の時代

二〇〇〇年代で特徴的なのは写真表現である。六〇年代後半から七〇年代の復帰前後にデビューした写真家が二〇〇〇年代まで活躍する。県でも、二〇〇二年を「写真年」として位置づけ、翌年にかけて一〇余の記念すべき展覧会が次々に開かれた。写真が記録媒体からリアルな表現媒体と捉えられたということもあるだろう。その嚆矢は、東松照明であった。一九六九年以来沖縄にかかわってきた東松が撮影した写真を、沖縄県に寄贈したいとの申し入れがあったことが発端であった。浦添市美術館、那覇市民ギャラリー、前島アートセンターで実施された大規模展覧会は国内でも話題の展覧会となった。

二〇〇四年四月の「中平卓馬」展において、中平が一九七〇年代から問題にしていたことは、イメージが繰り返されることにより、礼拝的価値が再帰してくることであった。それは同一イメージが反復され消費される現在の沖縄の状況にあてはまる。二〇一〇年代も写真の隆盛は続き、特に二〇一五年の石川竜一の木村伊兵衛賞は大きかった。若い写真家に弾みをつけたといえるだろう。一九七七年の平良孝七以来の快挙であった。

美術館開館

沖縄県立博物館・美術館【写真9】の開館は戦前戦後を通じて県民の悲願であったが、当初二〇〇〇年の開館予定が二〇〇七年に大きくずれ込む。行政の都合と美術関係者、および県民の期待との大きなギャップを抱えたまま二〇〇七年に開館するが、大規模な展覧会が立て続けに開催され、県の著名な美術家の作品が次々と紹介されるようになった。名渡山愛順、安谷屋正義、玉那覇正吉、安次嶺金正、大嶺政寛など、戦前・戦後の沖縄の美術史を形作った美術家の回顧展や、戦後の美術の原点ともなる「ニシムイ」、海外の沖縄系美術家タカエズ・トシコ、内間安瑆の大規模な展覧会も開かれた。写真家シリーズも比嘉康雄、山田實、東松照明、森山大道と県内外の写真家の大型個展が組まれた。特に東松照明は本展が生前最後の個展となった。

美術館は文化施設のシンボル的存在であるべきであり、かなり問題を含みながらも、一〇年経って文化の交差点になりつつある。しかしながら、組織の複雑さから来る齟齬感は否めない。国の施策の変化に沿って、美術館の所管は教育委員会から知事部局文化振興課に移った。その理由は両課で重なっている事業のスリム化と教育施設から文化の振興施設としての位置付けへの転換が挙げられる。調査研究重視からイベント観光重視（教育も含む）への近年の傾向も含まれている。博物館、美術館、指定管理者の三者が同一施設内で別々の思惑で動いているという印象だ。二〇一六年度より指定管理者が沖縄タイムス社の関連会社などで構成される「文化の杜共同企業体」から、海洋博記念公園や首里城公園を管理する「沖縄美ら島財団」に変わった。美ら島財団は国の施策の影響が出ないように現場ではしっかり方針を立てておく必要があろう。

震災と表現

二〇一一年三月一一日、東日本大震災が発生、アドルノの「アウシュビッツ以後、詩を書くことは野蛮だ」という言葉が流布した。東日本大震災以後、表現者に根本的な問を突きつけたような状況となった。人災と自然災害の差があるが、原発の影響がわかっていくうちに、人災の要素も大きくなってきた。阪神・淡路大震災以後は復興意識がかなりあって、NPOも希望の一つであったが、東日本大震災の場合あまりにも被害が甚大で複雑な上に、政権の意識が棄民政策に近いものがある。その災害を希望の再生プロジェクトとして作品化したのが照屋勇賢《みどりのはじまり― Minding My Own Buisiness（自分のことで手一杯だ）》である。この作品は震災直後の新聞掲載写真を切り取り、木の芽のように発芽させたものでその年の八月には那覇市内のギャラリーで発表した。

モダニズム再考

二〇〇〇年代から持続的にモダニズムに固執して、平面＝絵画制作を持続し続ける作家たちがいる。山城茂徳、山内盛博、大城勝の三人である。大城は五六歳で病に倒れたが、山城、山内は旺盛な創作意欲を持ち、発表し続けている。読谷村立美術館で二〇〇三年から持続的な展示が始まった。不定期に開かれる展覧会は大城の地元の川崎であったり沖縄市や北谷など場所も移動しながら、組み合わせも三人であったり、二人あるいは個展形式で展示している。彼らの依拠する理論的支柱は、一九七〇年代に培われた考え方フォルマリズムの還元主義、文学性を取り除き絵画的要素に還元するものである。つまりモダニズムである。大城は言葉とモノの距離にこだわり、純粋知覚にきわめて近づけようとする。山城は主に版画というメディアにこだわっているが、広い意味で絵画の実験である。二〇一一年の読谷村での個展は隣りあった作品が見られない箱型の作品が数十点並ぶ、見ることとの意味を強く考えさせるものであった。山内は描画と支持体の一致にこだわり、結果、透明アクリルを使用することで、下地と描画を同時に実現することに近づく。二〇一七年に浦添市美術館で開催された山城・山内二人展は二人の作品のセッションともいえるもので、それまでのモダニズム観を表した展示であった。彼らが目指すものは、イメージに与しない、視覚に映るがままの色彩、線を提示することであった。

沖縄の戦後美術は大きな岐路に差し掛かっている。日本の文脈に飲み込まれてしまうのか、自己の文脈を押していけるのか、難しい問題である。おおよそアートイベントの予算の出どころは日本側である。しかも国際展にしても、一括交付金がらみのイベントにしても審査員は中央から来た、沖縄を知らない著名人である。彼らにいちいち教えることは出来ない。はなやかな東京五輪に向けて国が動いている時に独自のことができるのか、一抹の不安がつきまとう。

【写真 1】東恩納博物館（1945 年、沖縄県公文書館所蔵）

【写真 2】「五人展」設営のようす（1953 年 5 月 30 日『沖縄タイムス』）

【写真 3】創斗会（1960 年、沖縄タイムス社提供）

【写真 4】グループ「耕」のメンバー。右から城間喜宏、大浜用光、大嶺實清、新垣吉紀、上原浩（1962 年、沖縄タイムス社提供）

【写真 5】現代美術研究会の与儀公園での展覧会（1968 年、新垣吉紀作品・高良憲義氏提供）

【写真 6】「現代の幻想絵画展」（1973 年、タイムス・ホール、沖縄タイムス社提供）

【写真 7】画廊匠（1986 年開設）

【写真 8】名護市庁舎（1981 年完成）

【写真 9】沖縄県立博物館・美術館（2007 年開館）

3、補論　復帰後の沖縄美術――新しい表現を求めて

はじめに

戦後七〇年が過ぎ、沖縄は「復帰」五〇年目を迎えた。一九七〇年代前半までは美術においても新しい表現者や、グループが表れた。モダニズムの先鋭化された表現は伝統的な価値観や行動への反発と、たえず異なったものを生み出そうとする志向においてそれは、地域の風土や伝統的な考え方との間に必然的に軋轢を生むことになる。その志向や表現が鏡のように、その時々の美術界を映し出す。そして歴史に対する批判的な視点を提供することになる。いかに地に着いた表現、つまりリアリティを獲得するかが、現在まで問われている古くて新しい課題と言えよう。

現在の美術状況は、美術から「アート」となって、「何」ではなく「いかに」が「様々な意匠」として受け入れられている。沖縄の美術を追っていくと、目につくのが植民地下でのモダニズム（普遍性・新奇性）と地域性（固有性）の二つの要素の葛藤の反復であったと言ってよい。五〇年代から六〇年代を通してかなり論争されたローカル論は沖縄のアイデンティティ論として八〇年代まで続いた。ただし一九七〇年代前後までは常に日本本土との二項対立的であったものが八〇年代後半から、西洋近代的価値観がますます相対化され、アジアをも視野にいれた展開になった。大きな潮目の変化は九〇年代後半からであろうか。昨今の美術事情を見ると、沖縄内のみの閉鎖状況から世界へと一気に流通し始め、海外でも活躍する美術家が出てきた。

本稿では、「現在」を表現しようとした美術家やグループ活動を取り上げ、考えてみることに主眼がある。それはいわゆる前衛的な活動である場合も、そうでない場合もあるが、美術家の行為によって、流れの切断が起きて、その時代の美術や文化の断面をあらわにするということである。沖縄の歴史は二重にベールがかかっている（日本であり日本でないという国家への帰属意識の問題）。さらに長い米軍による支配と、施政権返還による日本への再帰属後における宙づり状態の継続等、なかなかその実体ははっきりと見えてはこない。しかし、復帰五〇年という節目に、復帰後の「沖縄美術」の何かが見えてくることを期待したい。

ひとつのエポックとなるのは、復帰前後の美術活動の評価である。沖縄国際海洋博覧会終了の年、一九七六年に開催された「-'76展」など一連の社会的メッセージ性のあるグループ展。そして一九八〇年代から都市化とともに始まる彫刻の胎動。一九九〇年代、屋外での展覧会、渡名喜元俊の孤独な活動、パブリックアートの芽生え、そして二〇〇〇年代の「前島アートセンター」を中心とした活動などを取り上げることとする。前述したように時代を画した美術表現や言説によって戦後沖縄美術の断面がみえれば幸いである。

抵抗の美術――一九七二年前後

二〇一二年末、仲井眞弘多沖縄県知事（当時）が辺野古への基地建設を承認した。強権的な日本政府の圧力に屈したその構図は近代沖縄のたどってきた歴史を凝縮したようで、屈辱の歴史の再現に思え虚脱感に襲われた。

一九七二年の「復帰」も大きな「チルダイ」（虚脱感）を沖縄の社会にもたらした。沖縄の日本への施政権返還はこれまで様々なメディアに取り上げられてきた。裏には「密約」があり、県民は置き去りにされたまま、「復帰」記念式典は日本政府とアメリカ政府による一大ショーとなったのは周知の事実である。一九七二年五月一五日、抗議集会が開かれた与儀公園は土砂降りで田んぼのようにぬかるみ、そのすぐ側に那覇市民会館（前年に完成、奇しくもそこは建設前の一九六八年に現代美術研究会が屋外展をした場所）があり、式典が開催された。米軍基地の存在や軍事優先の様々な法律が変わらないまま雪崩のように「復帰」したのである。

復帰後の県民の「判断停止」のあと、美術界にも動きがでる。本土の団体展への系列化が進み次々支部が結成された。多くの支部が一九七二年前後に結成され、それと平行して、普天間敏などが「ヤチムン会」を結成し沖縄の固有なものを守ろうとする動きも出てきた。

一九六〇年代後半から沖縄で台頭してきた表現メディアに写真がある。それまでは、いわゆるサロン風の予定調和的な写真が主流であったが、徐々に沖縄の現実にファインダーを向ける写真家が増えてきた。一九六〇年代後半から沖縄の大きな動きをスクープしようと本土メディアのカメラマンたちが押し寄せ、基地を取り巻く現状を撮影した。その本土向けの写真に対抗して沖縄の写真家たちがでてきたのである。彼らは自らの現実を自分たちの視線で捉えようとした。後に太陽賞を受賞する比嘉康雄、木村伊兵衛賞を受賞する平良孝七は、一九七二年にそれぞれエポックメーキングとなる「生まれ島沖縄」（タイムス・ホール）、「パイヌカジ」（新報ホール）を開いている。彼らの影響でそれにつづく若手写真家たち、伊志嶺隆、平敷兼七、大城弘明、比嘉豊光、石川真生などがでてきた。伊志嶺は東京から帰ってきて、学生や若い写真家たちを鼓舞し、沖展批判の写真展などを組織した。写真家にとっても一九七二年の「復帰」はかなり大きな失望を与えたが、しばらくして「状況」から「原点」へと向かっていった。一九七六年には写真集団「あーまん」*が結成され、旺盛に発表、県内外で活動している。

美術界では、〈直接的〉に米軍基地や復帰への抵抗を表現する作家をあげるとすれば、一九六〇年代の後半から反基地のメッセージを貫き、現在まで活動している作家、新垣安雄がいる。新垣は一九六五年の琉球大学卒業時から二人展などを開き、一九六七年の初個展は、「これが現代だ」というタイトルで開催、最初トタン板に穴を穿《うが》つ作品を制作していたが、徐々に政治性のある表現を志すようになる。一九六九年一二月に沖縄大学の文学研究会が発行している『発想』三号の「座談会　現代絵画はどう生きるか」特集で新垣は「僕たちの絵画というのは生活の一部であるわけでね。その個々の人間の生活を包んでいるのが政治であるわけなんだよ。これが沖縄の場合は特に感じるわけで、その点僕は政治的でなければならないと思うね」と述べているが、それは現在もかわらないスタイルである。つまり四〇数年前と沖縄の状況はほとんど変わらないという認識でもある。新垣は一九六八年一〇月、第三回個展「抵抗のイベント」と題して、与儀公園で野外展を計画し、那覇市に許可申請するが、米軍が不許可にする。「俺は野外展を計画した。この島の陽のもと二十三年間の重圧に対し、まだ生きているのだという抵抗ののろしをあげるため。しかし不許可だ」というプラカードを立て、抗議の座り込みを行った。また「絵画もキャンバスの上にただ物を描くのではなく運動でなくてはならない」と語っている（『琉球新報』一九六八年一〇月一五日）。もうひとり、直接的表現ではないが、一九七二年六月に「大日本帝國復帰記念」と題して諧謔《かいぎゃく》に満ちた個展を開催した真喜志勉がいる。壁一面を─硫黄島で米国奪還のシンボルである星条旗を立てるシーンの星条旗を日章旗に変えた─シルクスクリーンで埋めたのである。真喜志は個展開催後にニューヨークに渡り、翌年に帰ってきたのであった。

復帰後の美術状況の特質といえば、チルダイが続いたあとの静けさとでもいったように、屋外で展開していた美術家たちが室内に戻っていったことだろう。一九七二年に那覇市立文化センター（現市立中央図書館）にて展覧会を開いたグループ「現」を大浜用光が論評している。立体と平面の作品で構成された展示を、大浜は「三年の不在の正当な理由付け」として「こじんまりとしている」と述べた。メンバーの高良憲義、新垣吉紀、永山信春、金城瑛芳の四人はこの展覧会後に進路を大きく変更する。高良は教員を定年退職するまで制作を中止、退職後現在まで活発な活動を持続している。新垣は工芸指導所の所長に、金城は完全に美術から離れる。永山は教職を辞し、名護市に拠点を構え、一九七七年第六回県展で県知事賞を受賞する。絵画世界をモノクロ画面まで追い詰めた。晩年は茨城に移り木工品や金工品そのものを使った重厚な作品百数十点を制作した。

前述したように復帰後は、活発な運動が停止し、本土の美術団体の系列になるか、沖縄固有なものを求めていくことになるが、固有性そのものがすでに日本の中の固有性になりつつあるともいえた。グループ「現」の解散もそのことへの抵抗のように見えた。復帰以降、やがて日本の資本と文化が激流のように押し寄せてくることになる。

博覧会と反芸術

沖縄は一九七二年に日本復帰を迎えたが、安保体制下、基地負担は減らず、米軍人による事件事故は後を絶たない状況が続いた。

日本政府は沖縄という新しい領土を三つの要素にわけて考えていた。産業基盤整備と工業化、観光開発。これによって日本の領土に組み入れようとした。それは日本に於いては一九六〇年代後半から始まった列島改造計画であり、その中に当然沖縄も入ってきたのである。一九七〇年代を通じて「全国植樹祭」「若夏国体」「沖縄国際海洋博覧会」「交通変更」によって日本化を達成することになる。

その中でも目玉の海洋博は一九七五年七月から翌年一月まで開催された。海をテーマにした「海—その望ましい未来」というキャッチコピーによる沖縄での初めての国際イベントであった。七月二〇日からの開会には皇太子（現上皇）夫妻、三木武夫首相が来沖するという大規模なセレモニーを開催している。しかしながら「海洋博」および一連の開発は巨費を投入し、山を削り高速道路、ホテルを建設。屋慶名～平安座の海を分断して短期間で海中道路を出現させ、中城湾を石油基地にした。巨大な石油タンクは現在もある。海洋博も含めて一連の沖縄改造計画はたいした雇用も出せず、環境を破壊するのみで、工事のための労働者や資本の急激な流入を招いた。そのため北部の極端な消費経済への変貌、中高生の生活の乱れなど人心の不安が続いた。現在までもその傷痕は続いているはずである。現実に経営破綻、一家離散が相次いだのである。海洋博がもたらしたもう一つの影響は国道五八号線に見られるヤシ並木が沖縄の人の視線を変えることであった。最初違和感のある風景が、昔からあったかのごとく、一〇年も経つと南の島のイメージに変換された。

博覧会と開発はセットである。巨大な博覧会を誘致し、観光客を招くことは結果的に自然と人々の心にダメージを与えることでもある。海洋博を開催することによって、南の島、リゾートの海、青い空のイメージを植え付け、「テーマパーク化」（多田治『沖縄イメージの誕生』東洋経済新報社、二〇〇四年）を図り、一方で乱開発、埋め立て、工業化を計ろうとしたのであるが、県民の大多数はその凄まじい勢いに圧倒されたのである。資本とともにアメリカに代わって「日本」がやって来たのであった。

海洋博は翌年一月に終了するが、復帰からしばらく、沖縄は判断停止状態が続いた。沖縄の文化が立ち上がり、復帰前とは異なる若干アイロニカルに自らを批判しつつ、状況に切り込んで行くのが海洋博狂騒後の一九七六年といえる。この年の重要な事柄を列挙するだけで、一つのエポックだったことがわかる。まず「'76展」、写真集団「あーまん」の結成、知念正真作の戯曲「人類館」。写真では比嘉康雄の太陽賞受賞、平良孝七『パイヌカジ』の出版、「あーまん」はジャーナリスティックでない等身大の沖縄を撮ろうとした。「人類館」は近・現代の沖縄の歴史を自ら笑うという、自己言及的な、演劇による初めての沖縄近現代史であった。前年の一九七五年はアメリカのベトナム戦争の完全敗北の年であった。

　前衛的な個展、グループ展が一九六〇年代後半までは数多く続いている。一九六七年には高良憲義、一九六八年には金城暎芳がやはり反芸術的な個展を開いている。グループ「耕」は一九六七年に画廊「詩織」で展覧会を開いた後、解散した。また、一九七五年には新垣安雄が、戦後沖縄の歴史へのアンチとして、海洋博に合わせて与儀公園での野外展を開いている。

　「'76展」【写真2】はその名称からして、かなりその時代意識が明瞭に出ていたグループ展といえる。タイムス・ホールで、五月下旬の四日間のみ開かれた。「チルダイ（虚脱）している沖縄の社会へ活を入れる」べく企図されたものであったという。メンバーはトヨヒラヨシオ（豊平ヨシオ）、ヨシムラトモサダ（喜村朝貞）、アラカキヤスノスケ（新垣安之輔）、シンガキヤスオ（新垣安雄）、ヤマシロケンシン（山城見信）、トムマックス（真喜志勉）の六人。トヨヒラは会議室を模したテーブルセットを燃やし、あたり一面にこげた匂いを漂わせ、ガラスケースのなかに食パンを黴させ生々しさを現出した。アラカキは皮肉をこめて、コカコーラの破片で日の丸を象《かたど》った。トムマックスは新聞紙の塊の大きな束の一方にネズミ捕り器と口をふさがれたマネキンの首を置いた。そしてもう一方にはビクター社の犬のマスコット人形を対置させた。ヤマシロは壊れたテレビの中に縄を束ね、その反対側に観客をイメージさせるような木箱を四列に並べた。ヨシムラは無数の青いプラスチックのチューブに土を入れて捻り、積み上げた。シンガキは軍靴を思わせる石膏どりの靴跡を提示した。ネオダダ的な、エネルギッシュな展覧会は観客にとっては、初めてで途方にくれていたが、焦げた匂いと迫力は感じ取っていた。結果的には現在ではスマートに「インスタレーション」としてくれる表現だが、「ぶちまけるように」提示された一連の大規模な展覧会の終幕ではあった。一九七〇年代は大勢としては具象回帰が見られたのであった。

復帰から一〇年以上たって、沖縄が都市化すると同時に、グループでの「前衛活動」が終わり、新たな実験的な空間が求められた。美術表現がスマートになり、色彩が明るく、変わっていった。若い世代には古くさい、泥臭さからの解放とも思われたのであった。

ポップアートから環境へ

一九八〇年代の沖縄は確実に日本化の速度が倍加していた。一方では観光化が進み、沖縄が沖縄を演じることが「自然」になり、沖縄文化の隆盛は日本化と合わせ鏡のようになっていたのである。八〇年代から沖縄ポップスの流行や沖縄漫画などのポップカルチャーの隆盛があり、若い世代が再び沖縄の良さを見直す現象があった。沖縄に対して距離を置いて見る面白さ、再発見でもあった。さらに一九八六年の沖縄県立芸術大学の開学、一九九二年の首里城の開園、翌年のN

HK「琉球の風」の放映は琉球リバイバルを倍加させた。片方ではしかしながら、当然と言おうか、国にとっては「戦後政治の総決算」でもあり、同化政策は強行された。基地という物理的な存在は厳としてありながら、学校教育行事等での国旗掲揚の強制、教科書などの書き換えなど、日本の定規に合わされたのである。琉球ブームも、日本化、米国の制度の残滓《ざんし》の削除も一つのパラダイムの上で起こったことであった。

美術においては、一九九〇年代はじめまでに浦添市美術館、読谷村立美術館の開館、あけみお展（名護市主催）、フォトシンポジウムin沖縄（同）、りゅうせき美術賞公募展の開催が続いた。また展示空間が広がり、各地に画廊が出来た。展示自体が強い政治・社会的なメッセージを持たない、いわゆるインスタレーションが一般化し、アジアにポップアートが浸透し始める。六〇年代を代表する消費社会の生んだ希代なるアーティストと言えばウォーホルとビートルズであるが、様々な意味においてこの時代にふさわしい波が二〇年遅れでアジア、そして沖縄にも押し寄せた。日本ではポスト・モダンの時代である。中国では一九八九年の天安門事件以降の、いわゆる下放された子息たちが、ポップアートの手法で国の体制や毛沢東批判を展開し、東南アジアにおいても美術家たちの体制批判の主な手法はポップアートであった。

一九八〇年代後半に沖縄でウォーホルに最も傾倒した美術家が渡名喜元俊であった。もっとも渡名喜が心酔したのは、大衆社会において、階層のない、誰でもアーティストになれ、作品鑑賞を享受することができるというものであった。「人間の本質は社会的諸関係の総体である」（マルクス〉との考えから、実体としての主体の否定、つまり個人とは空っぽの空洞であり、「機械」であると認識し実践したのであった。美術＝「自己表現」とは欺瞞であり、「農夫の労働に近い行為が私の絵画制作である」（画廊沖縄編『Gallery Voice』一九八八年五月一日）、あるいは「老婆の草むしり」（『琉球新報』一九八八年五月二二日）とも述べた。初期はウォーホルが述べたように同じモチーフを「繰り返す」ことであった。蛙の卵のようなドットを「一万個」描くこと、システマティックに作業をすること——。それが「宇宙との交流」である。渡名喜は遅れて来たランナーとも言えた。ポップカルチャーというと、いかにもライトな感覚で皮肉が奥に潜んでいる、というようなイメージであるが、渡名喜の場合は全共闘世代＋ウォーホルの影の部分を受け継いだ。さらに渡名喜はキャンバスに満足せず、一九九二年からの南城市佐敷富祖崎で繰り広げた「風化計画」【写真3】は地球環境へとその枠を押し広げた。あらかじめドットを描いた布を数点砂浜に設置し、干潟に寄ってくる大量のゴミや、潮の干満を利用して、「地球の胎動」の痕跡を綿布上に残すものであった。一九九三年には久茂地川沿いに大量の幟を立てた「風化計画Ⅱ」。一九九六年からは「売買」における一対一のやり取りがアートであると主張し、北谷でのフリーマーケットに出店し始める。ワイヤーを素材にしてその場で作って売る。時に作り手と売り手の「コミュニケーション」によってアートが成立するとしたのである。新しいパブリックアートの考え方であった。しかし多様に展開していく刹那に、急性白血病で早世してしまう（享年五四歳）。渡名喜の軌跡はアートへの限りなくピュアな、激しくも壮絶な芸術活動であった。ウォーホルのポップアートは言葉から受ける感じと異なり、常に死の匂いを漂わせている。資本主義やアートへの内在的批判から始まるアートであり、沖縄でそれを受け継いでいるのが渡名喜だった。

一九九〇年代初期もう一つの環境を利用した展覧会「Open Air Exhibition '92」は、東京の美術家らの呼びかけで、玉城村百名ビーチで浜辺と海の中を利用した野外展である。沖縄からは玉城哲人、仲里安広、与那覇大智ら七人、東京から七人、オーストラリアから一人、計一五人の作家が参加して行われたが、この展覧会は積極的に環境に対峙する目的ではなく、沖縄の海を利用して作品を作ったらどうなるかという、壮大な遊び心で仕掛けられたものであった。形は異なるが一九六〇年代末から七〇年代にかけたネオダダ的な展示以来の大掛かりの野外でのグループの展覧会となった。環境に広がって行った展覧会であるが、一方はかなり社会的なメッセージを抱えた考え方、一方は九〇年代的な明るい印象であった。展示自体が強い社会的メッセージを持つのは九〇年代後半まで待つことになる。

アウトオブジャパン—一九九〇年代半ば

一九九〇年代は様々な意味で政治・社会的にも大きな節目であった。特に一九九五年、日本では一月に阪神・淡路大震災、三月にオウム真理教による地下鉄サリン事件があり、日本の社会が大きく変わり、社会学者の大澤真幸は「モダンの時代が終焉した」、またこの時代を捉えて「(生き方の) モデルなき時代に突入した」と述べた。沖縄では大田昌秀知事の基地の強制使用への代理署名拒否があり、その翌月には少女暴行事件への抗議の八万五千人集会があった。

美術上の大きな出来事と言えば、一九九三年「県立美術館基本構想委員会」が設置されたが、結局建物は博物館と一体とする構想が出され、「県立美術館・県立博物館新館」建設計画となり、「基本計画」が策定された。一九九六年には全国公開設計競技が行われたが、一九九七年には財政難で計画は中止された。美術館建設については「美術館建設を考えるシンポジウム」が実行委員会という形で、構想委員会の密室性を批判しながら、「日本」ではなく「アジア」に開くべきだという提言がなされ、委員との公開質問の場が設けられ、「アジア地域の発展に寄与する」という基本方針が採用された経緯があった。その後「アウトオブジャパン、そしてアジアへ」のタイトルで報告書が作成された。時代を見すえた運動が行政を動かした例である。美術でいえば、主流であった欧米生まれのモダニズムが終焉しつつあるという空気があった。モダニズムは誤解をおそれずに言えば、西洋の抽象の伝統を受け継ぐ論理であり、ポスト・モダニズムはそのような抽象の論理が閉塞していくのを解き放つこととされた。それは現象でいうと具象画の復権、アジア美術の隆盛となった。

一九九三年から九五年にかけては沖縄の現代美術において若手作家の台頭が著しい時期でもあった。まず九三年に仲間伸恵が既成の紙を再生して、大掛かりな作品展を浦添市美術館で開催、九四年には花城勉が冷蔵庫に書物を凍らせた《Keep frozen Art》など既製品を使った文字通りクールなインスタレーションで颯爽とデビューした。那覇の街中、改装中の店内などで大量のペットボトルを使用、ファッショナブルに見せながら、チープな素材だったり、あるいは高価な指輪と思わせ、実は米であったりした。

同じ年に新里義和と勝連竜子は、複合施設パレットくもじ（一九九一年開業）の一階で「語りえぬもの」【写真4】と題し、大規模なインスタレーションを展開した。一階の周りを板で囲い、その中に池を組み、水を張ってその上に大量の花びらや写真を浮かべた。池のまわりに岩を積み上げた。夜には壁にプロジェクションし、ローソクをともしたり次々に変化させた。パレットくもじの二階でもそれぞれの連続作品展を開催した。既成の美術の文法に捉われない自在な手法は美術界に刺激を与えた。二人は翌年、県の主催する美術展でもインタラクティブなアートとして、覗き見する穴を設置し、展覧会終盤では覗いている人々の顔の写真を展示した。彼らの仕事は写真の新しい使用法、コラボレーションといった概念など、現代アートの最初の紹介者となった。

一九九五年には沖縄県と那覇市がそれぞれ、戦後を中心とした初めての沖縄美術の流れの展覧会を開いた。県側の企画「沖縄戦後美術の流れ」（浦添市美術館）【写真5】は西欧伝来の「モダニズム」の系譜であった。アジアにおける（西洋）美術の受容と変容、その展開が大きくクローズアップされている時期でもあった。これはかなり大きな概念であり、展覧会開催中の三回のフォーラム（毎回七〇人超が集まった）でも論議の的になった。もっとも多かった意見は「モダニズム」とは何かという言葉の定義であった。もうひとつは「モダニズム」（前衛活動）の作家のみが沖縄全体の美術と捉えられてしまうのではないかということであった。沖縄の前衛は本土の亜流ではないかというのが、非常に印象に残ったことであった。この展覧会の第二会場では積極的に若い作家のインスタレーションを取り上げた。展覧会は一月足らずで約一万一二〇〇人の入場者を記録した。本展覧会のもう一つの特徴は、連日若い作家たちが集まったことである。会期中作品をスライドショーで上映したがそれにも三〇人以上の若い作家が集まった。熱気で溢れていたのである。

美術上のモダニズム、しかも幅広い概念でいうところのモダニズムは西洋印象派あたりから使用されてきた、いわば「新しい」という意味から始まった。属性として、既成概念や体制に「抵抗」的である。もう一つの属性が「普遍性」。科学的志向と結びついている。「近代」の概念が神秘から科学へと変化していくところから来ている。展覧会のテーマは西欧対アジアという含みであった。西欧発信の美術（考え方）がアジアに流入してどのように変化して行くのかを考えたのであった。いずれにしろ戦後美術の総括的な展覧会が開催されたことは、戦後五〇年にして沖縄が自身を振返る転機となる季節でもあったといえる。

パブリックアート元年——一九九六年

一九九五年は日本・沖縄の政治・文化全般にとって画期だったというのは先に述べた。付け加えるとウィンドウズ95の発売の年で、デジタル時代の到来でもあった。沖縄でのインターネットの商用開始元年でもあり、瞬時に地球の裏側とも双方向の通信ができるのが驚異でもあった。美術の方ではアメリカ生まれの新しい公共のアートが日本にも一九八〇年代後半頃から一九九〇年代初頭にかけて紹介され始め、実践されつつあった。旧来のパブリックアートとは、公共の空間に彫刻などを置く、いわゆる公共彫刻のことをさしていた。あたらしい公共のアート（ニュージャンル・パブリック・アート）とは、先に紹介した野外展などとも異なり、参加型のアートであり、一九九六年から沖縄においても取り組まれ始めたものである。その意味でも三月に来沖したクリスト【写真6】は嚆矢となった。サロン・ド・ミツでの展覧会開催に合わせて講演会に招待されたのであったが、首里にある会場のホテル、グランドキャッスルへ向かう道路は大渋滞となった。クリストはある意味で新しい公共彫刻の世界的な先駆けとも言えた。同日に来沖した個人映画の世界的第一人者ジョナス・メカスが会場に訪れ、大田知事とメカス、クリストという組み合わせになった。

クリストは、ある地域の象徴的な場所や、建物を長い期間をかけて計画を練り、梱包してしまうことで、その場所や建物の存在を逆に浮かび上がらせる。地域住民との長い交渉と自らの作品を売るだけで資金を作っていく倫理性。そして瞬時に解体される儚さの美学に人々は魅了された。「梱包」には膨大な資金と数多くの人とボランティアが加わり、利用された素材はリサイクルされた。沖縄でのプロジェクトの提案は残念ながら出来なかったが、大きな現代アートのイメージを多くの沖縄の人がつかんだ出来事でもあった。新しいパブリックアートはそもそも一九六〇年代後半、サイト・スペシフィック・アート（場所に限定して作られるアート）として生まれ一九七〇年代にかけて現れた制度批判としての芸術実践をルーツとしている。「ギャラリーや美術館など制度としての物理的空間に対する抵抗として現れ、次第に都市や郊外の自然など具体的な空間と結びついた表現へ向かった」（クレイグ・オーウェンス）のである。

クリストの熱気が覚めやらぬ五月九日に台湾出身、アメリカ在住の作家、シュー・リー・チェンが読谷に到着し、「アトピックサイト沖縄プロジェクト」【写真7】が始まった。このプロジェクトは複雑で、関わった人数も二〇〇人近くに上る。簡単に概要説明にとどめることとする。

もともとニュージャンル・パブリック・アートと言われる新しい〈公衆〉によるプロジェクトはモノとしての彫刻などが成果物としてあがってくるわけではなく、芸術が生成する場所に参加する人が立ち会い、自分の場所や機能を再発見することであった。あるいは利用可能な、実践的なプロジェクトが目指されたのである。このプロジェクトはもともと東京都の都知事選で当選した青島幸男による都市博中止の公約を受け、その保証として始まったものであった。「東京シーサイドフェスタ」事業のうちの柱の一つが展覧会「都市と芸術」という都市問題を扱う芸術を紹介する企画であり、そこから展開したものであった。五人のキュレーターが選ばれ、世界各地でアーティスト・イン・レジデンス（滞在制作）を行い、最終的に七月二五日からは東京お台場の国際展示場で展示するというものであった。その中の一つが沖縄でのレジデンスである。この展覧会自体のコンセプトは、従来莫大な予算を掛けて終わるだけの行政的な展覧会にはせず、各地の関わった市民に残され、それが資産として受けつがれ、利用されるようにするのが目的であった。

アトピックサイトとはユートピアの反対概念であり（ユー・トピーのユーとは世界に一つという意味）、いわゆるアトピー性皮膚炎などの「どこにでも」偏在する、ヒエラルキーのない、固有の場所で生じている固有の問題にとり組むアーティストを紹介することにあった。

那覇サイト、読谷サイトとウェブサイトを模して、中心のないリゾーム（地下茎）のような組織を目指していた。結果的には紆余曲折しながら、なんとかお台場の展示はできた。しかし政治的なテーマのため、東京都の検閲、代理店による予算の意図的な遅れなどや内部の意思疎通など、関わる人たちにとってトラウマティックな事業となった。しかしこの事業を踏み台に多くのアーティストがとびだしていった。もっとも目覚ましいのは照屋勇賢と比嘉豊光の活躍であろう。日本では現在活躍する多くの若手作家が参加した。

パブリックアートの波紋

一九九六年以降、沖縄でも作家が発表して観客が鑑賞するという従来のスタイルから、関係者の参加による制作・行為・展示に変化していく。同年六月には金城満が企画した「石の声」プロジェクト【写真８】があった。沖縄戦で亡くなった魂を鎮める目的で、真夏の炎天下、米軍普天間飛行場に隣接する佐喜眞美術館の庭で行われた。戦死者二三万人という数字に着目し、その数だけ小石に数字を書き入れることで、戦争と平和について身体で感じる行為といえた。金城の勤める開邦高校芸術科が呼びかけ、六月一五日から最終日六月二三日慰霊の日まで休日を挟んで四日間行われ、述べ六〇〇〇人の参加者があった。しかし二三万個という数は炎天下、死者を思いながら数字を書き入れていくのは凄まじい苦行であったという。それらの小石は、佐喜眞美術館の中庭に集められ、線香がたかれ供養され、しばらくは小山のように積まれていたが、時の経過とともに自然に中庭の土地の一部となった。

金城はその後もやはり木材に釘を打ち込む「鉄の記憶」を一九九九年から二年近く行っている。それは釘を打ち込むことで、暴力による加害と被害の両方を体で感じてもらうためであった。「鉄の記憶」はインターネット上で全国に呼びかけ、釘を打ち込んだ木材を郵送してもらってもいる。最終的には二〇〇〇年一二月二日に「火葬式」として開邦高校グラウンドで荼毘《だび》に付され、残った釘と灰は佐喜眞美術館に収められた。金城は他のジャンルでも一貫して身体感覚にこだわり、身体を通した表現こそがリアルなものだとする。「石の声」「鉄の記憶」は一九九六年に沸点に達した沖縄の状況をかたちにするものであり、沖縄でしか生まれないもの、どのジャンルにも位置づけられない、とりあえず名づけるならば「公共の美術＝パブリックアート」といえる。「石の声」、「鉄の記憶」は連続したプロジェクトであった。アートが人間の身体と精神（心）そして社会をつなぐ役割を強烈に希求したのであった。

現在に繋がる地域による芸術活性化事業の先導として一九九八年の佐敷町（現南城市）による「芸術環境創造計画」が挙げられる。それは文化庁の「文化のまちづくり」補助事業を受けて始められた「芸術のまち」構想の一貫であった。シュガーホールが核となり、音楽や演劇、ワークショップなどが企画され、それが向こう五年間つづくというものであった。美術部門の参加作家は仲本賢、渡名喜元俊、花城勉、赤嶺雅、加島治、友寄淳が加わり、沖縄初の公的主催による地域参加型、若手芸術家育成、現地滞在制作によるアートプロジェクトであった。仲本は佐敷町人看板計画と題し、町の住人の人型を畑や干潟に設置した。渡名喜はアートについてののぼりを一〇〇本たてる計画、花城勉はゴミのリサイクルによる作品化計画、赤嶺は町内の一角に視点をあて、作品にすること、加島は住民による「ヤドカリの浜辺計画」石彫ワークショップ、友寄は佐敷の土が焼かれて造形物になる瞬間の感動を分かち合うプランを提案、実施した。

一九九〇年代後半からの沖縄美術の流れは全般としては従来の美術ジャンルを超えて、室内からも飛び出して、参加型のアートへと向かっていったと述べた。沖縄では美術の行き詰まり感というより、作家と鑑賞者の新たな出会いを求めて、場と美術の概念が拡大して行ったともいえる。

二〇〇〇年秋から始まった那覇市前島の高砂ビルのアートによる活性化は、オーナーの山城幸雄の熱意とかつての飲屋街という場所の特異さによって逆に求心的な場となった。高砂ビルは前島の中心であり、県内随一の結婚式場と披露宴会場（高砂殿）を持つ大型施設であった。以前はかなりの繁華街であった前島は、暴力団抗争によって高砂ビルを含めて街全体が完全に寂れてしまった。山城は週刊誌で見た新宿区のアートによる町づくりを、県立美術館の学芸員と有志に呼びかけた。それに応えたかたちで実行委員会が結成され、一〇月には「第一回前島三丁目ストリートミュージアム」が開催された。中心から離れた、闇の場所性と自由に空間が使える魅力によって自由に参加した若手アーティスト四〇人が集まり、高砂ビルを中心とした飲食店街での初の展覧会が開かれたのである。予算はまったく提供されないが、自由に使用できる実験的な空間が提供された。次々と部屋ごと、空間ごとに未知のものとの出会いがあり、ストリートにもアートが溢れた。プロジェクトの第三弾では、その年一二月から二月下旬までの二ケ月半、山城見信によって滞在制作がなされた。当時、県立芸大教授であった山城は高砂ビル四階のだだっ広い披露宴会場跡にアトリエを移し、「公開アトリエ」を開催した。冷えきった空間にマグマのような熱を吹き込んだ。滞在中は宴会場のざわめきの残響と交感し、詩の朗読が行われ、シンポジウムが開催され、ダンス、映画（クリス・マルケル監督「レベル5」）の上映会が行われた。その後高砂ビルは宮城潤を代表に前島アートセンターとして美術館開館から数年後までの二〇一一年まで沖縄美術をリードし続けたのである。

政治や社会が沸騰していた九〇年代後半の沖縄では、美術をもっと深く身体に根ざすべき、訴える力のあるものとして捉えられ、地域社会も美術を活性化の手段として要請し始めた時期であった。

前島アートセンター

前島アートセンター【写真9】には多くの美術関係者が関わり、全国でも注目された。その後宮城潤を理事長とし、オルタナティブスペース（美術館などの正式な場所以外の表現空間）として若い作家たちを惹きつけ、全国的なネットワークを結び、全国でも有数なスペースとして知られることになる。前島アートセンターは、ポスト・モダンと言うような考え方が流通して後のアートの施設であり、ホワイトキューブ（一九二九年、ニューヨーク近代美術館にできた近代絵画の展示をするために部屋全体を白くしたことからきている。現在の美術館ギャラリー、画廊は一般的に使用—筆者注）ではない、街中の街路や看板、飲食店の雰囲気をそのまま利用する作品であり、展示であった。彫刻が建物から離れ、台座が取れるのはモダニズムからだが、アメリカの美術批評家ロザリンド・クラウスによれば、それはノマド的である。「場所を欠き、自己言及的である（自立している）」（「展開された場における彫刻」『反美学』勁草書房、一九八七年）からだ。前島のプロジェクトは作品を何も守られてない空間にさらけだすことであった。およそモダニズム的には考えられない非?建築、非?風景、つまりポストモダニズム的には、それが彫刻だというのである。

前島アートセンターは二〇〇二年NPO法人となり、国際展「wanakio」を二〇〇二年に始め、〇三年、〇五年、〇八年と四回開催、多くの作家を国内外から呼び、展開していく。当初ベテランの展覧会から若手の発表のスペースとして、あるいは様々なジャンルとクロスオーバーできる場所として認知された。

山城知佳子、阪田清子ら美術家も育っていった。山城知佳子は沖縄の現実をパフォーマンスや写真、映像で表現しようとした。現在国内外で注目されるアーティストといえる。阪田清子のデビューとも言える展覧会も前島や高砂殿の中華料理店跡を利用した極めて印象深いものであった。そのインスタレーションは場の意味や記憶を取り入れた見事な展示となった。それは場所の記憶が、残ったスープに張り付いたかのような印象を与えたのである。阪田の仕事からは今日の日本の優れた若手美術家と同様、同時代的であり、時代の体温を感じとれるのである。

前島アートセンターは、少額の予算で長い期間続けたことは大いに賞賛すべきであろう。しかし逆に沖縄の文化行政の貧困を物語ってもいる。新しいコミュニティとしてのアート・スペースに予算がつかず、落下傘のように地域に下ろしたイベントに予算を計上する。アメリカに居る時に、幾つかのアートセンターを調査したが、いずれも公的機関から援助を受けていた。それぞれ地域の美術家の展示、即売会が可能なようなきちんとした施設が多く、寄付制度、ボランティアに対する考え方など我が国との差がひどく途方にくれたものである。とはいえ、前島の展示は地域を巻き込んだ先進的、長期的なプロジェクトであった。それが注目された。しかし現在日本のアートプロジェクトは、行政主導の地域活性化を目的としてきているのが多くみられる。日本のどこでも見られるアートイベントが沖縄でも二〇一〇年代から始まっている。文化の同化政策が進行する危惧が現実化していく。

復帰前後はモダニズム（あるいは前衛）と社会性が合致している時代とも言えた。いわゆる日米に対する主体性を主張することができた。一九九〇年代後半～二〇〇〇年代も沖縄の主体性を主張する転機でもあった。現にその後、照屋勇賢や山城知佳子が出て来た。ここ数年、与那覇大智や石垣克子らも日本各地で取り上げられるようになった。新たな沖縄の表現が期待される。

【写真 1】新垣安雄「不条理－ＯＫＩＮＡＷＡ」（1972 年、琉球政府前広場）

【写真 2】「-'76 展」の案内状

【写真 3】渡名喜元俊「風化計画」（1992 年、南城市佐敷冨祖崎）

【写真 4】新里義和・勝連竜子「語りえぬもの」（1994 年、パレットくもじ）

【写真 5】「沖縄戦後美術の流れ」図録（1995 年）

【写真 6】来沖したクリスト夫妻とジョナス・メカス（1996 年、サロン・ド・ミツ提供）

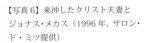

【写真 7】アトピックサイト国際現代美術展沖縄プロジェクト（1996 年）

【写真 8】「石の声」（1996 年、佐喜眞美術館）

【写真 9】前島アートセンター外観

4、ニシムイ美術村コミュニティ

ニシムイとは

これまで、幾多の美術家や書き手が言及して来たニシムイ美術村【写真1】。戦後一九四八年四月頃から二度の台風で吹き飛ばされ、わずか一年足らずの歴史であったという説、あるいは一九七二年、環状道路によって分断されるまでだという説もあるが、ともかく那覇市首里に美術家の共同体があったということは動かしようのない事実である。首里城の北の森ということで沖縄の言葉でニシムイ（北森）の意味である。沖縄の戦後の美術界にとってきわめて重要な意味をもつ場所でありながら、半ば伝説化しつつあった。

一つは美術家の共同体としてのユニークさ。戦前戦後通じてはじめてのできごととして、今では多くの人に知られるようになった。画家が肖像画や風景画などの絵が売れて生活ができ、かつ尊敬されていた類いまれな時代であったこと。ほとんどの芸術家が夢想するであろう、「理想の場所」としてそこはあった。かつてニシムイで過ごした関係者にとってはいまだに戦後美術の原点であり、復活を願う場所としてである。二つめはある意味で、米軍の占領政策の成果としても「理想の場所」であったこと。三つめはニシムイに住んでいる美術家たちが、ドラマチックな新旧対立も含めながら、その後の沖縄の美術界のみならず、文化もリードしていったこと。優れた美術家たちが指導者としても活躍し、コミュニティを形成していたのである。以下、ニシムイの設立や米軍との関係、世代間の関係を考えてみる。

民政府の前身——文化部芸術課のころから美術家共同体の夢へ

終戦からニシムイ建設までの行政的な経緯を辿ってみる。終戦直後、沖縄の住民は全員収容所生活を強いられた。一九四五年八月二〇日には各キャンプから集められた沖縄人の中から一五人の諮詢委員が選ばれ、米軍政府の諮問機関である沖縄諮詢会が発足した。二九日には第一回会議で委員長志喜屋孝信、文化部長當山正堅他全体で一三部の長が選出された。すでに米軍の収容所内では美術家が依頼されて絵画を教えたり、食堂の壁画、将校の邸宅への装飾などを描いてもらっていた（大城精徳「焦土の中から蘇った画家たち」『写真集沖縄戦後史』那覇出版、一九八六年）。

諮諄会文化部の動きを追ってみる。一二月一〇日、小那覇全孝を「中央部員常置員」に。石川市東恩納に文化部が設置。美術家が集まって、教科書の挿絵描きや美術活動などを行う旨話し合う。一二月一九日にジェームズ・ワトキンス少佐とウィラード・ハンナ少佐が（個人的に）山田真山へムーレー大佐の官邸に飾る屏風絵の制作を依頼している。一九四六年四月には諮諄会に代わり創設された中央政府が文化部美術技官として美術家を雇用している。一二月一日には民政府に改称して文化部芸術課職員となっている（『沖縄諮詢会会議録』沖縄県教育委員会、一九八七年）。一九四六年九月二七日の「うるま新報」には「華麗なクリスマスカードで郷土色を紹介」と掲載されている。

諮詢会会議録からは、米軍の初期の頃の為政者である海軍（上部スタッフはほとんど学者軍人）が、次期占領者である陸軍が為政者となる前に自治組織を整えようとしていたことが伺える。一九四五年一二月二四日の諮詢会記録には、米兵に沖縄文化を啓蒙するというワトキンス少佐（とハンナ少佐）の考えが記録されている。ムーレー大佐の官邸は沖縄文化に関心を持つ高級将校以上や貴衆両院の人々に紹介し、東恩納博物館は米兵に鑑賞させたい旨述べている（前掲書）。このような学者軍人の融和的な沖縄統治のあり方は、芸能、美術関係者を優遇し、美術・芸能の大きな発展を見ることになる。画家に対しての規律が緩やかであったであったことは、軍政府が知念に移るときに、画家たちが石川で充分に生活していけるという理由で東恩納に残ったということにも見て取れる。画家達にとっては、たとえ自分の描きたい主題で描けなくとも、過酷な沖縄戦の後に、このような環境が待っていたとは想像も及ばない世界の変化であったに違いない。

ニシムイ建設へ

民政府が沖縄本島南部の知念に移転したことに伴い、一九四八年三月三一日に文化部が廃される。公務員としての技官を解雇され、新たに活動拠点を捜すことになった画家たちは、首里儀保にある通称ニシムイ（北森）を美術村として選び、そこに住宅をつくって移り住み、活動を再開した。リードしたのは屋部憲と名渡山愛順で、民政府工務部長の松岡政保に頼んで資材を確保してもらっていたのである。その家は規格家（キカクヤー、米軍政下での2×4による規格住宅）と材料は同じだが、アトリエ付きの住宅であった。当時、アメリカの資材、資金で約七万五千棟の家屋の設計を建築家の仲座久雄が担当している。

最初にアトリエ付きの家を持ったものは名渡山、大城皓也、屋部の三人で同年の夏までに山元恵一、金城安太郎、安谷屋正義、玉那覇正吉が移った。具志堅以徳は翌春、安次嶺金正は那覇市古波蔵の自宅からニシムイに通った（浦崎彦志「ニシムイのこと」『ニシムイ』沖縄県立博物館・美術館、二〇一五年）。当時は米軍の家族の肖像画や風景画が良く売れたが、物資が少ないため、初期のころはほとんどタバコとの物々交換であった。美術村建設のリーダー役である名渡山が学生時代住んでいた下落合の高級住宅街、通称目白文化村と池袋モンパルナスの両方に通った経験から、美術家の共同体＝美術家村を夢見ていたことが、ニシムイの発想となったに違いない。戦後の何もない状態からの出発は、戦後世代の画家にとって失われた時間を取り戻す機会でもあった。

異文化交流――占領者・被占領者

ニシムイの画家たちは、肖像画を描くなかで米軍将校、その家族と親交があった。その活動は、美術村誕生直後に交流した一人であるスタンレー・スタインバーグ【写真２】の文章や沖縄での展覧会に帰ってきた作品がよく物語っている。

沖縄戦後、一人の軍医が沖縄に降り立った。ある日彼は友人たちと新品のポンティアックでドライブする。米国人の立ち入り禁止区域である沖縄住民のキャンプ地に入ったところがニシムイ美術村であった。こうして彼らとニシムイ美術村の画家たちとの絵画を通じた交流が始まり、二年後、生涯忘れえぬ体験と作品群を持って本国へ帰って行った。その作品と交流の中で生まれたスピリッツは六〇年間、サンフランシスコで大事に育まれたのであった。二〇〇七年、スタインバーグの弟子であり、クバサキハイスクール出身、つまり沖縄で育ったジェーン・デュレイの企画によってニシムイの画家の作品展がカリフォルニア大学バークレー校で実現した。その後沖縄に帰ってきた作品によって我々は彼らがどのような作品を描いていたかを知ることが出来た。具体的な生活の様子はよくわかってないが、当時の新聞記事には下記のとおり描写されている。

首里西森の美術村に日曜ともなれば、数々のハイヤーやジープが来て画家達のアトリエで米人が一日を楽しそうに過ごしていく……その中に。玉那覇正吉、安次嶺金正氏に弟子入りして毎週熱心に絵のお勉強に励むアメリカのお医者さんが二人いる、話題の主は牧港軍病院のスタインバーグさんとエーベルマンさん〔中略〕……辞典を引っ張りだしては芸術論を交わしたりしているうちに親交がふかくなって教を乞うに至ったもので、その他に同病院のローズ軍医大尉も絵を習いたいと云い出しこれら米人たちが絵の本や絵具類を米国からとり寄せてやったりしている、スタインバーグさんは十日程前〝……沖縄ではとても楽しかった。絵を通じて君達と親しく交わることが出来たからだ、将来アメリカに来て是非我々の美術界を見てくれその時は何なりとご援助する〟その言葉を残して帰米、我々はこの美術村にいるのが一番楽しいのだといつている本人達は〝世界は一つだ、我々は皆兄弟だ……〟とサインして帰る文字通りあたたかい友情にあふれた親善風景を描き出している。

（「絵を習う米人達」『沖縄タイムス』一九四八年一二月一五日）

敗戦によって大量の米軍の流入があり、沖縄は米軍によって日本軍から「解放」されるが、基地が建設されることによって、住民は「囲い込まれた」。餓死者も出る過酷な生活の中で、主な収入は軍作業、戦果（基地からの盗品など）であった。初期の住居は那覇市や首里などもテント小屋、あるいは規格家であった。その後米軍から大量の物資が流れ、文化的な影響もかなり出てきた。そのような時代状況の中での占領者と被占領者間の芸術を通じた交流とは何だったのか。あるいは、異文化間の言葉を超えたコミュニケーションととらえるのか、戦争直後という非情な時代に真逆の芸術に癒やしを求めたとするのか。

二〇〇八年、沖縄県立博物館・美術館での「移動と表現」展で展示された米国から帰ってきた作品は、一九四八年から二一年間の時期のものであった。一九四九年には第一回沖展が開催される。また一九五〇年には琉球大学が開学している。つまり文化的な諸々の条件が整う直前であった。

スタンレー・スタインバーグについて

スタインバーグというキーパーソンについて述べておく必要がある。彼は何故六〇年間も「二シムイスタイル」を持ち続け、それらをサンフランシスコの診療所と自宅の壁に掛けておいたのか。彼にとって「ニシムイスタイル」とはなんだったのか。

スタインバーグはユダヤ人の家庭に生まれた。大学はスタンフォード、芸術を愛する医学生であったが、学生時代に彼にとっても、その後のニシムイにとっても大きな意味を持つ体験をする。アンリ・マティスの収集で知られるサラ・スタインとの交流である。サラ・スタインの義理の妹はガートルード・スタイン、世界的詩人にしてピカソの収集で著名である。サラ・スタインは当時すでに七〇歳をこえていた。

その経験と出自のユダヤ人の血が彼に独特な生き方を選ばせた。結論を急ぐと、スタインバーグには一般的な俗な意味での蒐集の価値のヒエラルキーはなく、収集する主体、自分を中心とした、ユダヤのコレクターの系譜なのである。故にスタインバーグのコレクション（西洋美術史をなぞるドローイング、版画、油彩の小品）の中に確固としてニシムイ作品が位置を占めるのである。分析医になる決意をしていたスタインバーグにとって、サラは格好の分析の対象であり、文化全般の師匠であった。スタインバーグは最初の出会いの頃のことをこう述べている。「彼女は、マティスやピカソそしてセザンヌの素晴らしい芸術作品で満たされた魅力的な家の中へ招き入れた」（「Stanley Steinberg , Sarah Stein: The Woman Who Brought Matisse to San Francisco」,Stanford University press, 2013）のである。サラとの会話は思想や風俗の文化的に進んだもので、当時の最先端であった。マティスの影響を受けたスタインバーグにとって、沖縄は荒涼たる風景で、行きたくない地域であった。

一九四八年、私は渋々沖縄にやって来た。この島は私の感覚からずいぶんかけ離れた場所に見えた。病院といっても医療施設もない、ここで私は治療をしなければいけないんだと感じていた。一年間の精神医学の訓練後、まだ準備不足ではあったが名誉なことにライカム(琉球軍)精神科のチーフに指名され、その上、陸軍の主任軍医に任命されたのだった。

(スタンレー・スタインバーグ「思い出のニシムイ」『移動と表現』沖縄県立博物館・美術館、二〇〇八年)

しかしたまたまアーティスト・ヴィレッジと出会った。それは思いがけない出会いであった。少々長いが図録から引用してみる。

その頃、那覇はキャンバス地の布と合板にトタン屋根で作られた間に合わせの建物だらけの街だった。過去の都市の面影だけが残っていた。その日、私たちはバナナかパパイア、何か珍しくて高いごちそうを探していた。首里周辺の緑に覆われた丘に沿って進んだ。もしかするとそこは米兵の立ち入り禁止区域だったかもしれない。

全くの偶然で私達の車は黒いキャンバス地を張り巡らせて壁にした家を中心に建つ五、六軒の家に着いた。そこには「オキナワン アーティスト ソサエティ」と大きく書かれた看板があった。近づいて行くと画家の玉那覇（正吉）、安次嶺（金正）、安谷屋（正義）、具志堅（以徳）がアトリエから出て来た。彼らも私達も驚いてお互いを見ていた。全く偶然の出会いであった。私達はカーキ色のズボン（パンツ）にTシャツ姿、流行のアメリカ車に乗った米軍将校、奇妙な光景だった。画家たちはフランスのボヘミアンのような装いだった。玉那覇はベレー帽をかぶりネクタイをはためかせ、安次嶺はバンダナを首にしめたハンサムで華やかな姿、安谷屋はとても若くてゴーギャンの絵に描かれたタヒチの人のように見えた。（前掲書）

ニシムイの画家たちとの最初の出会いがいきいきと描写されている。それまでのスタインバーグの体験が出会いと交流を作ったとも言える。安次嶺のマティスへの傾倒はスタインバーグによって一時期影響を受けている可能性がある。帰ってきた作品のなかに、マティスの影響を受けたと思しき画風が見られる。それも交流のあった二年間の時期であった。異文化接触は、支配者と被支配者の間に服従・反発があるが、アイデンティティの確立した大人の場合にもお互いに尊敬の念があれば、影響しあうものだ。二年間の交流のあと、スタインバーグはニシムイの作家の作品をコレクションして沖縄を去った。

外の視線とニシムイの終焉

ニシムイは戦後の様々な美術運動や沖展あるいは美術の教育の場にダイナミズムを常に作り

出していく。果たしてニシムイの美術家たちは当時の政治や社会にどのようにかかわっていたのであろうか。ニシムイ建設から一九五〇年頃までは自分の生活を守るのに精いっぱいだとして、その後の社会とのかかわりはどうだったのだろうか。

たとえば、一九五三年八月、ペリー来琉一〇〇年祭の翌年、同行事の一つとして米琉親善絵画展覧会委員会主催「米琉親善絵画展」*（ライカム将校クラブと首里博物館）で、当時活動していた画家たちのほとんどが北谷村桑江の基地内での展覧会に出品している。

一九五二年四月二八日サンフランシスコ講和条約発効後、沖縄を軍事基地として恒久的に使用することが可能になると、沖縄統治の政策として米軍はしきりに「米琉親善」という言葉を口にするようになった。……ペリー来琉の際に同行した米人画家のスケッチを、沖縄の美術家達がその白黒写真をもとに描いたもので、……約一〇〇点が展示された。これらの絵はすべて海を渡り、現在沖縄にはほとんど残ってないという（『沖縄タイムス』一九七八年一一月六日）

そのとき主な画家達全員が記念撮影をしている。その年の四月は米軍が布令第一〇九号「土地収用令」を公布した。一九五三年に那覇市安謝、銘刈、小禄具志、五五年に宜野湾の伊佐浜などで武装した米兵を動員し、農民の強い抵抗を排除して暴力的な土地接収が行われた。一年後に土地代を約一七年分一括して支払うことを申し出、これが後にアメリカ軍による沖縄の植民地政策に繋がっていくとして植民地化反対共闘委員会が結成されている。伊佐浜は画家たちの記念撮影が行われたキャンプ桑江のすぐ近くである。

そのようなニシムイを含めた画家たちを批判した評論が一九五五年に『琉大文学*』誌上で喜舎場順によって書かれる。「ちなみに沖縄の画家たちが、のっぴきならぬ占領下の植民地化について、また共通の平和の問題について明確な自覚をもって描いているでしょうか。残念ながら皆無と言っても仕方がないでしょう」と痛烈な批判を浴びせた。一九五八年一月一八日には、玉栄清良が「創斗会同人への疑問」として「芸術と政治」の関係で考えた時、現実とは関係ない造形のみ、甘い叙情に傾きすぎるのではないかと、喜舎場より婉曲であるが、同様なことを述べている。この政治と芸術の問題は、沖縄では七〇年たっても変わらない古くて新しい問題ともいえる。一九世紀、クールベのリアリズムから印象派へと移った「現実」から「造形」へとたどった道程は、今日に至るまで「もんだい」として時おり浮上する。

その後も沖縄の美術からは喜舎場や玉栄が言うようなリアリストが大きな勢力になることはなかった。だが、仲井間憲児は述べる。

沖縄は言語、文学、音楽、美術、舞踊、演劇等それこそAM、FMのいろいろな周波をレシーブできるチューナーを備えた民族に育ってしまった。その点、体系的な戦争文化の中で、したたかに鍛え込まれたヨーロッパ・アメリカとは民族文化の基軸が異なっている。沖縄は戦争すらアモルファスな体験をしたのである。沖縄の美術史が戦争画を生み出さなかったのはそのためであると思う。（中略）画家たちが戦争体験について無自覚であったのではなく、死者のからむ状況をリアルに描出することをしなかっただけである。このことを時には無関心、時には無気力、時には怠惰ととる向きがある。だがこれも鎮魂である。

（『沖縄タイムス』一九九〇年六月二八日）

ニシムイがニシムイとして機能していたのは一九五〇年代半ばまでであろうか。二度の大きな台風（一九四八年「リビー」、一九四九年「グロリア」）に吹き飛ばされた後、再建するが、一九五一年までには画家たちは、ほとんど大学や高校の教師など別の職につく。朝鮮戦争でオフリミッツになった後、アート市場は中部、ライカム周辺に移る。ニシムイの美術家たちは米軍相手の売り絵を描くことから解放され、真の芸術活動を展開していく。彼らは沖展、琉球大学開学、ジャーナリズムとアカデミズムに多大な協力をした。背景にある米軍を考えるとそれこそ植民地状況下のアンビバレントな立ち位置であるが、米軍の強圧的な力を思う時、植民地沖縄の文化への貢献であったともいえる。これまで描かれてきたように、ニシムイは沖縄の戦後美術の出発地点であった。物理的な終焉は、復帰の年に記念に造成された環状道路による分断であった。

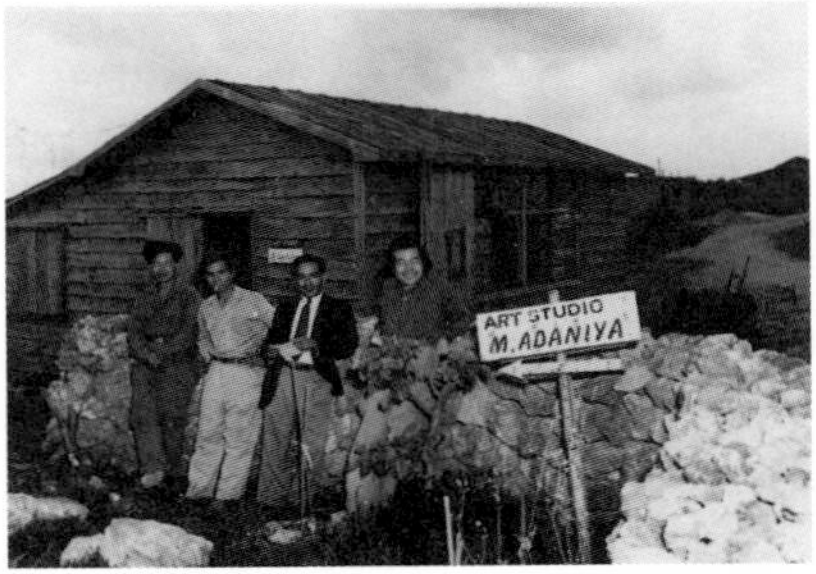

【写真１】ニシムイの画家たち（キーストンスタジオ所蔵、那覇市歴史博物館提供）

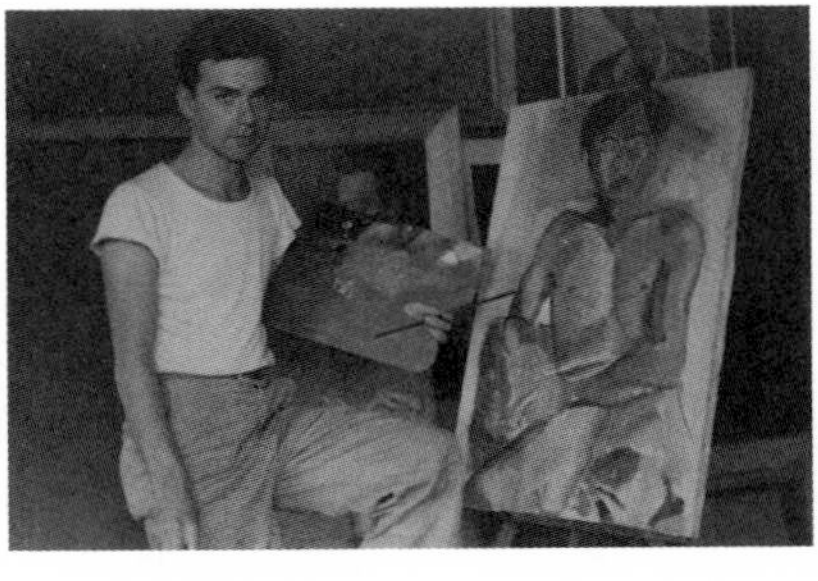

【写真 2】スタンレー・スタインバーグ（ポール・スタインバーグ氏提供）

5、沖展――一九七〇年代までのスケッチ

沖展と豊平良顕

「沖展」（「沖縄美術展覧会」が第四回から沖展に改称）が沖縄で作家にとってどのような役割を果たし、観客に受け入れられ、またイメージが変化していったのかをたどることは、きわめて重要なことのように思われる。

沖展が現在、県民がまるで年中行事のように出かけるところまでに定着し、成功したのは、見せる側と見る側の相乗効果があってのことだろう。それは何らかのバネになる要因があったにちがいない。戦前の沖縄に沖展のような大掛かりで、これほどの観客を動員する展覧会はなかった。全国でも県単位の展覧会では例が見当たらない。やはり観客をひきつける原動力となる特殊な要因があろう。沖展がもっとも生き生きとし、若手の登竜門として機能していた時期は一九七〇年代、復帰前後までと考える。

沖展を発案し、その思想的バックボーンとなった何かがなければなるまい。というのは現在までもそうであるが、沖縄の新聞において、美術記事の扱いがかなり大きいのは全国でも異例であり、沖縄の新聞の特徴といえるのではないか。文化面といっても数多くのジャンルがあり、たとえば文学、演劇、音楽、映画など活字や視聴覚を動員する芸術があるのにかかわらず、美術工芸の占める紙面の割合が大きいのはそれなりに理由がありそうだ。

沖展を発案し強力に推進し、育て上げてきたもっとも重要な人物が豊平良顕である。豊平については多くの著者が書いてきているため、ここで多くは言及しない。いずれにしろ、豊平の中で、沖縄戦が大きな影を落としていることは否めない。戦後は沖縄に文化を復興させ、沖縄ルネサンスを提唱した人物である。自ら首里にトタン拭きの私設博物館（収蔵庫）をオープンさせ、新聞人として戦争に加担したことへの猛省があり、文化復興への猛烈な熱意があった。

沖展一〇回目まで――一九五〇年代

沖縄タイムス創刊一周年記念として「沖縄美術展覧会」が那覇市崇元寺にあった沖縄タイムス社のコンセット（米軍が兵舎として利用した組み立て式の建物）社屋で開催された【写真1】。一九四九年七月二二、三日という、たった二日間の展覧会ではあったが、戦後初めての大規模な公募展が開催されたのである。絵画のみの展覧会で、そのときの審査員が大嶺政寛、大城皓也、山元恵一、名渡山愛順の四人、招待作家一五人公募一三人、作品数六八点であった。点数一人五点以内、号数は制限せず、額縁つきとした。入賞者を設け、名称を「タイムス美術賞」とした（パンフレット、募集要項）。第一回目は大村徳恵の《テントのある風景》（モノクロ写真のみ現存）【写真2】が受賞した。賞金五千B円。当時の価値からすると高額であった。一万五千人もの観客の動員というから、当時沖縄の人たちがいかに文化的な催事に飢えていたかがうかがえる。

沖展の開始については、前述したように、豊平良顕の存在が大きい。沖展を支えた原動力は、豊平は戦前期における新聞の活動への反省から、文化活動を推進することが最も重要なことと考えたのである。沖展を見た人々の感想の中には感動に打ち震えるものがあった。

二回目は那覇高校同窓会館で開催されている。一九五一年、第三回展は琉米文化会館で一一月三日から五日まで三日間開催され、アンデパンダン方式に切り替え、絵画六〇点、彫刻四点が出品され、専門家投票で山元恵一《あなたを愛している時とあなたを憎んでいる時（When I love you and when I hate you)》（後に《貴方を愛する時と憎む時》に改題）と一般投票で金城安太郎《楽屋裏》が受賞した。一九五〇年には朝鮮戦争が勃発し、一九五一年の九月八日には沖縄が完全に日本から切り離す対日講和条約と、安保条約が調印された。「あなた」とは誰のことかと今でも問われることであるが、社会情勢から敷衍すると、日本のこと以外にはありえないのではないか。この作品は沖縄の移り行く時代を如実に表したものといえる。山元の作品のみでなく、出品者全員のタイトルに英語表記が付されている。この年から次回の第四回展まで那覇市与儀の琉米文化会館を使用している。アンデパンダン方式は、第五回までで終了する。第一回―三回展までは英語表記がある。第四回展からは英語表記がない。このことは徐々に軍政から離れていこうとする意志があったのではないか。第五回展からは那覇高校新校舎が会場となり、この年はじめて米国人女性の出品があった。第六回大会からは書道部と工芸部が新設され、それぞれ五三点、八一点が出品されている。

一九五五年第七回展から会場は壺屋小学校に移り三月二六日―三〇日まで開かれ、絵画は一八〇点、彫刻一二点、工芸一二一点、書道三八点と南風原コレクションと題して、南風原朝光の絵画二〇点、中央画壇から賛助出品一七点で展示総数三八八点と大幅に増える。紙上の沖展案内には、「十数年本土への往来が阻まれた今日、はからずもそのような珍物、名物がみられるとは夢にも考えられなかった話でしたのに南風原さんの御好意で展覧していただいたことに対し、皆様と共に感謝したいと思います。宇銭・良寛武者さん等皆様に何物かをうったえると思います」（末吉安久『沖縄タイムス』一九五五年三月二六日）とあった。

沖展のマンネリ化をもっとも警戒していたのが、創設者の豊平であった。『沖縄タイムス』紙面に匿名の批評を連載し、歯に衣を着せずに数人の筆者に「沖縄画壇を斬る」と題し、続編まで掲載している。その頃同紙記者の新川明も短歌無用論を『沖縄タイムス』に連載している。豊平といい新川といい、記者が自社メディアに評論を載せるという行為は、戦争後の熱気と開放感があった時代だからともいえた。

第一〇回展は一九五八年三月二三日―二七日まで壺屋小学校で開催されている。部門も回数を経るに従い増えてきて、総点数四七三点が展示されている。一九五六年の第六回展から工芸、書道部門、第八回展からは写真部門が新設されている。

一九五〇年代の沖展は、すでに安次嶺金正、安谷屋正義、玉那覇正吉などの東京美術学校出身の戦後世代の美術家たちへバトンタッチする過渡期でもあった。まずアンデパンダン展になった理由は彼らの待遇への不満であったという。審査員はともかく、第二回展においては、一般の部での出品であった。琉球大学美術工芸科が設置され、また一般にも絵を描く若い人の人口が増えたために、新しい世代の新しい美術が待望されていたのである。時代背景としては、沖縄の軍事植民地化が急激に進行し、基地建設が大々的に行われ、米軍による土地強制収用などの強権発動があり、それに対する反対運動が沸き起こる反面、基地内での展覧会や文化会館建設などの融和政策があった。

一九六〇年代から七〇年代初め

第一五回展は一九六三年、壺屋小学校で開催され、新たに商業美術部（現グラフィックデザイン）が新設され、岸本一夫が沖展賞を受賞している。沖展賞（当初は新人賞）は一九六一年に創設され、第一回目の絵画部門は神山泰治が受賞している。工芸においては、民藝協会の事務局が沖縄タイムス社であることから、濱田庄司やバーナード・リーチなどの陶芸家や染織家の民藝派との付き合いの中から初期の復興の情熱に駆られて、画家などが数多く参入しており、かなりの熱気が感じられる。

一九六〇年代に入ると、沖縄でも、読売アンデパンダン展や、関西の具体美術などの影響を受け、前衛活動が活発化していく。沖展に出品せず、個展、グループ展での発表、屋外での展示をする個人やグループが出現する。また絵画においては安谷屋正義等の影響は絶大で、安谷屋調といわれる作品が現出する。時代背景としては、一九六〇年代はベトナム戦争が激しくなる後半からは沖縄からＢ52爆撃機がベトナムに飛び立つようになり、国際的に連動した反戦運動が盛んになり、写真に影響が出てくる。デモ、あるいはこれまで撮られなかった基地が本土のジャーナリズムの影響で出品されるようになる。また、祭祀関係に題材を得たものが写真、絵画に現れるようになる。大城皓也、普天間敏などは固有な沖縄像を探ったといえる。

ジプシー展といわれ、会場を転々としていた沖展は、第四〇回展から浦添市体育館に定着する。大きな空間に展示全体が見渡せるというものになった。新しい県立の美術館での展示という期待もあったが、このような総合的な展示には不向きであろう。むしろフォーマルな美術館より、非日常的な、祭り空間が似つかわしいと思える。

沖展が沖縄社会で果たした役割については、大きなものがある。特に復帰後一九七〇年代半ばまでは絶大な、実質的な美術界への影響力を及ぼした。沖縄の社会が自立を目指して新たな文化的位相へとシフトしてきている現在情勢に鑑みて沖展を検証してみる必要があるだろう。

【写真 1】第 1 回沖縄美術展覧会（沖展）での記念撮影（1949 年、沖縄タイムス社提供）

【写真 2】第 1 回沖縄美術展覧会でタイムス美術賞を受賞した大村徳恵作「テントのある風景」（『開廊一周年記念　沖縄画壇の先達　沖展初期の受賞作品を中心にして』ギャラリーみやぎ刊より複写）

6、琉球イメージを求めて――沖縄に来た画家たち

琉球イメージ

琉球王朝時代から琉球＝沖縄はその地政学的な観点から外国の調査団等によって数多く描かれてきた。中国から遣わされた冊封使の周煌が中国皇帝への報告としてまとめた書が『琉球国志略』で、その中で琉球八景をスケッチしている。それをもとに北斎は《琉球八景》（一八三二年頃、浦添市美術館所蔵）を描いた。近代に入ると欧米人の見た記録が出てくる。もっとも友好的にオマージュに近いまでに描き出した見聞録は、イギリス軍艦隊長バジル・ホールの『朝鮮・琉球航海記』である。ウィリアム・ブラウンのスケッチによって、ややぎこちないが細かく描かれている。ホールがセントヘレナのナポレオンを訪ね、琉球の話をしたというのは有名である。

薩摩の琉球侵攻以後、琉球は薩摩の属国として、将軍が変わるたびに、江戸上り行列*（慶賀使）というかたちで中国風の装束、楽器などで江戸までの道中をパレードし、異国を演じさせられた。江戸上り行列がもたらした各地での熱狂的な琉球ブームは、新井白石の『南島志』、滝沢馬琴の『椿説弓張月』や先述の北斎の浮世絵「琉球八景」などの出版物の隆盛を促した。そのころ出版された沖縄ものは、江戸期全体の四分の一にも上るという。長い鎖国社会の中で、閉塞感を破るもの

として人々が外国との交信や、交流を望んでいたことなどの条件が考えられたが、それはその後の沖縄ブームに共通している背景ともいえる。それにしても当時琉球ははるか異国の地であり、薩摩は異国琉球の支配者であった。薩摩はそれを政治のショーとして琉球＝中国イメージを作り上げた。北斎の《琉球八景》は、中国の使者が描いたイメージが日本に伝搬したものである。しかしそれらの「琉球イメージ」は現実の琉球とは異なっていた。

一八七九年、明治政府は琉球処分を決定し、処分官松田道之を遣わす。その後一八八七年一〇月、内閣総理大臣の伊藤博文が来沖するが、その時同行したと言われる山本芳翠の《美福門》《宗元《マ》寺舜《マ》天王之廟》《那覇の港》などを見ると、明らかに写真から写したかのような極端な遠近法である。山本芳翠が琉球＝沖縄に実際に来航し写生したか否かはともかく、それよりも注目すべきはその絵画の醸しだすイメージである。洋行帰りの山本には現実の沖縄は見えてなく、イメージをなぞっているように見える。山本は同年七月に一〇年間住んだフランスを引き払い、帰国したばかりである。フランスで描いた有名な《裸婦図》（一八八〇年）の物質感溢れるリアルな描写に較ぶべくもない。伊藤博文との交遊関係は有名であり、その中から沖縄行きが決まったというのは考えられる。山本は新たな明治政府の御用画家として、日本の版図をまさしく書き込むために、南は沖縄から蝦夷の地まで油彩画で描いている。いわゆる日本国家のマーキング絵画である。《那覇の港》の描写では、遠方が、霞みたなびく風景となっており、ヨーロッパの風景が流用されている。また、《宗元寺舜天王之廟》においても東南アジア風のイメージが描かれている。

山本の琉球を描いた絵画には、明らかにヨーロッパの様式と、ゴーギャンなど南方派と北斎などの琉球イメージが結びついており、奇妙にねじれている。しかし、機能としてはそれで十分だとも言えた。現実の沖縄は必要とされないからだ。

明治期に沖縄を紹介した画家として、一八九六年に沖縄県立師範学校に赴任した山口辰吉（瑞雨）【写真1】がいる。山口は絵画同好会や丹青協会を主催して沖縄の画家たちを集め、たびたび展覧会を開いて、啓蒙活動に精力的に取り組んでいる。白馬会の山本森之助も一九〇一―〇二の二年間、県立中学の教師として赴任し、在任中に《首里の夕月》（一九〇二年）【写真2】などを白馬会に出品し入賞している。大正期になると、大正デモクラシーの芽生えと、印象派などの紹介等があり、また、満州やアジアなど、外への視線が広がり、「南」に対する志向が画家たちの中に芽生えてくる。一九一二年一月から三月まで、丹青協会の招きで、太平洋画会の石川寅治・中川八郎・吉田博が沖縄に旅行し、首里にて油絵約六〇余点が展覧されている（「沖縄土産」（石川寅治談）『みづゑ』一九一二年二月一六日号）。彼らは約四〇日間、那覇を中心に精力的に描いた。現在、沖縄県公文書館に水彩画帳が収蔵されているが、生き生きとして、彼らの新鮮な驚きが感じられる作品となっている。丹青協会は積極的に絵画展を開催している。一九一三年には日本画家の岡田雪窓が取材で訪れ、数多くの写真（沖縄市立図書館に寄贈）を撮っている。一九一六年には小杉放庵が「日本風景版画」の取材で沖縄を訪れている。

琉球イメージはその後の柳田國男の『海上の道』に著わされるように、黒潮に乗った文化北上説となる。柳田國男から伊東忠太、鎌倉芳太郎*を経て柳宗悦のころには太平洋戦争直前となった。沖縄は日本の南進政策への飛び地として役割を担って行くのである。柳宗悦はたびたび沖縄に来て、民衆の芸術として壺屋や紅型などを賞賛した。『琉球の富』『沖縄の文化』には日本文化の原型として、その豊かさを発見するような賛辞が込められている。生活の中に溶け込んだ柔らかな工芸生産の場所としてのアルカディアがあった。

表象としての沖縄文化

藤田嗣治が南風原朝光の案内で、沖縄を訪問したのは一九三八年の四月二七日から翌月一九日までだった。滞在中精力的に写生し、その年の秋の二科展に出品するための画題探しの旅でもあった。当初二科会会員の加治屋隆二と竹谷富士雄の計画に藤田が加わったということであった。藤田は一九三一年から三三年にかけて中南米の旅に出、その際アルゼンチンやブラジルで沖縄県人から歓迎を受けた思い出があり、沖縄の人に対する好印象を持っていたと言っている。また世界各地を回ってきたので「沖縄の気候も大いに想像がついていた」のである（『琉球新報』一九三八年四月二八日）。

沖縄滞在で描いた作品の中でも特に戦争高揚画である《島の訣別》（一九三八年）は、メキシコ滞在中の北川民次やリベラやオロスコなどの交流の中で、壁画の社会的役割についても学び、その成果が良く出ているものである。また《竃《かま》の前》（一九三八年）にはリアリズムの影響があり、藤田がメキシコの壁画運動に大いなる影響をうけたのがわかる。藤田が戦争画に傾倒していくきっかけとなる前の作品としての《島の訣別》は、沖縄の日本での位置を考えると、もっともかけ離れた感じがするが、この時代の沖縄を考える上で重要なキー作品となる。この画題には隠された意味、すなわち、「沖縄においてさえ」出征兵士がきちんと送られているという、感動の場面が存在するということの驚きという隠された意味がある。藤田嗣治は「首飾りの島」という詩に賛辞を込めて沖縄を後にした。この年代は時ならぬ沖縄ブームでもあった。

【写真 1】山口瑞雨《沖縄風俗人物図》（那覇市民ギャラリー所蔵）

【写真 2】山本森之助《首里の夕月》（料亭一力所蔵）

7、海外の沖縄系アーティスト——往還する移動民の表現

沖縄ディアスポラ

沖縄は人口比率では日本一の移民県である。戦前から多くの人々が移民した。第二次大戦前の統計を見ると、実に約一〇人に一人が海外に移住している。海外からの送金は広島、和歌山についで三位となっている（石川友紀「沖縄移民関係資料」『新沖縄文学』四五号、沖縄タイムス社、一九八〇年）。

沖縄は一八九九年のハワイ移民を皮切りに、南北アメリカ大陸やアジア太平洋州など多くの地域に海外移民を送りだしてきた。主要な移民国としては、ハワイ・メキシコ・フィリピン・カナダ・アメリカ合衆国・ブラジル・ペルー・ボリビア・キューバ・オーストラリア・シンガポールなどがあげられる。上記の国々を列挙するだけでも、沖縄の移民の軌跡の広大さと多様さがわかる。

二〇〇六年に開催された「第四回世界のウチナーンチュ大会」には世界二一ヵ国から四七〇〇人が集まった。五年に一度行われるこの大会については、沖縄に住む他府県人にとっては理解の範囲を越えるだろう。世界中から沖縄ルーツの人々が「集まるだけ」である。しかしながら、沖縄移民の歴史を知るならば、いくばくかの思考を巡らせることになり、単純な反応で済ますことはできなくなるといえる。

沖縄の農業は琉球処分以降の日本の近代植民地主義の政策等によりモノカルチャー化し、収入源を奪われ、さらにソテツ地獄といわれる飢饉があり、戦後は米軍基地建設のため土地が強制

的に収用され、沖縄を出されるという民族の離散現象が移民の背景である。とはいえ、それはかならずしも、悲惨な物語というだけでなく、近代に入って行われた土地整理により移動の自由を得（前掲書）、出稼ぎ感覚で行くことで長男が移住することも多く、他県にはない事例が見られる。日本本土においては移民それ自体が恥ずべきことで、親戚関係を断つことが多いといわれるが、沖縄においては、その関係は深く、持続的なものである。それが約一二〇年前から始まった「世界のウチナーンチュ大会」に繋がったのである。

ディアスポラという言葉がある。通常「離散」という意味合いで使われているが、本来の意味からすると「様々な方向に種をまく」という意味であり、沖縄の文化の種が世界中にばらまかれていると言ってもよい。ヨーロッパ・アジア・ロシアなどの人々の近代から現在にかけてのダイナミックな移動を考えると、ほとんど移動民がいない日本が特殊であり、沖縄移民は世界的な普遍性を持つともいえるのである。

日本は近代国家を作り上げて行く過程で、多様な文化を排除し、画一的な文化を目指してきた。そのため岡本太郎*が『沖縄文化論』の中で「己の実体を見失っている」現代日本を批判したのも、島尾敏雄によって、中心のない島嶼の集まりとして夢想され、名付けられた「ヤポネシア」も、多様でやわらかい文化が重層する沖縄がテコとなっている。その多様な文化を構成する重要な要素の一つとして、移民＝移動民がつくり出す文化も挙げられるのではないだろうか。

現在三六万人余り（二〇〇六年時点）の沖縄県系人が海外に住んでおり、沖縄のルーツを意識しつつ、移住先の文化と接触し、融合しながら、新たな沖縄文化を開花させているのである。世界の沖縄ルーツの表現の多様さには大いなる可能性があると言える。この章で取り上げる作家たちは、沖縄ルーツ、あるいは沖縄から移住していった作家たちであり、お互いに何らかのテーマで括れる人々ではないが、沖縄という日本の中の特殊な地域であるということを考慮に入れるなら、ルーツを同じくするということは、将来の可能性としてひとつのジャンルとして括れるのではないか。例えば黒人文学、あるいはラテンアート、カリビアンアートのように。ここではアメリカ合衆国及び南米などを地域別に取り上げて、論じてみたい。

北米の表現者たち

アメリカ合衆国の沖縄移民は、県人が一八八九年に入植して以来の歴史がある。移民子弟の中から美術家、芸術家が数多く出ているわけではないが、活躍している人たちがいる。中でも、帰米二世の小橋川秀男と、日本の大学で学んだ内間安瑆《あんせい》、ハワイ生まれのタカエズ・トシコはほぼ同年である。

内間安瑆（一九二一―二〇〇〇）はカリフォルニア州ストックトンに沖縄移民二世として生まれる。浦添市出身の父、安珍《あんちん》と玉城村出身の母、儀間ハルは一九二〇年に北米移民をしている。内間は戦前に東京の早稲田大学建築科に入学するが、独学で絵画・木版画を学び、版画の道に進む。一九五九年のサンパウロ国際版画ビエンナーレを皮切りに、次々と国際展に出品しながら独自の道を切り開いて行った。その後帰米、ニューヨークに渡り厳しい内省的な仕事を続けた。一九六二年にはグッゲンハイムフェローシップ版画部門で受賞し、一九六二年から大学の教授として一九八二年まで勤めた。内間の仕事【写真1】は日本の木版画の世界を通じて日本的な内面の世界を探求するもので、アメリカ的な感性と日本的感性とのぶつかり合いの中で、日本の固有な表現を普遍化する道とでもいえる作品を目指した。

タカエズ・トシコ（一九二二―二〇一一）は、戦後アメリカにおいて陶芸を造形美術の分野とする動きの中枢を占める作家である。沖縄二世としてハワイに生まれ、ハワイ大学に入学し、学生時代は、はじめ彫刻家を志していたが、陶芸の道に進むことになる。創作活動を続けるに従い「陶土を自分自身の表現媒体として、彼女の最初の興味であった彫刻へと回帰していった」（ジェームズ・ジェンセン「タカエズ・トシコの陶彫」『TOSHIKO TAKAEZU RETROSPECTIVE』、京都国立近代美術館、一九九五年）。器から抽象的な造形的陶芸への展開である。生涯を貫くバックボーンが形作られたのが、初期のころに日本で学んだ禅や茶道、濱田庄司などとの交流である。それらの経験から造形的に単純化し、要素のみに還元することを試みた。北欧の師匠の影響から、一九五〇年代の日本的な造形、そして一九六〇年代から一九九〇年代に至る、様々な要素を統合したかたちと色へと変化していき、《Ocean Edge》に代表される閉じられた空虚を孕んだ大きなオブジェへと昇華したのである。現在アメリカ陶芸界のクイーンと讃えられる存在となっている。

小橋川秀男（一九一七―二〇〇二）はいわゆる帰米二世である。帰米二世とは幼少年期に日本の教育を受けて米国に「帰った」二世のことである（石川好「帰米二世という名の日本人」山城正雄『帰米二世』五月書房、一九九五年）。本部出身の北米移民の両親の元に生まれ、幼少期に一家で沖縄に帰り、名護にあった沖縄県立第三中学校を中退、出稼ぎのため帰米した。それからイチゴ摘みなどの渡り農夫として、兄弟で助け合いながらアリゾナ、ロサンゼルスを転々とした。その間にジャック山崎に邂逅し、絵画の道に目覚める。しかし、太平洋戦争が勃発し、兄弟はアメリカへの忠誠を誓い、徴兵に応じることになる。秀男は徴兵を拒否しアメリカ市民としての忠誠も誓わず、いわゆる「ノーノーボーイ」*として、ツールレイク収容所に強制入所させられた。そこは厳しい環境であったが、却って集中でき、「絵画修業にもっともふさわしい場所であった」と語っている。長男と三男は徴兵に応じ、三男は沖縄戦に出征し、名護で両親と再会している。彼と彼の兄弟の軌跡を辿《たど》るとき、沖縄移民の劇的なドラマを見ることができる。秀男は戦後、ニューヨークのレストランの「ダムウエイター」（貨物用の小型エレベーター）係として働き、その収入のほとんどを絵画制作につぎ込んだ。絵画の題材は、ほとんどが母のいる故郷・本部の記憶の風景とニューヨークのイメージで、秀男が倒れたとき、アパートの中は二万点におよぶキャンバスと膨大なノートがびっしりと積み上げられていたのである。

北米には若いころ、戦後すぐに移り住み、現地を活動の拠点としている作家もいる。比嘉良治と小谷節也はほぼ同世代で、大学を拠点とする活動を展開しているが、作風と生き方はかなり異なる。小谷（一九三五―）は一九歳に関西からハワイ大学に留学、さらにニューヨークのコロンビア大学大学院で学び、一九九九年まで大学の教職にあって、学生に絵画・版画を教えた。ニューヨークでの画学生時代にマーク・ロスコに出会い、以後生涯傾倒することになった。ロスコの空間を再解釈し、それに東洋の出自の自分を重ね、制作の方向性が決まったのである。光の丸い点が接するシリーズは、二つの点が離れたり、近づいたりし、それが人間の関係の軌跡をみるようでもある。小谷は人工と自然、精神と物質の二項対立を取らない。その根底には、老子や荘子などの東洋思想の影響がある。そのことをアメリカで考え、身に付けたという。

比嘉（一九三八―）は多摩美術大学を卒業後ニューヨークに渡り、版画・写真などを学んだ。アメリカや日本を中心に活躍する画家・写真家にして、最近は彫刻も手がけている。比嘉はモダニズムの洗礼を若いころに受けた世代であり、ことさら沖縄や日本の風土にこだわることなく、コスモポリタンとして実践的に生き、制作をしている。比嘉は各地でシンポジウムのコーディネーターをするなど、アメリカと日本と沖縄の間で精力的な橋渡し役をこなし続けている。

カズ・オオシロ（一九六七―）もまた、特に東洋や沖縄などを意識させる作品を作らない。作品は一見して、単なる製品（レディメイド）に見える。しかし、よく見ると立体にかたどられたキャンバスにほんものそっくりに描かれた冷蔵庫や車のバンパー、ダストボックスなどである。オオシロは浦添市に生まれ、高校卒業と同時にロサンゼルスに向かう。ここ五、六年前からロスのアートシーンに頭角を表してきた。オオシロの米国西海岸での作家としての位置は、アメリカ戦後美術の流れであるミニマルアートとポップアートの要素を取り入れた点にあると言えよう。「東洋的」といわれる、表現そのものを抑えた作品づくりが逆にユニークさを際立たせている。その意味では東洋や日本にこだわらず、普遍的な世界での勝負とも思わせる。

カズ・オオシロとは異なり、照屋勇賢（一九七三―）は、沖縄の地政学的な位置を美術作品化することから始まった。その意味では全面的に沖縄を表出したのである。照屋の主な作品の手法は一貫して手工芸的である。紅型の衣服であったり、紙袋を切り抜いて袋の中に森を再現したり、あるいは木のかたちにトイレットペーパーの芯をくりぬいてそっと置いたものなどである。常に社会的なメッセージを含んでいるが、作品の構造と一体となっている場合が多く、それが作品に深い奥行きを与えている。彼の代表作である《結い，You-I》（二〇〇二年）は、紅型の伝統的な手法を使用しつつ、現在の沖縄の米軍基地や環境問題へのメッセージを含んでおり、紅型に描かれた花のすきまからパラシュート兵が下降し、ジュゴンが泳ぐ海が描かれる。われわれの身体の隠喩としての衣服ということであるが、犯された土地＝身体の隠喩でもある。照屋の作品には皮肉と美しさが共存しており、それが世界のアートシーンでの活躍につながっているのである。オオシロと照屋はスタイルも、考え方も異なるが、両者に共通するのは、繊細な手仕事と概念の結合、そして現実をずらして見るという手法である。沖縄という出自がそうさせるのかも知れない。

南米の表現者たち

ペルーは南米の中でも県系人のアーティストの層がかなり厚く、多様なジャンルに美術家が多くいる特異な地域である。インカの陰影の深い文化と歴史、工芸的伝統が残る地域である。その影響を受けて、沖縄系二、三世の表現者たちの作品には、ペルーと日本、沖縄や日本の文化が混交し、独自の色彩を表出している。

トケシ・エドワルド（一九六〇―）はペルー生まれの沖縄三世であり、中南米を代表する国際展の常連の作家としてよく知られる。代表作である《透明人間》（二〇〇三年）は紳士用のシルバーメタリックなスーツである。その材料は、教会で売られている動物などが象られている小さな金属片である。御利益があるようにと人々が買い、キリスト教会の祭壇に供えるものであり、それを布に縫い込んでスーツを作成してある。様々な職業、階層のひとびとの願望によって作られたスーツは人々の愛や死、夢や悲しみを代弁している。

ナカソネ・エリカ（一九七一―）もペルーのフォークロアを深く学び、作品に反映することに成功した作家である。当初はインカの文化を学び、「死と生」という重いテーマを油彩で描いていた。転機は二〇〇一年からの一年間の沖縄県立芸術大学への留学であった。彼女はそこで沖縄の風土と明るい光と、紅型に出合う。さらに文化庁の奨学金により一年間東京で学ぶ機会を得ることで、彼女は日本の繊細で透明な色彩に出合う。現在のナカソネの仕事はこの三つの文化を見事に統合したものであり、その形態も旅＝移動を隠喩として含んでいるものである。

ヒガ・アロルド（一九六九―）も国際展における常連ともいえる彫刻家である。ペルー国内のみでなく、中南米の彫刻シンポジウム、コンクールでの審査員などを引き受けつつ、公共彫刻も各地で制作してきた【写真2】。アロルドも一九九四年から一年間、沖縄県立芸術大学に留学し、独自の作品づくりをこなしてきた。

シロマ・アルド（一九七五―）はまだ若いが、しっかりした、深いコンセプトに基づいた視覚に訴える彫刻を制作している。彼の最近の代表作である《OTTO》（二〇〇五年）は彫刻の中に視覚的要素を持ち込むことで、見る＝見られる関係が瞬時にわかるものとなっている。白い方形の建物の中に小さなかわいらしい動物たちが、生活している様子を窓からのぞけるように作られている。動物は我々自身なのであろう。

アルゼンチンには、ゴヤ・フリオ（一九五三―）、ウエハラ・エレナ（一九三九―）などの優れた彫刻家がいる。ゴヤ・フリオは一九八〇年代沖縄を訪れ、それ以来在住しているアルゼンチン生まれの二世である。マティスに傾倒している氏の彫刻は、線の伸びやかなリズム、官能的な色彩や、曲面の流れと色彩対比というモダニズムと、フォークロア的な要素が解け合い、リズミカルで、かつどっしりとし、まるでパンパ（草原）の風のなかを駆ける大地母をイメージさせるものがあった。ダブルとしてのアイデンティティを持ち続け、作品には沖縄とアルゼンチンとの融合が醸し出されている。

ブラジルは南米においてヨーロッパ人と黒人との混交がもっとも進んだ地域である。混血の可能性と不可能性。そこから生まれる美術は一九二〇年代に反植民地主義に基づいたモダニズム「食人宣言」の動きとなった。脱植民地以後も続く植民地状況へのアンチとしてのモダニズム。

のちにその中にブラジルのわい雑な線と色彩、身体の記憶が注ぎ込まれる。世界の現代美術の中でも、もっとも生き生きとした新しい創造が生まれる国のひとつとなった。

シマブクロ・カズミ・アデマール（一九六二―）は沖縄三世としてブラジルの色彩を意識しつつ、戦後アメリカの抽象表現主義と、ネオダダの成果を統合しようとする。

以上、北米と南米のアーティストについて述べてきたが、復帰後の沖縄の充実感と空虚感の落差を埋めるものは、戦前世代のリアルな経験であった。その世代が少なくなってきた今、戦前世代の記憶を受け継ぎながら、（美術）表現という形態をとって、過去と現在とを往還することが、それ以後を埋め合わせる作業なのかもしれない。つまり、それが沖縄系の移民＝移動民のアーティストたちの仕事であろう。

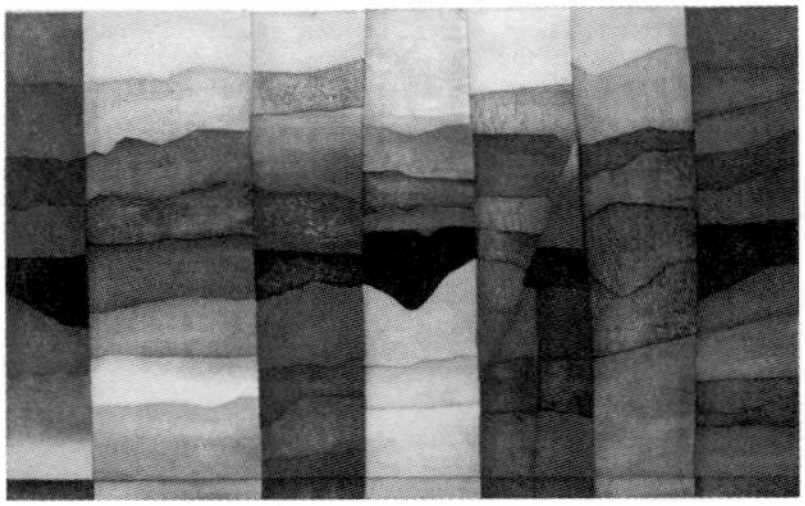

【写真１】内間安瑆《Forest Byobu (Light Mirror, Water Mirror)》（沖縄県立博物館・美術館所蔵）

【写真２】ヒガ・アロルド《ESCARAVAJOS DE FUEGO 火の車》（沖縄県立博物館・美術館所蔵）

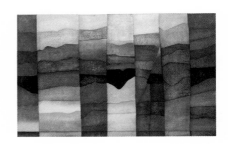

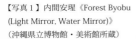

Ⅱ　作家論

1、南風原朝光——その時代

放浪

南風原朝光（一九〇四―一九六一年）は沖縄の画家の中では特異な存在である。いわゆるボヘミアンといわれるような画家は世界には数多くいるが、沖縄では少ない。俗とは無縁の画家といわれ、世俗に染まらぬ精神から生み出される形と色。「アンチーム（親密）な画家」と言った人がいたが、まるではじめて出会うかのように描かれる身の回りのものといった静物画はかなり評価された。

南風原は一九二六年、二二歳で日本美術学校に入学、一九二九年に卒業、翌年には沖縄で電撃的に結婚し、女学校を卒業したばかりの新妻を連れて上京する。一九三三年に家族とともに沖縄に帰り、一九三四年には単身上京。大城皓也らと共に「沖縄美術協会」を設立し、神田三省堂画廊で第一回展を開催、また新劇研究グループを古波蔵保好らとともに旗揚げしている（与那原恵『美麗島まで』文芸春秋社、二〇〇二年）。東京の下宿を替えながら、毎晩のように池袋の飲み屋に通うようになる。「珊瑚」や「おもろ」そして「梯梧」が舞台である。いつでも山之口貘と一緒に呑み、興に乗れば玄人はだしの琉舞を舞ったという。

南風原のボヘミアンぶりからすぐにイメージするのが長谷川利行である。やはり長谷川も南風原と同時代を生きている。俗称池袋モンパルナスの時代、昭和一〇年代の青春である。池袋の沖縄居酒屋「梯梧」には南風原、長谷川の他、寺田政明、鶴岡政男、詩人の小熊秀雄、東京美術学校の学生だった野見山暁治、山元恵一など、その後有名になる多くの画家が出入りしている。長谷川は破滅的な生き方をした。その絵はまるで無垢な心が一瞬のうちにものの本質を捕らえるがごとく、線がゆれ、空間がうごめく。南風原の絵は長谷川とは対極にある。静かで重厚、どちらかと言えば、伝統的な画風である。当時でさえ少々時代遅れに見えたという。南風原は破滅的ではなかった。本当に人生を楽しんだ男、貧乏さえも歌や踊りにして、一人漂泊の境地にたゆたうことを楽しむ美術家であったという。彼は放浪の人であった。しかも沖縄、東京、台湾とスケールの大きい移動をしている。

放浪と酩酊。いつ絵を描いているのか分からなかったという逸話を何人もしている。南風原の生活を全面的に支えていたのは兄、朝保であった。朝保は朝光と一一歳違い。東京で医師免許を取得、沖縄初の新劇女優を妻にし、森鷗外に会いに行ったこともある文化人で野心家である。結婚後すぐにロシアに行き、開業医である叔父と共に仕事をしている。ちょうどロシア革命のまっただ中であった。その後台湾に大きな病院を開業。朝保が台湾に行く時に朝光も県立二中を中退し、一緒に台湾に渡っている。当時の台湾は沖縄の文化人や政治家も数多く住んでいて、朝保の病院は画家や演劇を志す若い芸術家のたまり場になっていたという。川平朝申や安里積千代などの沖縄の文化人、政治家、学者の金関丈夫さらにＥ・Ｈ・カーなども出入りしていて、まさに植民地のコスモポリタニズムそのものであった。朝光は東京時代も時々そこに滞在し、それらの人々と交流した。

安次嶺金正によれば「南風原さんは、明治三七年（一九〇四）年の生まれ。安里尋常小学校に入学するのが、明治四四（一九一一年）年だから、教育としては、スッポリ大正リベラリズムの教育をうけたことになる。私などは、大正生まれだが、時期的に少し遅いせいで軍国主義教育の影響が強くなっていた」（安次嶺金正「自由の色調」特集現代沖縄絵画の先達たち、『青い海』一一六号、一九八二年）と語っている。また、リベラリズムの人はつかまえどころがないとも語っている。両者の絵画に対する姿勢が全く異なっていたとも言える。戦争をかろうじて生き延びて帰ってきた安次嶺にとって、絵画は生き直す場であった。南風原にとっては絵画は演劇、文学、琉球芸能と同レベルであり、「いうならば『全的人間』の一つの表れでしかなかった」（山田高男「戦後復興期の美術」『沖縄戦後美術の流れ』一九九五年、沖縄県）ということかも知れない。

コスモポリタン

南風原は何故あのような生活をしながら落ち着いた、風景や静物など親密なものを描き続けたのか。あれほど郷土愛に燃え、琉舞は玄人はだしで沖縄の文学に浸り、歌芝居も得意で、どっぷり琉球文化に漬かっているにもかかわらず、彼は沖縄を題材にしなかった。

南風原が沖縄の風物を題材にしなかった理由の一つは、そのコスモポリタニズムにあるのではないか。南風原朝光が語られる時、かならずといってよく引き合いにだされるのが、大正モダニズムあるいはリベラリズムである。これらの言葉は大正期を彩るものである。南風原を形作った大正という時代、日露戦争後、日本は政治、経済的には行き詰まっていた。大正七年には米騒動が起こる。政府は社会的な矛盾を強圧的に抑圧したため、美術家は次第に社会的現実から遊離する傾向にあった。「強い自我意識に貫かれた個性の表現が新しい価値観になったのである」。（田中淳「新思潮の開花」『日本の近代美術4』、大月書店、一九九三年）。高村光太郎は「緑色の太陽」（『緑色の太陽』岩波文庫、一九八二年）で「僕は芸術界の絶対の自由を求めている。従って芸術家のPERSOENLICHKEIT（個性）に夢幻の権威を認めようとするのである」と述べる。そのように力強い自我や個性に全幅の信頼を置いていた時代はまた芸術や思想の普遍性が信じられていた時代でもあり、昭和につなぐステップでもあった。南風原は大正の「光と影」の光の方を充分に享受した。拡張する日本帝国主義の一領土台湾と、沖縄、東京を往復し、コスモポリタン的な意識が美の普遍性を醸成していくのである。

南風原は、「沖縄の風物はとらえにくい」と漏らしていた。沖縄の風物は主題として大切に取っておきたいものであったから、ストレートに描くことはできなかった。ダイナミックな移動を繰り返す画家にとって風景は目の前を過ぎ去っていくものだ。その点、身の周りにあるものは常に目の前にあり、じっくり観察できる。やはり親密な題材が選ばれるのはきわめて良く分かる。

作品の特徴

南風原は類い稀な色彩感覚と速描きの技術を持っていたという。

南風原さんの絵についてあげられることは、まず、第一に、絵を描くのが、とても速かったということだ。〔中略〕速描きなのに、絵具はちゃんと定着している。ふつう、一夜漬けだと、絵具が浮いてしまってどうしようもないが、南風原さんの場合は、ぴしゃっとついていた。〔中略〕南風原さんの静物画は、赤と緑が非常にきれいだ。日本人は、南に来れば来るほど色がカサカサするといわれている。私も美術学校時代に、色がカサカサしているといわれた。私の美術学校の師は藤島武二先生で、先生は鹿児島出身だ。藤島先生の絵も色はきれいだが、どこかカサカサしたところがあった。ところが南風原さんの色は、非常にうるおいがある。赤やら緑やら使うと、原色ばかりで、ギラギラしたどこかいやらしい感じになるのだが、南風原さんの場合は、そうならずに非常にうるおいのあるところを持っていた。

（安次嶺金正、前掲書）

南風原の作品の中で代表的なものを見てみる。南風原は一九三九年から国画会展に出品するようになり、一九四〇年代に秀逸な静物画を次々と生み出している。その頃が最も油の乗り切った時期であると思われる。《野菜と果物》は一九四〇年に豊島区長崎町で描かれ、「紀元二千六百年奉祝展」に入選した作品である。堂々とした静物画で、秋の野菜や果物を配置しているが、赤と緑の調和がしっとりと美しい。一九四三年南風原は魚の《静物》で国画会賞を受賞している。この作品は「一見温和に見える画面ながら、激しい『気韻生動』を感じさせる」（玉那覇正吉「明治時代の美術家」『沖縄県史六』沖縄県教育庁、一九七五年）とされる。

一九四八年には《サモアールのある静物》で国画会会員となる。朱をベースにした背景に、大きながっしりしたテーブルが真ん中にあり、黄色いテーブルカバーが手前から後方に掛けられ、手前に沖縄の酒器カラカラ、中央の白い皿に赤い魚が置かれ、緑のりんご、金属皿上のレモンが視線をサモワールに導く。豪華絢爛、重厚な色彩とがっしりした構成である。南風原の代表作であろう。サモワールは兄の朝保がシベリアから持ち帰ってきたものである。

玉那覇正吉は南風原作品について「南風原の制作は絶えず一貫した造形性を内臓していたように思われる。国画会受賞以前の作品は、受賞作品のための一過程であり、受賞作品はまた、それ以後の制作への布置であったと思われる。といってそれらが未完のものであるという意味ではなく、個々の作品は高い完成度を持ちながらも、全て造形上の関連を持ち、次期作品への問題を提示している、ということである。それは色彩と調子の完璧な画面であり、静寂と同時に清澄な空間で構成されているのである」（前掲書）と述べている。

南風原の静物画の特徴は逆遠近法にある。逆遠近法は対象そのものに肉迫したい場合は効果的である。静物画の場合、より効果的であろう。セザンヌ以来、印象派の「眼」からモノ、構成への流れとなり、全体的な物の存在を表そうとするようになる。モノそのものを捕らえる、よりリアルに存在を確かめるために静物を描く画家は多い。たとえばモランディは大戦後の不安の中で信じられる唯一の身の回りのものを描き続けた。そこには実存的なものが感じられる。あるいは岸田劉生の静物はあの当時抽象画が誕生する頃、印象派風の絵画から写実に逆行した。南風原にも若干その傾向があったのではないか。漂泊の中で確実な存在を掴もうとすることはあり得る。

戦後

南風原朝光は戦後一九五一年に沖縄に戻り、沖展会員として制作し、毎年国画会に出品した。晩年やっと沖縄風景を描く。しかしそれは特異なものである。晩年の主題として選んだのが蛾であった。《泉》（一九六一年）は蛾が水樋のまわりを群れ飛ぶ図である。全体がオレンジの色調の中に朱や緑の対比がかなり激しく迫ってくる作品である。これは以前よりも表現主義的で、かなり強い内面の表出である。沖縄を描くことがなかった南風原が提出してきたイメージが「蛾」であるというのは象徴的である。南風原はこの作品の完成直後に亡くなっているだけに、蛾をテーマにした作品は家人に不吉がられた。中国、沖縄では蛾はこの世とあの世を繋ぐものの象徴だからだ。

南風原は画家である前に大いなるボヘミアンにして教養人であった。沖縄演劇にのめり込み、東京時代は築地小劇場に通い詰め、戦後は真喜志康忠のために私財を投げ打ち泊に劇場を建設するほどであった。戦後すぐには名渡山愛順らと琉球舞踊団を組織し、九州、東京公演を成功させる。その時、舞踊団の衣装も自ら決め、舞踊の衣装を染めから仕立てまで指示した。今日の古典舞踊の衣装がその時決定したという。あるいは山之口貘や伊波南哲など詩人との交流、比嘉春潮、古波蔵保好など学者、文化人との交流など、南風原の死後編集された『南風原朝光遺作画集』（同刊行会、一九六八年）のページを開くと、その執筆陣の多さと多彩さに驚く。たぶんこれほどジャンルを超え、県内外の著名人が親し気に、懐かしく語る画家はいない。大正のリベラルな教育、市民意識の芽生え、コスモポリタニズムと地域の固有性の主張。そして美術が偉大な時代。これらが、本来的な気質と混ぜ合わされ、南風原朝光は大正、昭和の時代を丸抱えしながら、「沖縄」を象徴的に生きた作家であった。

2、名渡山愛順——沖縄・琉球の原像

目白文化村と池袋モンパルナス

名渡山愛順（一九〇六―一九七〇年）は古き良き沖縄を描いた画家である。しかし、絵画のみに終わらない沖縄文化全般への情熱は激しいものがあった。

名渡山は那覇市松下町（現松山）のかすり問屋の長男として出生する。幼い頃に父は他界し、母の手一つで育てられ、幼少のころより病弱であったため、県立二中時代（一九一八年入学）に二年間の休学を余儀無くされている。その二中時代に名渡山の進路を決定付けたのが美術教諭、比嘉景常であった。比嘉に絵画と琉球文化を学び、それが名渡山の絵画の道を決定付けたのである。

名渡山は一浪の後一九二七年、東京美術学校西洋画科に入学、和田英作教室に入る。和田は明治生まれの「外光派」の代表的画家として知られる。堅実な写実描写で明治を代表する画風ともいわれる。後の東京美術学校の校長を務めた有力な画家であった。名渡山の同級生には後に絵本作家として活躍した八島太郎や、石川滋彦、黒田頼綱らがいたという。

名渡山は学生時代より積極的に団体展に出品し、二年生の年には《夏の沖縄風景》で第九回帝国美術展覧会に入選する。この快挙によって同級生からは一目置かれた存在となっていた。この頃の学生の直面する問題として明治の質実な写実的画風から、「色彩に画意を語らせ、フォルムの簡略化や速く激しい筆触に特徴を持ち日本的主題に取り組んだいわゆる日本的フォービスム」

の流れが入ってくる頃である。名渡山もその影響を受けた作品制作をしていたようである。しかし、作品は現存せず白黒の画像しか残ってないが、その影響が見られ、官展にもその傾向が強い（小林純子「ある郷土画家の誕生―戦前期の名渡山愛順をめぐって」『名渡山愛順が愛した沖縄 名渡山愛順展』沖縄県立博物館・美術館、二〇〇九年）。一九三〇年、三年生の年には「光風会」「太平洋画会」「春陽会」に出品。会派の別なく出品しているのを金山平三に、「愛順の絵はどこにもある」と笑われたエピソードも残っている。

近くに住んでいた金山平三宅には足しげく通い、学生時代にもっとも影響を受けた画家となった。また、名渡山に沖縄の固有なものを描くようにすすめたのも金山であった。金山は兵庫県出身で後半生は日本全国の風景を落ち着いた色調と写実で描き出した画家で高名であるが、ある時期から文展などの官展から遠ざかる。明治の絵描き気質に溢れた画家であった。

学生結婚をした名渡山は、淀橋区下落合（現在の新宿区）にアトリエを借りている。名渡山が住んでいた界隈は「目白文化村」と呼ばれ、また通称「池袋モンパルナス」がすぐ近くにあった。池袋にある沖縄の人の経営する飲み屋でよく美術家を含めた文化人が談論風発、けんかもしたようであるが、芸術論が交わされ、今ではどこにも見当たらない場が作られていたのである。南風原朝光や山之口貘が毎日飲み歩いたのもその場所で、シュルレアリスムの福沢一郎、古沢岩美らがグループを作り、佐田勝が事務局として奔走、美術家の共同体を取り仕切っていたのである。そこにはカオスと芸術の香りがぷんぷんとしていたのであろう。名渡山愛順は南風原朝光との交友関係の中から、可能性のある自由と渾沌に魅入られたにちがいない。

名渡山は南風原や仲嶺康輝、山元恵一らと交遊し、特に南風原とは池袋界隈で山之口とともに良く知られた存在であった。名渡山にとって下落合及び池袋周辺は、戦後のニシムイの原点とも言えよう。名渡山愛順はその中心となる。その胚胎は戦前の池袋にある。池袋モンパルナスには大正から昭和の初期にかけての白樺派による新しき村の発想やコミューンの思想も下地にはあったと思える。名渡山が「目白文化村」と「池袋モンパルナス」のどちらに影響を受けたかといえば、「文化村」の方であったと言える。一方の南風原は終生モンパルナス派であったといえよう。名渡山はどちらかと言えば、ボヘミアンな小熊秀雄の詩に描かれるような渾沌としたアナーキーな共同体ではなく、スクエアーな目白文化村を好んだと思われる。

《琉球古典調》の背景

名渡山は東京美術学校卒業とともに沖縄に帰郷、すぐ二高女の美術教師として赴任している。沖縄から毎年のように官展系の公募展に出品し、時として東京まででかけてそこで仕上げることもあったようだ。しかしこの頃迄は、スタンダードな人物画が主である。名渡山が琉球の固有な図象に目覚めるのは一九三九年第三回新文展に入選した《琉球古典調》からである。

この絵画が表象するものは名渡山の個人的な思惑を超えて、もう少し複雑である。ある意味で沖縄を表象しようとしたのは無意識の内に沖縄の日本における位置が重なって見えたのかも知れない。戦時体制下の情況が現れてくるのはもっと後のことであり、異国のモチーフが見えるが、出品された作品たちは、奇妙に牧歌的で、日本的な感じが否めない。戦時的なモチーフも存在するが、まだ一部である。とはいえ、官展に出品された当時の少なからぬ作品が日本の中国、韓国や他のアジアへの進出、つまり大東亜共栄圏を反映して、アジア諸国の人物や風景、琉球を題材にした作品等、奇妙なオリエンタリズムに彩られたものであったということも、名渡山が琉球＝沖縄を打ち出すきっかけでもあったといえる。

失われた沖縄《郷愁》

戦時体制下において出品された《琉球古典調》は、内なるオリエンタリズムとだけでは片付けられない複雑な位相を呈していた。「琉球イメージ」は当時の沖縄県が推し進める近代化政策からすれば、明らかに忌むべきものである（アンニュイ、遊郭の辻を思わせる）。故に名渡山においては琉球の女性を描く事が逆にラジカルなことであったとも考えることができる。実際に本土においては差別が横行し、沖縄の出自を隠すものも多々いる時代である。とはいえ、日本本土からすれば、いまだに沖縄は南島であり、台湾、朝鮮と同等な「日本の領土」であった。

一九四四年一〇月、那覇は米軍の空襲で焦土と化し、名渡山はすべての作品とアトリエを消失し、翌年一月には大分に疎開。そこで《郷愁》が描かれるのである。《郷愁》のモデルは沖縄の伝統的な衣装にカンプーをした女性だが、大分の人である。その後沖縄で描かれた作品と比較して、色彩が抑えられた、しっとりとした「日本的な」色調である。失われた沖縄を思いやっている、きわめてはかなげな女性像として描かれている。しかしここでも名渡山の作画意欲は衰えず、一年の間にかなりの数の油彩画を描き団体展に出品している。また、琉球文化に対する情熱も衰えず、戦後すぐ南風原朝光と二人で沖縄芸能団を組織し、九州から東京まで慰問公演をしている。名渡山が沖縄に引き上げるのは一九四六年一二月である。

戦後の出発

戦後米軍政府は沖縄の識者の要求もあり文化部を設置、芸術課が設置されると、「美術技官」という職名で美術家たちは職を得る。名渡山も美術技官に就いている。技官は米軍のいいなりに仕事をしたわけでなく、芸術家としての矜持を持ち続けており、軍政府も思想的に問題がなければある程度はゆるやかな態度で臨んでいたようである。

戦後、名渡山は教師という職業に戻らず、画家で身を立てようとする。そのために環境として、支えあって生きる仲間は必要で、お互い切磋琢磨し、刺激をもたらしてくれる存在はやはり大切であった。戦後の何もない状況からリセットするという意識をもたらし、ニシムイの建設や沖展の開催に率先してとりかかった。ニシムイを含め戦後の沖縄美術における名渡山の功績はかなり大きい。ただし昔懐かしい沖縄像は、日増しに現実では喪失していく。

一九六五年、沖縄タイムス社屋の向かいに名渡山ビルを構え、アトリエを移した。そのホールで定期的に琉舞の鑑賞会を開催している。自ら紅型を染め、絵の対象の小物などを仕立てさせ、モデルを頼んで、絵画の題材にした。例えば《青藍絣の女》（一九五九年）、《女人像》（一九六〇年）などは人物の横たわったポーズと琉髪、琉装で琉球＝沖縄らしさ、を強調している。対して《組踊二童敵討「護佐丸」》（一九六一年）、《老人踊》（一九六二年）などは企業のカレンダーのために男性らしさを強調している。

沖縄の文化財の保護には熱い思いがあり、一九六二年七月一一日、沖縄聖公会が玉陵《たまうどぅん》敷地を買い取り、学生センター建設に着手するという情報を得た彼は山田真山と「玉陵を守る協議会」を七月一六日には結成し、即時工事中止を決議、名渡山を先頭に阻止行動に出た。名渡山は自らをブルドーザーの前に身を投げ出して、最終的に工事を中止させている。沖縄文化全般に対する限りない熱情がもたらした行為であった。

戦後も琉球＝沖縄的な風物がなくなっても名渡山は固有な沖縄＝琉球を追い求めた。それは内へ内へと向かって行く道程であり、沖縄＝琉球＝女性にそれを見い出したのではないだろうか。母なるものとしての女性であり、生命としてのそれである。名渡山にとって「リアル」なものを掴みたかったのであろう。

3、大嶺政寛——田園風景を求めて

赤瓦と政寛

大嶺政寛（一九一〇—一九八七年）といえば沖縄の赤瓦屋根のある風景を思い起こし、赤瓦屋根のある風景を見ると大嶺政寛を思い出すぐらい沖縄では絵のイメージと作家が結びついている。これはよく考えると事件である。

たとえば欧米で良く知られた画家と作品といえば、ゴッホのひまわり、モネの睡蓮、現代ならばウォーホルとマリリンというように即座に何人か思い浮かぶ。では日本ではというと、北斎の富士、岡本太郎の太陽……とすぐにはなかなか出てこない。もちろん同じモチーフをずっと追求し続けた画家はいるが、いわゆる国民的なスターとも言える画家とその関係という神話がそれほど作られてこなかったのではないか。現代においては抽象画が主流の傾向であるがゆえにイメージの定着には時間がかかるのかも知れない。これからはますます難しくなるだろう。

沖縄でそのような画家は大嶺政寛の他には見当たらない。メディアが現在ほど盛んでないころに、これほどイメージを定着させえたのは作家の猛烈なエネルギーとキャラクター性、モチーフに対する異常な程のこだわりと大量の作品があるからだ。大嶺は実際驚くほど多作である。ほとんど同じ構図、同じ絵柄の作品が何点もある。沖縄の画家ではもっとも大量の作品を描いた一人だろう。戦後、画家として生活をしていたからである。大嶺は戦前から沖縄の風物を描いたが、特に沖縄的なモチーフを意識したのは昭和一〇年代からであり、その確信を支えたのは柳田國男や柳宗悦らの引き起こした昭和の沖縄ブームだと思える。その線上に大嶺の二中時代の美術教師で文化的影響を与えた比嘉景常がいた。文化的な沖縄ブームと政治、民衆のベクトルの関係は常に仕掛けられたようにセットになっているのは今も変わらない。戦後、大嶺は売るためにいかにもオリエンタリズムのちらつく観光絵葉書風の作品だと言われようと赤瓦を描きつづけた。様々な意味で大嶺は沖縄の「国民的画家」といえよう。

画家大嶺政寛の誕生まで

大嶺の初期作品から、画家大嶺政寛誕生までをたどってみよう。大嶺は名渡山愛順、大城皓也とほぼ同世代であるが、大嶺は沖縄県立師範学校を卒業、教師をしながら絵を描いていた。

一九三二年、その二年前に開店した那覇市内のデパート山形屋で個展を開いている。その年、春陽会の山崎省三と出会い、山崎の勧めで春陽展に出品、初入選している。その当時の資料はきわめて少ないが、戦前の大嶺の絵には印象派風の絵画の中に荒々しいフォービズムのタッチがすでに見える。画題は一九四〇年頃から赤瓦が増えていく。一九三八年には藤田嗣治、一九四〇年には小磯良平が来沖、画面の構成、沖縄のモチーフをもっと取り込むようにアドバイスを受けている。一九三九年には第三回新文展で辻原の墓を描いた《琉球の墳墓》を出品、入選している。墓の並びを斜めから描いたもので、堂々とした墓は、モチーフとしてはやはり独特であっただろう。名渡山愛順も《琉球古典調》で入選、『琉球新報』に一中・島袋全発、開南中・大城皓也の名前で祝いの宴会の案内も出ている（『琉球新報』一九三九年一〇月一四日）。*

大嶺、名渡山とも同時期に中央との接触が頻繁になり、モチーフも琉球という異国情緒溢れるものとなっていく。しかし絵筆のタッチは大人しく、キャンバスに置きにいくようである。一気呵成に迷いなく大きなタッチで赤瓦が描かれるのは一九七〇年代からである。中央画壇で認められ、しかも国の主催する展覧会に入選するのは今では想像がつきにくいほどの名誉であった。大嶺は一九四二年に春陽会会友となり、一九四三年まで春陽展、新文展に出品し続けている。この間、第一高等女学校の教諭となり、戦争が始まると、沖縄の地で戦場を彷徨っている。屋嘉収容所にいるところを米軍に画家として見出され、壁画の注文を受け、それから米軍の壁画や肖像画の注文が相次ぎ、部隊内で買い求めた絵具を美術家たちにわけていたようである。

まもなく中部の越来《ごえく》（現在の沖縄市）にアトリエを構え、画業に精出すが、自らの芸術を極めようと考えた時、一九五〇年代の抽象絵画の波に大嶺も飲み込まれるのである。その頃、大量の抽象的な作画を試みている。なんとか抽象的で構成画風の作品に仕上げたのだが、それを全面にだすことはなかった。新しいローカルということで、地方特有のモチーフを抽象的、構成的に作り上げていくというモダニズムの大波が、創斗会を先頭に繰り広げられていた。葛藤の時代は一九六〇年代に入ると八重山に行くことによって解決される。抽象化する必要のないローカルを見つけたのである。

戦争で完全に失われていた沖縄の原風景を八重山に見つけたのであった。まばゆい陽光とあくまでも赤い瓦屋根、山やフクギの緑、真っ白な道があった。画家大嶺政寛の誕生であった。大量の赤瓦イメージで当時は観光絵葉書的な絵画だと見なされていた大嶺であったが、沖縄の風景の急激な変貌ぶりに見直しが進み、大嶺の絵画への情熱が理解される時代となった。また本土の画家の多くが赤瓦の風景を描くが、私がその存在感を実感できる作品には出会ったことがない。大嶺の沖縄文化全般への強烈な情熱が絵画制作を支えた。今日では大嶺独特の色彩とフォルムはモダンで沖縄の強列な表現といえる。

4、大城皓也——風土と現実

在野精神

大城皓也（一九一一―一九八〇年）というとメルヘンタッチの沖縄の神話を題材にした作品を思い浮かべる。しかしそれは大城の画業の後期に過ぎない。時代ごとにさまざまなテーマに挑んでおり、それに合わせてスタイルも変化していった。その変容は沖縄という難問に付き合った画家の所以かもしれない。

大城は那覇市に生まれ、県立第二中学校で比嘉景常に美術の道へ進む決心をあたえられるほど、かなり大きな影響をうけ、一九三〇年東京美術学校に一回の受験で入学する。ずば抜けたデッサンの力だった。山元恵一よりも二歳上、学年で三年上級となる。ほぼ同世代であるがこの差は大きい。学生時代は「周囲は野獣の作品が充満して」、大城自身も「フォーブの世界に首を突っ込み、良い作品も出来ないまま」（『大城皓也の世界』ワイド企画、一九七五年）、卒業後は「喧騒の中央画壇を避けて沖縄に帰った」（前掲書）。三年後入学した山元は、シュルレアリスムの波をまともに受けている。大城の戦後初期のころは《読書と静物》（一九五二年）に見られるように、ボナール風の作品作りから一九五〇年代後期にはピカソの影響を受けた立体派風の牛の頭をした《政治家》（一九五九年）から一九六〇年代前半は抽象の〈風土〉シリーズを制作している。一九六四―五年には基地問題を主題にした。転機は一九六七年、美大での同級生、岡本太郎の来沖で久高島のイザイホーを見に行くことで《神々の遊び》(一九六七年)や《イエファイ・イエファイ》(一九六七年)などの祭祀、沖縄の神話などを描くようになる。一方で復帰後は基地を批判した《空と海の恐怖》(一九六八年)などを描き続けた。一〇歳後輩の安谷屋正義とは異なり、正統的な近代絵画の技法で表現した。神話や祭祀をモチーフにした表現は徐々にメルヘン的な世界を表すようになった。

大城は一九三四年に東京美術学校油画科を卒業すると、沖縄に帰り、沖縄で最初の私学である開南中学校の美術教師に赴任、そのかたわら中央に出品している。中学校教諭をしながら、新聞の挿絵などを描いていた。

戦前期に藤田嗣治が沖縄に来た年、一九三八年の二科展に《南の島の女達》、《遊女と馬》のタイトルで初入選、藤田作品も同時に二科展の特別室に展示された。大城の《遊女と馬》は、立体派風の構成に琉装の女性二人に背後に馬という不思議な取り合わせであった。この作品はピカソの《アヴィニョンの娘たち》の影響が感じられる。モチーフが娼婦であること。複数の視線を組み合わせ、立体派的な絵作りをしていることからである。大城の画面のモデルが着衣であり、馬もいななく表情ではなく、抑え気味の描写ではあったが。その頃すでに琉球、沖縄のローカル意識が芽生えていたことは間違いがなく、立体派の様式でローカル、さらにインパクトのあるテーマ、モチーフを選択した。この年の二科展は二人の他に加治屋隆二、竹谷富士雄も出品し、エキゾチックな琉球が見られた。名渡山愛順、大嶺政寛の琉球カラーを打ち出した作品の新文展への入選も一九三九年であった。一九三〇年代は琉球＝沖縄ブームであり、多くの美術家が来沖、それに呼応して沖縄の画家たちも中央の団体展に出品している。二科展は官展への反逆として生まれた団体展で、全体に穏健な画風で作品の表現力というよりも完成度を目指す官展に比べ、実験的なことができる公募展であった。

戦後大城はニシムイに住みながら、琉球大学の開学時に助教授となるが二年で退職、在野の道を選ぶ。一九六〇年には東京で初個展を開催三〇点のうちほとんどが、石垣とガジュマルをモチーフにした抽象作品であった。この一連の作品は一九五〇年代後半に沖縄に訪れるローカルプラス抽象＝モダニズムの波に大城独自の回答をしたものである。大嶺政寛さえも、方法的に迷うぐらいの波であった。石垣の壁を正面から描き、ガジュマルの根が絡んでいる構図である。ローカルなモチーフ、平面性、抽象性を兼ね備えていた。戦後のそれまでの画風も《室内》（一九五五年）のようなボナール調、牛の頭部をした人物が花束を抱えている《政治家》の画面は空間が入り組んで分割されていて、政治家を揶揄したものとも取れる。大城は主題により様式を変えているように見える。同一スタイルで異なるテーマが通常取られる形式であるが、大城はテーマの変化とともにスタイルを変えた。

《三人》（一九五八年）や《蔭》（一九五八年）などは茶褐色の背景に人物像が真っ黒にカットアウトされているように描いている。大城はいわゆるカラリストであったが、この時期は禁欲的に形体に集中したのであろう、モノクロに近い色彩で多様なテーマ、モチーフに挑んでいる。一九五九―六四年までの〈風土〉シリーズまで、石垣の壁のひだや、ガジュマルとの組み合わせを構成的、抽象的に追求しているが、ほとんどが、クローズアップされた壁やフォルムとしてのガジュマルなど、かなり平面的な処理である。大嶺政寛の同時期も屋根瓦の平面化、抽象化だったことを考えると一九五〇年代後半はローカル＋抽象化の大波であったことがわかる。

大城のカラリストぶりが発揮されるのは一九六〇年代半ばからであろう。この年代を通じて、社会的メッセージ性のある作品を発表している。琉球船舶が国籍不明で攻撃された事件を扱った《琉球船舶旗》（一九六八年）、米軍の演習反対を描いた《戦場へゆく》（一九六八年）などである。この時期は《入場式》（一九六四年）など国家的儀式であるオリンピックをも題材に作品化しているが、この明るさは果たして何を意味するのか謎である。この年一九六四年には二科会会員に推挙されている。しかし実にさまざまなテーマとモチーフ、スタイルである。抽象モダニズムから社会的メッセージ性へ。風土プラス抽象から現実へ。ベールのかかった多層な沖縄の文化や現実との格闘が、一見そのように見えるのかもしれない。

神話の世界へ

転機は一九六七年、取材して描いた《神々の遊び》が二科展で会員努力賞を受賞する。ナンチュ（神女）たちが並んでいる姿を遠近なしに、平板に描いている。以降徐々にテーマを深くしていき、構成や形態も試しながら、堅牢な画面、メルヘン漂う画面へと変容していく。それでも大城の現実に対する関心は尽きることがなく、沖縄の旗、基地とそこから派生する国際結婚、復帰運動までテーマにしている。

しかし、後期は、結局沖縄の祭祀や神話に行き着いた。イザイホー以外には久高島の神話から着想した《南の海の噺》（一九七二年）、組踊「執心鐘入」から想を練った《女心》（一九六八年）などである。大城は神話・祭祀の重厚さよりも、よりメルヘン的な明るさ、軽さを求め、風景や静物など重力を感じさせない絵画を目指した。戦前のピカソやシャガールを意識した画風から脱し、独特の世界を作り上げることに成功した。戦時体制前の東京で学生生活を送り、自由な気風を学んだ大城皓也は固定したスタイルを持たず、あらゆるスタイルを学び、晩年に〈風土〉に行き着いた。しかし其の行程は苦行に近いものだったかも知れない。東京美術学校出身者のほとんどが大学の教師になることに反して在野であり続けること、自己撞着を嫌うからである。自らのスタイルの安定を持たない勇気を持ち続けたともいえるのではないか。いずれにしろ、沖縄の大きな二大テーマ、風土と現実という難題に取り組みつづけていたといえる。

5、山元恵一――骨の情景

シュルレアリスムとの出会い

山元恵一（一九一三―一九七七年）は沖縄のシュルレアリスムの草分けと言われる。第三回沖展出品作《貴方を愛する時と憎む時》（一九五一年）が代表作であり、その後抽象などを志向するが、一九七〇年代には、牛頭骨を広い空間に配置した作品を無数描いた。代表作と比較して構成が単純化した分、スタイルが確立したともいえる。

山元は大嶺政寛より3歳下とほぼ同年代である。大嶺が白馬会、明治美術会から大きく分かれていく日本の画壇のひとつ春陽会風の様式を保っていたとすれば、山元は大正―昭和の新しい潮流であるシュルレアリスムの感化を受けて作画したといえる。戦後は沖展以外公募展には出品せず、グループにも属さず飄々とした態度とおっとりした話しぶり。ジャコメッティの彫刻作品を思わせる痩身とユニークな「彫刻的」風貌が作品をよく伝えてもいた。

戦前期はほとんど資料がないので戦後の初期の作品を見てみる。すでに《風景》、《サバニ》（いずれも一九四九年）に山元調ともいうべき画風が見える。《風景》は不思議な画面である。遠景に城の遺跡のアーチが見え、その前に幾重にもからみついた様々な蔦が描かれ、白や黒、茶色のそれらが日にあたって幻想的である。《サバニ》もピンクがかった褐色の砂浜、岩山らしきものがサバニの後景に描かれている。奇妙な明るさと、軽さが両方に共通する特徴であり、すでに戦後初期の段階から山元の画風は芽生えていたと思われる。《自転車に乗る少年》（一九四九年）はまさしくシュルレアリスムの技法、デペイズマン（異化効果）を効果的に使用し、例えば自転車の少年の傍らに角の突き出た石膏様の三角錐と巻き貝というあり得ない組み合わせ。少年が背中に巻いている旗は不思議な模様である。何気なく見ていた旗が、沖縄独自の旗*だというのを私は後で知り、当時の沖縄の悲哀を感じて衝撃的であった。シュルレアリスムの根底には反戦、反体制、唯物論的志向がある。

「オブジェ」はダダの創作であり、芸術上関係ない物体あるいは構成物である。大量生産の日用品をレディメイドのオブジェと呼んだ。ダダは一九二〇年代半ばから作品に象徴的・幻想的意味が賦与されるようになると、シュルレアリスムに吸収されるが、非合理的で、反逆的、反理性的な精神が本旨であり、それはシュルレアリスムに受け継がれた。

戦前そのシュルレアリスムの影響をまともに受けた日本人が福沢一郎である。福沢はパリでシュルレアリスムの洗礼を受け、コラージュ作品が日本の若い画学生に影響を与えた。山元も福沢の影響を間接的に受けた。同じ頃に東京美術学校の学生で結成されたグループ「貌」に加入している。「貌」は当時のシュルレアリスムの動きに触発されて結成された。鎌田正蔵、杉全直など同級生一〇数人の小さなグループだが、戦争によって解散という結果になる。山元の場合、その志向は途切れることなく、戦後まで一貫して続くことになる。

沖縄へ

山元は卒業後四年近く東京でアルバイトなどの日々を送っているが一九四一年、比嘉景常の後任として沖縄県立二中に赴任している。戦争中は戦場を逃げ惑う体験をしている。どのような困難があったのか、生前の山元の書き残したものにはほとんどそのことは触れられてないので想像するしかない。過酷な戦場体験を乗り越えての戦後、しかも戦争が終わる頃には三〇歳半ばであった。ニシムイの美術家としては名渡山愛順に続く世代であるが、その下の世代である安谷屋正義、安次嶺金正、玉那覇正吉、彼らよりむしろ新しい手法であった。

山元は戦時体制下のシュルレアリスムの弾圧、官憲の横暴をもひしと感じていたはずである。特に福沢一郎・瀧口修造の逮捕・勾留は衝撃だったはずだろう。日本ではシュルレアリスムを幻想絵画とよく言い習わすが、もともと第一次大戦の衝撃、ロシア革命の影響から始まったダダイズムの運動からであり、非条理、初めての近代戦争の残酷さ、革命を経験したもので、それは第二次大戦後のアンフォルメル運動、浜田知明、山下菊二、香月泰男など日本の一部のシュルレアリストの画家達が共有していたものでもある。人体がばらばら、爆風で吹き飛ばされたものが、予想もしないところにある。シュルレアリスム的要素が戦争のなかでは現実にあったということだ。

山元が四〇歳のときの大作《貴方を愛する時と憎む時》であるが、まず画面の明るさに注目する。戦後五、六年しかたってないが、モチーフのモダンさと多様さ——洗濯板、サングラス、レモン、手長猿……それぞれの全く無関係な題材がレンガ壁を背景とした舞台に並べられる。《風景》よりも砂漠のように明るく、《サバニ》よりも超現実的で色彩はよりピンクがかっている。沖縄の風土を突き抜けた画面である。とはいえ、洗濯板とサングラスでは時空が飛んでいる。それが当時の沖縄の文化であるという揶揄が見える。沖縄的現実とアメリカ文化の対置と読めないこともない。一九五〇―五一年といえば、安次嶺金正が《群像》や《私はつかれた》など現実をリアルに描く作品を制作、安谷屋正義は父母の像や、《一時五分前》で描写のエチュードを練り、《まんま》で現実の生活を画面に盛り込んだ。大嶺政寛さえも《西原》で原野に打ち捨てられた戦車などを描いている時代である。一見高踏的に見えるが、山元のこの作品は第三回沖展において専門家による投票で第一位となった。一九五一年は、朝鮮戦争が始まり、翌年サンフランシスコ講和条約が施行され、沖縄が日本から切り離され、日本が独立した年である。この絵画作品には社会的な現実がシュールな画面として暗に表出している。シュルレアリスム特有のクールな描写が、山元の志向する世界観に合っていたというべきであろう。

一九五〇年代以降

山元は戦後すぐに美術技官として米軍政府に採用され、ニシムイの住人となり、首里高校の教諭を経て、一九五二年には大城皓也の後任として琉球大学の助教授に赴任している。生活も落ち着いて、一九五〇年代からは画業に専念できる環境が整ったわけである。大学での授業ぶりは、学生の多様性を尊重して独自性をほめ、伸ばすような指導をしていた。その着眼点はユニークで、その姿勢は在職中変わらなかった。そのころから実験的な絵画が増え、沖縄的なモチーフをほとんど描かない山元だが《マガタマと女》(一九五七年)には沖縄の祭祀が取り上げられている。この作品は人物と背景を等価に画面分割したキュービックなものとなっている。《私たちは誰にも親切にしましょう》(一九六四年)はアメリカ抽象表現主義のポロック、あるいはマッソンのオートマティスムドローイングを想起させる。オール・オーヴァーの画面で赤褐色の背景に黒の絵具の飛沫が飛び散り、画面上方を白い円弧がよぎる。タイトルと内容はまったく関係がない作品である。これらのオートマティスム(自動筆記)とドリッピング(絵具を垂らす)を多用した作品は、一九六〇年代まで続く。一九五〇年代の半抽象的な構成から一九六〇年代は絵具を爆ぜるような、色と支持体のぶつかりあうような、実存的な一回性ともいうべき方法に挑戦している。

一九七〇年代は、独特のピンクの砂漠のような背景に描き込められた牛骨が無数描かれる。クールな山元にしては作品数からして過剰であった。しかも塗り絵のように平板で、これほどモチーフに偏したのは何だったのか。骨が自分の分身なのか、皮肉とヒューモアが効いている。妙に白けた一九七〇年代の沖縄に対する応答だったのか、重々しさと対極の明るさと軽さであった。時代が回ってくるのが遅かったが、山元が沖縄で本格的に見直されるのが、山元の遺作展「山元恵一遺作展」(県立博物館、一九七八年)からであった。一九七三年に「幻想絵画展」が開催され、それが大きなエポックとなり、一九七〇年代は沖縄の絵画の様式がシュルレアリスム＝幻想絵画に統合されたかのようであった。シュルレアリスムの時空を超えて併置する技法は一種のマジックであるが、抽象と異なり、描写力が要求される。アカデミックな描写がそのまま生かせるのである。それも大きな波となった所以であろう。絵画のみでなく、演劇などに相関性が見られた。

もともと演劇は一九六〇年代からリアリズムでは限界が見えていた。アングラ演劇はその嚆矢である。沖縄での大きな成功例が一九七六年に開演された演劇「人類館」である。この演劇は沖縄戦後史の時空を超えて自己批評的に、まさにシュールに演じられた。舞台を額縁と捉えるなら絵画も枠を超えることを考えるのは当然である。それは一九六〇年代の激しさや暗さ、重さが、ストンと抜けた、軽さを埋め合わせるような、沖縄の美術界を覆い尽くす勢いであった。

6、安次嶺金正――写実から緑へ

生い立ち

安次嶺金正（一九一六―一九九三年）の戦前から戦後一九五〇年代初期までの作品を基に、作品のなりたちと背景を探る。終戦直後のひたすら描いた、描く喜びの溢れていた時代から、落ち着きを取り戻し、米国の占領が確立し始め、琉球大学が設立された時期に五人展を結成、やがて「ローカル」という言葉が出始めるころまでの作品を中心に論じる。この「ローカル」という言葉には占領者である米軍と、沖縄の画家たちの主体の追求が奇妙に合致するという、植民地特有と言っては単純化しすぎる難しい問題があった。

安次嶺は国頭郡名護町字宮里に生まれている。父・金英、母・ナヘの長男。父は県庁勤務、母は小学校の教員家庭の元に育つ。一四歳で那覇に転居すると、沖縄県立第一中学校に入学、一中教師であり、日本画家であった佐藤良次に絵の手ほどきを受け、県立第二中学校の「樹緑会」と並ぶほどの絵画同好会「竜泉会」を玉那覇正吉、宮城健盛らと結成している。ところが父は安次嶺に絵の道を諦めさせるため、一七歳で東京の中学に転校させている。あるきっかけで遠い親戚に当たる宮城与徳と安次嶺本人が父親を強く説得し、絵画の道を選択する。一九三七年、三浪して二一歳で東京美術学校油画科に入学する。

学生時代から「創元会」や「新文展」に入選する等、活躍していたが、一九四一年には三ケ月繰り上げ卒業で兵役に就く。マレー半島で終戦を迎え、一九四七年沖縄に帰ってきて、翌年五月には県内での最初の第一回個展を古波蔵農園で開催している。この展覧会は資料が少なく、『安次嶺金正画集』（琉球大学教育学部美術工芸科編、一九八二年三月）を頼るしかないが、比嘉永元農務部長の肖像をはじめ、二五点もの作品を出品している。旺盛な制作意欲であった。

《紅い布と少女》まで

ニシムイ美術村で安次嶺は玉那覇正吉のアトリエを借りて制作したようである。安次嶺、三二歳の頃である。一九四二年に兵役入りしてから、六年間の空白期間を経て、絵筆を握って猛烈に描いたことは想像がつく。ただし物資が乏しく、絵具や画材の調達が難しい頃である。ちょうどそのころ、米軍の将校軍医であるウォルター・H・エイベルマンやスタンレー・スタインバーグ、ジョージ・ベッテルらが五人展のメンバーと交流し始めたのである。当時沖縄に赴任するのは「島流し」にあうようなもので、スタインバーグも当初はそう感じていたようである。しかし、ある日ニシムイ美術村に偶然出会って、彼の沖縄での生活が生き生きとしたものになる。

その頃安次嶺が描いたのが《紅い布と少女（a girl and scarlet cloth）》（一九四八年）である。この作品は安次嶺家に代々伝わる清朝の服を背景に、ニシムイのアトリエで描いている。鮮やかな赤い下地に絹糸と金の刺繍の龍の文様が施されている。その前に少女が描かれ、やや赤みが差したふっくらした頬に赤い唇と白い肌が清冽なエロスを発散し、戦争で失われた青春を取り戻したような生命感がみなぎっている。二〇一二年ニューヨークで開催した「OKINAWA ART in NEW YORK」展に、最初の所有者であるおじから作品を引き継いだダーリン氏はこの絵のことを述べている。「アートはこの絵のように力強い言葉で平和と希望を語る」と。この作品は他の安次嶺作品と比較しても特殊である。まず赤が画面全体の基調色になっているのは、安次嶺の画風としてはめずらしいものである。この時期はすでに安次嶺は平面的な処理を施した画面づくりを行っているのであるからだ。

また《少女》（一九四八年）は逆に背景をダークトーンにして白の地に青縞のシャツの少女を描いているが、マネを思わせる人物と背景の処理である。こちらは《紅い布と少女》に比較すると、ずいぶん単純化した、暗い背景にとけ込んだかのようなトーンである。構図は頭部から胴体までを画面全面に描き、青味がかった暗い背景に少女が前面を向いて腕組みをしている、茶色の肌に唇の赤が冴える、きりっとした、全体としてスタイリッシュな垢抜けした全く時代を感じさせない作品である。この作品にもどことなく異国的な雰囲気がついてくるのは、戦後の新時代の空気だったかも知れない。《紅い布と少女》はニシムイの玉那覇正吉アトリエで描かれたものであるが、米国のシカゴ近郊モリーン市に住むダーリン氏が所有していたのを二〇一六年、沖縄県立博物館・美術館が収集した。この絵画作品の移動と人の交流も沖縄の戦後の歴史をたどるものである。沖縄県立博物館・美術館の企画展「移動と表現」（二〇〇八年）はその意味がかなりこめられていた。

もうひとつ瑞々しい風景画の例が《風景》(一九四九年)、《風景》(一九四八―四九年)、《風景》(一九五〇年)の三点である。ちょうど同時期にスタインバーグがマティス風の風景画を描いているが、それと呼応するかのように安次嶺も平面的な画面の展開をしている。この作品では三点とも異なる実験をしている。《風景》(一九四八―四九年)では室内から庭を抜けて遠方に視線を導入する、平面でありながら、多様な色彩による遠近法が見られる。緑を基調色としながら、白や黄色、画面を引き締める赤がポイントとして描かれるが、《風景》(一九五〇年)ではまるで雪舟の絵のように真ん中に木が一本描かれ、その樹木が後ろの家屋をまっぷたつにしているような、実験的な絵である。しかも真ん中の赤瓦の朱が強烈でもある。《風景》(一九四九年)が以降の安次嶺に繋がる画風と言える。ほとんど緑で覆われ、わずかに海と空の青が使われているばかりである。しかも明度差がそれほどないのは一九五〇年代半ばから始まる、緑一色、一回限りの筆のタッチによる完全に遠近のない平面への序奏とも言える。タッチの方向性にバリエーションがあり、セザンヌを意識させる。

リアリズムへ

一九五〇年、安次嶺はニシムイの同世代の美術家らと美術グループ「五人展」を結成するが、この頃まで安次嶺は現実をリアリズムタッチで描いている。《群像》(一九五〇年)、《私はつかれた》(同)等である。安次嶺の触手は、様々な方面を向いていたことがわかる。五人展の第一回展に展示された《私はつかれた》は、真っ赤な口紅の、街の娼婦を思わせる表現である。安次嶺の長女、宮里正子氏によると「羽織った上着や組まれた足元などに、幼いわたしは妙な違和感を覚えていました。このようないでたちは、青春時代を戦時下で過ごしたことからくる反動なのか、詳細なことは判りません」（宮里正子『新生美術一一号』、一九九六年）。結局この女性は「神の教えの道に入っていった」（前掲書）という。

第二回展には《群像》が出品されている。当時の暗い世相を描いた大作である。壁画の習作のつもりであったらしいが、左から右への対角線を境に上部に貧しい生活を送っている大衆と、手前に闇で儲かっているかのようなやけに明るい一団を描いている。その真ん中に安次嶺が自画像を描いているが、ギラギラした怪しい男を演じている。また、一段と目立つ手前の赤い服の女性は安次嶺の妻であろうか。当時まだ闇市が横行していた時代で、軍作業に行くバス停で待っている群衆を描いている。密貿易で稼ぐ頃でもあったが、一九五〇年には琉球大学が創設され、米軍の沖縄への態度が固まってくる頃でもある。

安次嶺はパンフレットに「壁画を描くとしたら、こうした絵を描いて見たいと思いその下絵のつもりであります。それに今まで習い覚えたコンポジションの総合的な試みをしました。それで普通の油絵としての見所は大分失はれたように思われます」（第二回五人展、一九五〇年八月）と述べている。壁画を構想しているようであるが、一体この内容の壁画をどこに描くのだろうか。

五人展も一九五一年頃からは、社会の暗部に焦点を当てることがなくなり、静物画や風景画が増えて来る。メンバーは一九五二年ごろから壺屋に通い始め、伝統的なフォルムを題材にするようになる。《のぼりがま》(一九五三年)、《琉球の民家》(一九五四年)、《ばなな》(一九五四年)の三点は安次嶺の変化を如実に表している。壺屋の伝統的な《のぼりがま》のフォルムから家屋へ、そして形式も変えつつ、《ばなな》の平面的で前面に葉が迫るオールオーバーの画面へとジャンプしたのである。これは大きな飛躍であった。本作以降、ほとんど緑のみを主体としたワンタッチとも言うべき筆触の技の枠に突き進んだのである。そして一九五〇年代から一〇年間程は「ローカル」論へと繋がっていく。安谷屋正義が白色で鋭い線とすれば、安次嶺金正は緑で柔らかい面であった。

7、玉那覇正吉――気韻生動

彫刻と精神

玉那覇正吉（一九一八―一九八四年）は、戦後沖縄の彫刻界をリードした彫刻家であり、画家であった。玉那覇以前の沖縄での近代彫刻は、日本画と和風彫刻をこなす山田真山以外おらず、洋式の彫刻家はほとんどいなかった。玉那覇は東京美術学校で、ロダン以降の感化を受けた石井鶴三に学び、終生その精神主義的な作風は変わらなかった。絵画においても基本的にはコバルトブルーなどの青系色と茶褐色に少し他の色を混色しパレットナイフのみ使用するという、きわめて禁欲的な作画態度であった。テーマとしては常に戦死者の鎮魂の意が込められていて、厨子甕や墓ランプなどが暗い画面の中に描き込まれた。

彫刻は絵画と異なり、平面ではなく、立体で表わすものである。必然的に触覚的に成らざるを得ないし、三六〇度、どこからも見られるように考えて作らないといけない。かつて西洋においては技芸として絵画より下位にあったものが、ミケランジェロのような天才があらわれ、その地位を獲得するのである。かつては建築の装飾的なものであったのが、柱や壁から離れ、自立するようになった。沖縄の彫刻においては、素材が少ないことから、それほど発展を見ず、戦災もあって大型の彫刻はほとんど見られない。入学した東京美術学校で玉那覇は石井鶴三に完全に魂ごと「さらわれた」といってもよいであろう。沖縄に帰ってきてからは、ニシムイ美術村で同世代の美術家を中心に美術同盟「五人展」を結成して展覧会を年に二回開催し、パンフレットに啓蒙的なことを書いてひとつの運動体としてグループを結成し、沖縄の美術界をリードした。

ニシムイ美術村ができてまもなく、米軍の軍医が訪ねてきて、メンバーと交流が始まり、お互いに絵画の勉強を続けることになる。その軍医の名はスタンレー・スタインバーグといい、ユダヤ人の出自であった。私は米国のスタインバーグの自宅を訪れた時、壁にピカソやマティスのドローイングと同列にニシムイの画家たちの作品がかかっているのを見た。それは胸がすくようなできごとであった。もちろんユダヤ人の気質、スタインバーグの人柄にもよるが、氏がこれほどまで沖縄の画家たち、特に玉那覇との交流が最も深かったのは、その精神主義のためだと思われる。

西洋のロダンのヒューマニズムが荻原碌山経由で日本的な、いわゆる東洋的な精神主義となり、高村光太郎、あるいは中原悌二朗らへ大きな影響を与え、白樺派によって大きく日本に紹介されるが、白樺派が大きく取り上げたのは、ロダンの持つヒューマニズムであった。ヒューマニズムとは、ルネサンスにおいてはフマニスムともいい、日本語では人文主義とも言われた近代の大きな思想である。日本での紹介が主に文学者たちであったことを考えると受容のされ方が特異だったかもしれない。ある意味において言葉が先行していることは否めない。

玉那覇は「気韻生動」という言葉に代表されるように、体中に気力がみなぎりそれが表にあふれるというような彫刻や挿絵を描いていたのである。きわめて東洋的、仏教的にスタインバーグには映った。その精神主義は、もともとフランスのロダンに発するものであった。玉那覇はキャンバスや、彫刻に向かう時、精神を屹立して作品化した。「沖展」と日本の団体展である「春陽会」で会員として活躍した。

絵画と彫刻

絵画を志望して入った東京美術学校では、変更して彫刻科に入学するものの、玉那覇は絵画に対してかなり熱心に取り組んでいる。帰沖して一九五〇年代には五人展のメンバーとして参加、実験的な試みである《パパイヤなど》（一九五四年）などの作品でキュービックな画面分割などを試みている。またメンバーとともに壺屋に通い、陶器の研究をしながら《二つの厨子甕》（一九五五年）などの作品を描いた。一九六〇年代の初期の頃から画題が決まりだして《亀甲墓》（一九六三年）に見る、茫漠としたコバルトとアンバーの背景に、ホワイトとコバルトの四角い形態が二つ灯りのようにアクセントとなっている。玉那覇も新しいローカルの波に応答しようとして、抽象＋ローカルモチーフの色をブルー、アンバー、ビリジアンなどに限定し、精神主義的にパレットナイフのエッジの効いた画面を構築した。その延長上にあるのが春陽会会員に推挙された《鳥たち》（一九六六年）であろう。画面前面に四羽の七面鳥が見事な動き、構図に収まっている。その後は晩年まで厨子甕、墓地、城壁、廃船などがモチーフとしてたびたび使われ、スピリットとしてランプが取り入れられたが、全体的に戦死者たちを鎮魂するような暗いブルーが印象的であった。

琉球大学では教授として彫刻を教えていたが、「ロダン、碌山、高村、石井と繋がる中で、日本の仏像彫刻の研究も加味されて（中略）心棒組が八割方できたら、あとはできたようなものだ」（西村貞雄）というように授業方針は赴任以来変わらないものであった。彫刻は一貫してロダン以来の近代彫刻を踏襲している。公共彫刻以外は大きな作品では胸像までで、頭像が多かった。

戦争で先延ばしにされた仕事を戦後は仲間とともにやり尽くした。沖縄彫刻の心棒が組まれ、八割は完成、後は肉づけするのみというところでの逝去だったのではないだろうか。

8、安谷屋正義——戦後の肖像

戦後美術の先駆者として

安谷屋正義（一九二二―一九六七年）は一九五〇年代後半から一九六〇年代を通じて、美術家の中心的存在であり、文化的な先導役でもあった。絵画において、それまでの先行世代の沖縄的なローカリズムを脱し、新しい沖縄の目に見える現実をモチーフにした。また積極的に絵画グループを作り、画論を展開した。具象から抽象を志しながらも、完全な抽象にはならず、常に現実の参照項を最後まで暗示した。一九六七年、四六歳の若さで亡くなる前の一九六五から六七年は大きな転機を迎える。そこを中心軸に据え、本稿では安谷屋が目指した近代と沖縄の植民地的状況における表現とは何だったのか、そのことを考えたい。そのために安谷屋が春陽会賞を受賞した《塔》（一九五八年）から《望郷》（一九六五年）までの作品を中心に追っていきたい。そこに、沖縄の美術家がたどる近代の問題があるだろうと思われるからだ。

いかに抽象、造形的な完成を目指していたとはいえ、安谷屋にとって戦争、戦後の沖縄の風景と社会的現実は大きな位置を占めていた。完全な抽象にはならなかった所以である。

安谷屋作品理解のためには軍隊体験をまず見る必要があるだろう。安谷屋は東京美術学校を一九四三年に繰り上げ卒業後、甲種陸軍幹部候補生として野砲観測班勤務の後、石油の輸送船付戦闘指揮官となり、呉・台湾・シンガポールと日本を往復している。一九四四年、沖縄への帰還の見通しがつかないまま大分県日田市にある日田漆器株式会社の図案部に入社、翌年に沖縄に帰り、諮詢会文化部芸術課の美術技官となる。その後、米軍政府の知念村への移転に伴い、文化部は解散し、首里儀保に「美術村」が建設されている。

安谷屋や王那覇正吉、安次嶺金正ら、一九二〇年前後生まれの世代にとって画家としての出発は戦後からであった。名渡山愛順や大嶺政寛、あるいは大城皓也らの世代が戦前から活躍していたこととはおのずと異なる活動にならざるを得ないといえる。前者を第二世代、後者を第一世代(稲嶺成祚の区分による)とすれば、第一世代は戦前から県外の団体展に出品し、県内でも活躍している。それに対し安谷屋、安次嶺、玉那覇などの第二世代は戦時体制下で繰り上げ卒業後、軍隊に勤務している。第一世代にとって、戦後はすでに画風が確立した後である。第二世代の前に広がるのは文字どおり荒涼とした風景であった。その世代の経験の違いと、時代を背景にした思想上の違いが両者のフォルムを明瞭にしていく。安谷屋にとって戦後はまさに生き延びられた命を燃焼させるものとしてあった。「私は明日死ぬかも知れない。そうだとすれば、自分のやりたいと思う仕事を、技術のレベルがそこまで達する迄まつと云う事は馬鹿の骨頂だと思う」(「制作随想」第五回五人展パンフレット、一九五二年四月五日)と述べている。

近代へ ― 垂直線と水平線

主にニシムイの画家で結成した五人展の活動後から、安谷屋は古いローカリズムからの脱出を考えていた節がうかがえる。第三〇回春陽展に初入選した《厨子甕》（一九五三年）はこれまでが修業期間であったかのような、思い切った構成である。ローカルと構成が見事にむすびついた。厨子甕という沖縄独特のフォルムであり、死者を弔うモチーフと茶、黄、青と色彩も限定され、厨子甕にはそれぞれ、背後から光がさしている。その後一九五〇年代の代表作《塔》（一九五八年）のそぎ落とされた縦に伸びる構成の画面に至る。油彩画《塔》は彼の「近代」を良く表現したものでもあった。盛りあがった背景に塔の線が見え隠れしながら突き抜けるように、「塔」は何度も下描きの方眼紙に描かれ、最終的にほぼ同じ大きさの本作が描かれた。《塔》は基地のなかの鉄塔をイメージさせ、空間を切り裂いているように見えるが、共同体から離れ、安谷屋の格闘の跡が見える孤高の空間をも獲得している。

安谷屋は一九五六年四月から翌三月まで一年間、長期の本土研修を行っている。そこで同じ世代である田中岑や宮城音蔵など春陽会の作家たちと接している。東京で安谷屋は沖縄における表現について考えることになる。沖縄＝ローカルカラーではなく、もともと持っていた宗教的な内的動機（プロテスタント）と強烈な光、垂直線、沖縄の水平線、あるいは斜に横切るシャープな線などが現れるようになる。カラフルな面面から徐々に色が削ぎ落とされ、《仮象》（一九五七年）で春陽会賞を受賞する。ここに安谷屋の世界がうまれるのである。《柵》（一九五六年）《仮象》など、新たな基地をモチーフとした現実の沖縄が初めて出てくる。これには『琉大文学』の喜舎場順による批判「ローカルだ、ローカルだ。と騒ぎ立てて中央の画家から『もっと沖縄の現実に根をつけよ』とお叱りを受けるのは、どこかの役人に似て居はしまいか」(喜舎場順「状況の絵画」『沖縄文学全集』第一七巻評論I収、一九五五年)というような痛烈な批判への応答とも言える。

しかし《塔》と同時期に描かれた《孤影》(一九五八年)や《廃船》(一九五〇年代)などには後の安谷屋の白といわれたモノトーンとは異なる色調が存する。これらの作品には海上の廃船や、横に広がる空間が表現されている。一九六〇年に朝日ジャーナルに掲載された《港》(一九六〇年)の作者コメントで「無限の世界、広い憧れに似た興味が、いつも私の画心をゆさぶる。(中略)私はあの感じを何とかして実現して見たいといつも思う」(『朝日ジャーナル』vol.2 no.30, 一九六〇年)と述べている。一九六〇年代の代表作《滑走路》(一九六三年)、そして同時期の《爆音》(一九六五年)等には力強い水平の線が見られる。戦争が終わって沖縄の美術家たちが見た新しい風景はまっすぐに延びる軍用道路と基地のフェンスであった。それを画題にするのは困難であったが、安谷屋はそれをモチーフにした。その白い張り詰めた画面は、同時代の美術家、とくに若い作家に絶大な影響を与えた。

モダニズムについて

安谷屋は、戦後の焦土=文字通り焼け野が原から米軍の作り出す真っ白でまっすぐな道路と鉄塔などの風景が、あっという間に現出するのを体験した。新たなモチーフとしてそれが採用されるのは、今日現在から見ると当たり前であるが、当時は思いつかないものであった。見てはいても意識に上るには操作が必要である。安谷屋にそのモチーフに向かわせたものは先の『琉大文学』による批判と、安谷屋の「現在」と「現実」に対する意識だと言える。

安谷屋は「民藝」批判をしつつ、彼らは「現代の沖縄人を再び昔の型にはめこもうとする様な傾向がある……単なる観念的な純粋論でしかないと思う」（『今日の琉球』一九五八年二月発行、第二巻第二号）と述べている。過去の形式は過去の素朴な社会が生み出したものであり、現代の複雑な社会にはそれなりの新しい形式が必要であるとして安谷屋は、「新しい伝統」を生み出すことを常に考えていた。沖縄の抽象の世界は戦後から始まった。それも作品と画論で展開した安谷屋が先導したのである。

安谷屋はたびたび島国根性として沖縄人の怠惰さを皮肉り、批判している。美術関係者や同僚までも匿名で、あるいは公にしながら批判した。共同体の批判からまっすぐに立つ作品のイメージと重なる。常に沖縄の伝統について意識しつつ、安易な共同体的志向へは、批判的な態度を取り続けた。モダニズムを定義するのは難しいが、安谷屋が絵画の文学性を批判し、自律性を云々し、ジャンルを純化しようとしたこと、前代をはっきりと批判したことは、戦後沖縄におけるモダニズムの発生であった。しかしながら安谷屋の活躍した時代が、米軍占領下であったことを忘れるわけにはいかない。占領下における美術作品の自律が在り得るのかというのが安谷屋の根本的な苦悩であったような気がする。

翻って、現在を考えてみる。一九九五年以来台頭してきた沖縄の社会的・政治的自立意識が若手による新たな作品作りに向かわせたといえる。現在、日本や世界的に活躍し始めた作家には、沖縄の共同体を背景にした傾向があり、沖縄という文脈に沿って受け入れられている節がうかがえる。とりあえず共同体は括弧の中にあり、不問に付すべきもいえる。その意味では今後安谷屋の作品・言説が再び浮かび上かってくる可能性がある。

近代から――「滑走路」から「望郷」へ

安谷屋は一九六五年に《望郷》を制作するが、この作品は抽象を目指していた安谷屋にとってはきわめて珍しい人物像が挿入された作品である。《望郷》は、米軍基地と思しき背景に画面の端に一人の歩哨を立たせた。厳しく省略された両面に人物をいれたのはこの作品のみである。安谷屋は完全な抽象には移行せず現実の形をぎりぎりまで入れた、いわゆる半抽象で最後まで通した。社会的背景に言及すれば、《望郷》が描かれた一九六五年は沖縄戦後史の中でも転機とされる年である。佐藤栄作首相がジョンソン米大統領との会談で沖縄返還を提起した。佐藤首相の沖縄訪問時には五万人の抗議集会があり、またこのころ沖縄の反米闘争が在沖米軍将校の非戦行動を支援して国際的な反戦運動へと連動する動きを見せている。その年の七月から北ベトナムへの空爆、いわゆる北爆が開始され嘉手納からB52が飛び立って、沖縄の人々に衝撃を与えた。

《望郷》を見る観者は、次第に茫漠とした空間にぽつりと立つ兵士に感情移入をし、孤独を共有するのである。当時の時代状況を考えるならば、この絵はきわめて両義的であり、反基地闘争の側からすれば断罪されてもおかしくはないが、フェンスを超えるイメージを提出した。「美術」として受け入れられたのであろうか。いずれにしろひとつの時代を表わしたイコンといえるだろう。目の前の米軍を超える普遍的想像力が金網を超えて、観者の魂にひびいたといえる。その想像力は二年後の一九六七年に大城立裕の『カクテル・パーティー』が芥川賞を獲得、一九七八年には又吉栄喜が『ジョージが射殺した猪』（第八回九州芸術祭文学賞）によって文学的には深みと広がりを獲得した。安谷屋が提示したのはそのイメージの嚆矢であったともいえるのではないだろうか。詩人清田政信は安谷屋について「作者は基地という情況をつきぬけて、何か人間の還りゆく根源の方へ歩み出ている（中略）当時のもの書きたちが近視眼的に、しかも共同体に密着した次元で発言していたとき、いわば思想の遠景とでも言える、感性の内なるパースペクティブを拓いていたことだ」（「方法の遂行」『造形の彼方』ひるぎ社、一九八四年）と述べる。

《望郷》を完成するまで、安谷屋はモチーフをいくつかに分けてエスキースを繰り返している。人物のみ、背景のゲート、鉄柱、旗の波、水平線など極めて造形的な面と、具象的かつ時事的なモチーフが何枚も描かれている。後期の張り詰めた画面構成には人物を入れるのはよほど難しかったであろうことが伝わってくる。《望郷》はそれまでの鋭い線ではなく、一見緩やかな短い線の集積で構成されている。またエスキースで見るように、兵士も何人も描き、背景もそれのみで様々に描いている。それは後期の転機となった。一九六六年に安谷屋はフォルム画廊で第二回個展を開催している。その時に出品されたのは、これまでの、モノトーンの張り詰めた画面と言うよりは、色彩豊かな、曲線を多用し、面で表わしたような作品が主であった。ただし、茫洋とした空間感はそのままである。

安谷屋の《塔》を経て《滑走路》から《望郷》までは、造形と沖縄の現実の風景とのスリリングな緊張の上に立った作品であった。それ以後は新しい造形世界へと踏み出すところであった。今日、安谷屋の格闘は形を変えて他の作家が続けているのであろうか。

９、タカエズ・トシコ――土の声を聞く

西洋と東洋の融合

タカエズ・トシコ（一九二二―二〇一一年）は具志川村（現うるま市具志川）安慶名出身の両親のもとにハワイに生まれた。タカエズは最初陶磁器の店で働くところから出発した。ハワイ大学を卒業して、米国本国のミシガン州にあるクランブルックデザイン大学院で本格的に陶芸を学ぶ。その時に出会った師がタカエズの進路をきめることになるマイヤ・グローテルであった。フィンランド生まれのグローテルは、タカエズに焼き物の色彩や質感など基本的な感覚を教えたと言える。タカエズはその後グローテルを生涯の師と仰ぎ、五〇年代初期に日本の民藝と接触し影響を受けながら、独自の、西洋と東洋の融合した様式を生み出すのである。

タカエズはハワイどころか、全米の美術館の学芸員がほとんど知っている大御所である。女流の陶芸家としてかなりの足跡を残した。米国陶芸界の、いわゆるクイーンであった。プリンストン大学で長い間教壇に立ち、ホワイトハウスにも教え子がおり、かつては出入り自由であったという。スミソニアンはじめ、全米の主要なほとんどの美術館に彼女の作品は収集されている。

ZUとSUの間

スミソニアンの施設のひとつ、アメリカのデザイン・工芸の収集・展示をする美術館「レン

ウィックギャラリー」にてTakaezuという作家の陶作品を見たのが、私のタカエズ作品との最初の出会いであったと記憶する。一瞬沖縄系かと思ったが、Takaezuと最後の文字がsuではなく、zuであったので、違うと思ったのだろうか。あるいはその頃まだそのような（沖縄ルーツを考える）意識がなかったのではと考える。しかしタカエズの形と色の印象は、妙に気になっていた。その造形性は、欧米では異色なもので、アメリカの作家のように存在を強烈に主張するわけでもないが、オブジェのような陶の造形はカチンとした感触が十分にあり、球体ではあるが「自然」な形で、そこに荒々しく刷毛目で釉薬が施されていた。

その後、沖縄の陶芸の作家の作品や民藝の作家の作品を見るようになって、タカエズの作品がいかに独特な造形であるかがわかってきた。彼女の作品は沖縄・日本でも、アメリカのものでもない両方の形や色の融合そのものではないかと思うようになった。「Closed form」に見られる閉じた世界が、ある種のアジア系に共通するミニマルな形となる。西洋的な自己を押し出した表現ではないスタイルで、自己を抑えつつ、かつ「表現する」と極めて単純化された形か、「表現」でない形式を取る。彼女の作品の場合、陶の彫刻といわれる大きな造形物であるが、球体を伸ばして、頂点でとじた形態は非常に触感的であり、やわらかな風合いがある。とはいえ、その充実した存在感そのものは陶芸界では希少なものだと言える。さらに磁器と陶器の間の石器という素材の質感が絶妙な「間」を感じさせるのである。

二〇一〇年に沖縄県立博物館・美術館で沖縄ルーツシリーズの第一回目として開かれた「タカ

エズトシコ展　両親に捧ぐ」展での《桜（Cherry Blossom)》（一九九六年）は、高さ約一メートル六〇センチ、幅が約八〇センチあり、大胆にはけ目を入れた薄墨色と薄いピンクの色彩と形態の調和は圧巻だった。

10、大浜用光――土・再生・カオス

前衛として

大浜用光（一九二九―二〇一三年）の本格的な初出は一九六〇年代の創斗会への出品であった。それは絵画の終息地点「アンフォルメル」から始まり、表現をいかなる形象的要素にも頼らずに、表現行為の跡を生々しくとどめるものであった。一九六〇年代初期、グループ「耕」の結成の主役であり、理論家である大浜にとって絵画とは、素のままで他者とかかわりあいをもつ唯一の手段であり、他人と感動をわかちあう手段だった。激しい身振りと伝統的絵画の材料をはみ出す物質を持徴的な要素とするアンフォルメルは、膨れ上った情念を既成の絵画の方法では不満であった大浜にとって、救いとなる表現手段でもあった。

「耕」時代の大浜はベニヤ板に荒々しく絵具を塗り込め、真っ黒の画面に激しい身ぶりを示すことにより、体系化され秩序づけられた社会と芸術に抵抗の表現を示した。一九七二年の個展においては初期の表現主義的身振りは漸時抑制され、白一色の画面に四角い形態が描かれる。この方形のイメージは、その後いつでも作品に立ち表われてくるシンボリックなイメージであり、深層のテーマ「死」、「再生」を表わしていると思えた。大浜は一方でアンフォルメルからモノクロミスムに接近しながら、虚無の空間から浮び出てくる形象をも捉えようとしていた。それはまたイリュージョンとモノクロームを統合しようとした大浜の狙いでもあった。果たして大浜はタブ

ロー絵画をどこまで生かし得るのか、常に生成の現場に立ちつつも、形式と表現の閉塞空間から逃れることができただろうか。

胎内から土へ

大浜は「耕」の後しばらく発表していなかったが、一九八二年、一〇年余の沈黙を破って、焼物によるオブジェ展を行う。大浜はずっと沖縄の風土というものを考えていた。スペイン旅行で荒涼たる大地を見たとき、逆に強く沖縄を意識したという。それが彼の山原（ヤンバル）行きを決意させる。そこで彼は土による表現を追求する。土との出会いは、大浜の内在するテーマ、死、再生からの帰結であった。つまり死は再生するための条件であり、大地に帰ることである。誤解を恐れずに言えば、大地は母の象徴である。つまり死は胎内回帰であり、大地（カオス）と一体となる欲望の必然でもあった。彼は胎内に入ったのである。大浜は母の胎内（山原）にあって、ほのかな温もりのある、人体を思わせるオブジェ群をつくり出す。大浜にとって焼くことは、単に焼物ではなく、形なきもの（カオス）に形を与える（生命創造）作業であった。

一九八四年、胎内（山原）から抜け出た大浜は、石粉と樹脂で固めた平面を発表する。白、金粉、ダークブルーの画面は禁欲的で、静かなイリュージョンを感じさせる。それはいま一度、絵画の問題に立ち返ることであった。金粉の線と白地に囲まれた四角や三角の形象が深い象徴空間をつくり出している。それは以前のモチーフをより深めて、深層の風景とも言える作品となった。

一九八六年の画廊「匠」での展示作品は大浜にとって、絵画とオブジェの止揚といえる。オブジェが平面になったとも言える。キャンバスの上に単一の土を厚く塗り、バーナーで焼く。土には幾分樹脂を混ぜてある。大浜の表現意図は明快である。大地をそのまま切り取って表現すること。生の土そのものが語ること、なるべく手を加えない。土そのものの本質を引き出すために火は補助的な役割でしかないという。しかし作品は言い難い不思議な美しさを湛えている。土はそのまま語ることはないし、火は熟練によって作者のイメージをつくり出してしまう。作者の発見する自然とは、「内部の自然」になりかねない。その筋書きをはずす事により、意外な美しさを現出する。大浜は焼き物のそのような魅力に取り憑かれたのである。

それにしても焼けた土の表面――カオスから浮かび出る瞬時の形象は、自分と世界の分節化である「身分け」以前の記憶の彼方からやってくるかのようである。我々はそこから大地を連想することも、宇宙の創成を見ることもできる。

アンフォルメルからの出自以来、一九八〇年代後半まで大浜は「再生―生成」の現場を見せたわけであるが、一九九〇年代は背景の色彩と個々のオブジェに深く入り込んで、日常の小さなモノの組み合わせを楽しんでいる。それは自由で解き放たれたような小品群であった。

11、城間喜宏――禍々しさと美しさ

アンフォルメルからグリッドへ

城間喜宏（一九三五―二〇一九年）は一九六〇年代の前衛を走り抜けた一人である。一九八〇年代、油彩画家としてピークの〈曼荼羅〉シリーズはタブローでの城間のイメージを決定づけた。この論考では初期の頃を中心に、六〇年代の代表作《亜熱帯の島から》（一九六八年）までを考察したい。

初期の絵画も視線を引き込むモチーフと構成であった。城間は琉球大学美術工芸科入学後すぐに個展を開いている。その後のコザ琉米親善センターと石川文化会館の第三回個展（一九六〇年）は衝撃的であった。それは、見るものにとってショッキングな図像であった。アフリカマイマイの交尾を暗い色調で描いたものなど、具象の形態であるが、軟体動物のイメージは不定形で触覚的効果は充分だった。全体が暗い画面、それまで見たことのない絵画（不定形）それは時代の感情と相即であった。強烈で、感情が過剰ではあるが、若者の絵画に向かう原初の力は強烈に響く。その後沖展、二科会で賞を受賞するなどの経験を経て、学生時代にグループ「耕」を結成、この時代一時期キャンバス・絵筆から離れ、いろんな試みをしている。

琉大の学生時代最後の年次に第四回の個展を開いている。安谷屋正義がその仕事を賞賛しつつ、「心象の世界は自分の心以外よりどころがない。世の中で一番わからないのは自分の心だ」と個展のパンフレットに書いている。画面は、石膏にボンドで火山のような、あるいはかさぶた

に似たマチエールを作り、その上から茶褐色等中間色一色のみで約二〇点、沖縄タイムス社の後援を取り付けて開催している。その作品は一九五六年に日本で初めて紹介されて一大ムーブメントを起こした前衛美術運動アンフォルメルに影響を受けたものであった。アンフォルメルは絵画の終わりに近いものであるにも関わらず、「今日ほど根源的な問い直しが求められる時はないとして、にもかかわらず、だれもそれをあえて問おうとはしない」（宮川淳『美術史とその言説』中央公論社、一九七八年）。現在、「芸術とは何か」という問いが無駄な考えとしてとらえられている。そう嘆いた宮川淳の時代から沖縄では現在も状況は変わってないとも言える。現実が実に不定形なのだ。城間は学生にもかかわらず新聞社の後援を取り付けるほどの華々しさがあった。

《有機の連続》（一九六六年）はグリッド上に並べられた茶褐色の小さな方形で、それぞれの木片には小さな凸凹の模様が付いている。アンフォルメルからグリッドへ、すなわちモダニズムへの傾斜である。グリッドはピカソからモンドリアンへ受け継がれた絵画の自律性を宣言するツールでもある。この時期、城間は不定形から造形へと移行するのであるが、同時にオブジェを平面に貼り付ける仕事もしている。

復帰前の代表作が《亜熱帯の島から》である。ジュラルミンのジェット機の翼のエッジ、その形が目の覚めるようなシャープさである。現実物の平面への流用であり、オブジェを画面に貼り付けたものであるが、それは作品の意味性とフォルムが合致したことを意味する。墜落したジェット機の翼の一部のコラージュであるが、ジュラルミンでできたフォルムが美しい。禍々《まがまが》しさと造形的な美しさ。沖縄の現実と造形的課題を見事に結合させた作品である。東京のサトウ画廊でこれら大作によって個展を開催している。沖縄の現実の基地被害を訴えるよりも、本土へ知らしめるインパクトとしてのジェット翼のエッジであった。当時の日本にどこまで基地被害の認識があったのか定かではないが。いずれにしろ沖縄でしか表現できない作品であった。

城間は一九七〇年代から、室内絵画を目指すことになるが、当初はイメージを前面に打ち出さない造形的な仕事であった。画面を円と四角形の形態で仕切り、キャンバスに石膏と接着剤を混ぜたメディウムを厚く塗り、その上に条痕を刻み、その凹面に色彩がたまる方法を利用した。色彩は、特に青色は徐々に冴え渡っていく。テーマは古代となり、象形文字や沖縄のニライカナイまでテーマを広げていく。一九七〇年代の《島の民話》（一九七五年）や《青い因習》（一九七七年）など、これらの作品には円形とグリッドが使用されており、それはたえず画面が外部を意識させるものである。

城間の作品にもやはり沖縄の風土をどのような形式で表現するかが課題としてあった。一九七〇年代沖縄では風土を表すのに、技法的には具象が主となる幻想絵画が一方にあったが、城間は具象ではなく、抽象的、造形的な方法を選んだのである。

12、山城見信――世界の結び目

カオスとコア

山城見信（一九三七年―）は一九八〇年代まではモダニズム絵画を模索していた。しかし中央アジアの旅のなかで、「実在の色」と空間に出会う。それが転機となった。まず瑠璃色の宇宙であった。エアーブラシによるそれは、どこまでも澄みきった世界である。そして一九八〇年代なかばから外的世界から内的な世界へ入るかのように暗く重くなっていく。ついに溶岩のような画面に変容する。溶き油でどろりと溶いた油絵具を画布にこぼし、息で吹いて延ばしていく作業を続ける。機械であるエアーブラシから一転して身体を使った制作に変化するのも山城見信らしい。それは、概念性より情念的なものへの移行を思わせた。

そして一九八八年、〈沼（クムイ）〉シリーズにおいて、激しさを温存したまま、絵具の飛沫を重ねて、水平と垂直の緊張を得ようとした。細長いパネルを並べることで、イメージを言葉のように統べるための語順を探り、異化効果を観客に与えようとした。それは一九九〇年の那覇市民ギャラリーにおける実験につながってくる。市民ギャラリーでは、ダイナミックな割には「軽さ」を前面に出していた。一九九一年の読谷村美術館における個展では戦後の歴史の激しいトラウマのごとき重さと壮大な空間、闇のなかの鮮烈な光のような色彩がポリフォニーを響かせた。そして二〇〇〇年暮れより、二〇〇一年の二月まで約二ヶ月半に渡って、那覇市前島高砂ビルでの長期プロジェクト「公開アトリエ　カオスとコア」へとつないでいくのである。このプロジェクトは二〇〇一年の浦添市美術館での個展準備として始められた。

大学というアカデミックの中心から、わい雑な要素が侵入し、芸術家にとっては「周縁」ともいうべき場である那覇市前島へとアトリエを移すことは、山城の方法と場所がくしくも一致したのである。広々とした空間である披露宴会場跡には様々な生者や死者が呼び寄せられ、対話が始まり、生き返り、また帰っていった。そのような死と再生を現出し、みずからも往還する体験の中で、山城の作品の闇は一段と深くなった。出自において、沖縄という場所の強いる濃密で過剰な生活、歴史体験を、いかに自分の中で整理するか。そのようなアポリア（難問）を芸術の中で回答することは、必然としてきれいごとでは済まなくなる。形式においても禁忌はなく、はみだしていく。山城の大胆にも見える制作態度や行為も実は内部から噴出してくるカオスのようなものに突き動かされているのである。

その過剰な闇と光をいかに統御して展開するかが浦添市美術館での個展の目的であっただろう。展示空間は山城の極私的、過剰な空間であった。前島でシルクスクリーンプリントされた巨大な紙の作品を一方の壁に展示し、オブジェを廊下からギャラリーに並べ、母親の写真、車のホイール、風景写真のおびただしいコピー、赤錆びたワイヤーのカゴ、ありとあらゆるモノが展示された。しかしその空間は山城の感覚で統御されたものであった。結局山城の原点はアンフォルムである。形にならないもの、不可視を可視化しようとする営みである。それも喜々として。

素材としての紙

山城見信の現在へ至る転機となったのは、一九九七年の素材としての紙との出会いである。沖縄県立芸術大学の教授、南部芳宏との二人展を契機に、紙の自在さを生かし、縁を不定形にし、物語や現実生活の「もの」を作品の中に持ち込んだことだ。これはそれまでの作品作りと、大きく異なる。それまでは、あくまで色面や描画の線で表わしていたのである。ところが同年の佐喜眞美術館での個展、九九年―二〇〇〇年の画廊沖縄での個展を通して、あらゆるものが紙の表面に張り付くようになり、全く自在になった。

一九九七年、この時期のピークのひとつとして一一月の佐喜眞美術館開館三周年記念の個展を見てみる。同館館長の佐喜眞道夫氏が山城について「初めて沖縄の作家を取り上げた。すべてが上滑りしていく沖縄の現状の中で、今、『自らの内を深く掘り下げている画家』と山城氏を見る」(『沖縄タイムス』一九九七年一一月二二日)と述べている。佐喜眞美術館のコンセプトである「もの思う空間」に合致した作家ともいえた。最初の個展において大型紙をコラージュした大作は《のどが目になるとき》(一九九七年)であった。この作品には沖縄のおかれている環境破壊の状況が新聞紙などでコラージュされており、周りに貼りつけたチラシのポップ的な異化効果と相まって深刻な内部の状況、自分の頭部のレントゲン写真と対比し、内界と外界の対比とも言うべき作品であった。広い意味でのコラージュとは一種の切断、介入であり、異化効果を生む。現代美術の手法でよく使われるもので、ピカソによる実物の平面画面への貼り付けが有名であるが、虚構の中に突然、実物あるいは異質なイメージ等が介入する事により、より対象物を意識させるものである。

作品を大きく観客を包み込むには、コラージュはもっとも良い方法である。壁画にはイメージのコラージュがあり、それにより空間や時間の分節も可能となり、物語が語られる。この年から始まり、二〇〇一年の浦添市美術館までの紙とコラージュ、インスタレーションの仕事は、かぎりなく増殖していく。

即興性

二〇一六年三月に一五年ぶりの個展を佐喜眞美術館で開催したのは、絵画のゼロ地点に戻る試みであった。一五年という歳月、ほとんど毎日絵を描き続けていたのである。すべて平面、ドローイングである。一つのユニットは大きいものではなく、一一〇×八〇センチの定型の紙と四種類の塗料での仕事である。白地、あるいは黄色地等に、主に黒で図を「一気に」描き、絵具を垂らし(ドリッピング)、ハッチングする。そして、「猫や犬の手のように」引っ掻き、青や緑の絵具を撥ね、スピリットにした。四〇〇点以上の中から選択し、美術館で組み合わせて展示する。本人も見たことのない構成となり、まさに即興的な「制作」となった。一瞬の一筆描きのような作品ユニットは一つのイメージからなり、その組み合わせによって様々なイメージが生まれる。フィルムで言えば一コマであり、モンタージュのようなつなぎ方により、意味が変容していくのである。その場での即興性は、ジャズのインプロビゼーションであり、映画でいえば、ゴダールのある時期の映画作りを思い起こさせる。シナリオなしに撮影し、自在に編集するものだ。展示室2の壁を見ると、まるで壁画のような様相である。即興的に提示された《作品13》と《作品16》は壁を隔てて呼応している。《作品13》は虫のような生物のモチーフが描かれた紙が九枚組合わせのところを一枚抜いたかのような展示となり、その不在感が逆に動きを与えている。対面する作品がシンクロするように展示されている。人工的なものの対面にある《作品18》は九枚組であるが現場で組み合わせた作品であり、ひとつひとつの画面に生き物が蠢《うごめ》いている。つまり対面した作品同士が大きな空間で呼応し、多声的に響き合い、ひとつの作品群となる。圧巻である。

このアイデアは、単なる即興ではない。周到に空間を計算しているしたたかな画家がいる。山城は一九九三年の日鉱ギャラリー（東京）での個展の際にも設計図から起こした展示室のマケットを制作している。工業高校を卒業後、建築事務所に働いて、設計の仕事に携わってもいる。その経験から空間には敏感である。与えられた空間へのこだわりと破壊の両義性は山城が常に追求しているものでもある。

今回も廊下の作品は破調をわざと創り出す山城ならではの仕事でもある。廊下の作品は、壁一面にマーメイド紙を任意に張り合わせ一つの蠢くような、有機物を思わせる平面を創り出した。それは作家によって毎日自在にかたちを変えられていく。

形の淵源

この一〇数年、山城は小さなアトリエで、ほとんど毎日早朝に制作している。二〇一一―一二年頃は和紙に墨を使用し、かなりの枚数を描いている。和紙の滲《にじ》みを見ながら白黒、地と図が等価であるような平面を目指す。不定形のその図は奔放で自在、まだ形が定まらないが、薄墨は使用せず、しばらくするとその支持体の弱さと墨の叙情性を完全に排するためにアクリル絵具に変え、キャンバス地のパネルと洋紙のマーメイドに切り替えた。地と図にはっきりと区分けしたのである。おそらく紙の強靭さ、抵抗感が必要だったのである。そして虫のように蠢く、はっきりと生物らしきものが描かれる。平行して無機的な短くて太い黒い線のみによるドローイングも始めている。さらにパネルの作品もかなりの数こなしている。マーメイド紙とは異なる筆触と、ややフォーマルな画面であるが、共通しているのはエッジの鋭さである。

造形の淵源を辿るとすると、やはり一九六〇―七〇年代の盲学校や養護学校勤務時代の激越な経験だろう。いまでこそ「アール・ブリュット」という名称がつけられているが、手探り、泥まみれになって相手した生徒たちから紡ぎ出される原初的な、形にならないかたち。それはアンフォルメルの影響を間接的に感じられるものである。山城の幼年期は戦争と疎開の過酷な日々で、学生時代から青年期にかけては思想的には実存主義、美術思潮ではアンフォルメルが主流であった。一九六〇年代後半にはフランスの学生革命の波、沖縄では復帰闘争、反復帰論が沸騰する。その影響は山城が学生になって、表現としては一九五〇年代後期から表れたと言える。青年期に受けた思想は生涯続くものである。今回描かれているエッジの効いた図と絵具のはね、ドリッピングから受ける感覚はまさに一九六〇年代の荒々しい感覚である。ミロのような全体から受ける柔らかなイメージではない。強靭な精神を表出するかのような、あるいは現在の沖縄の状況に対する怒りを重ねるようなイメージである。

山城の絶えざる苦悩、それは創造のエネルギーともなるものだが、内的なテーマについては、幼少期の戦争体験及び疎開先の山原（ヤンバル）の記憶がある。その深まりは山城の画業では、特に一九九〇年代から始まる。それこそトラウマをかかえつつその絡まりを解きほぐすべく、空間を満たしていくこと、空間恐怖とも言える。増殖の美学というものがあればそれに当たる。幼い山城はあまりにも大きな抱え切れない体験をした。幼いころ住んでいた辻の風景から一転して疎開先の山原の自然、浜、水辺の美しい、狂おしいほどの愛おしい記憶と、相反する共同体の残酷さ、生と死の境界を体験した。それは少年には抱えきれない記憶と傷痕として現在まで続いているものである。山城は沖縄戦後美術史の中で大きな位置を占めながらも、孤高を貫き修行のように制作を続ける。それがもつれた糸を解きほぐす快なのだ。

13、永山信春——沈黙の意味

モノクロから黴へ

永山信春（一九三九―二〇一八年）は、一九六二年琉球大学美術工芸科を卒業するとすぐに当時の前衛グループ「耕」のメンバーとして活動する。一九六八年「耕」が解散し「亜熱帯派」が結成されると、別の前衛美術グループ「現代美術研究会」、「NON」「現」と名称を変えてグループを結成し、那覇港に流れる漫湖や与儀公園などで大掛かりなパフォーマンス、展覧会を開催する。

「耕」の解散の頃の状況、経緯については、当時の沖縄の時代状況と呼応する。佐藤・ニクソン会談で沖縄返還が決まり、ベトナム戦争の激化、嘉手納基地でB52爆撃機が離陸に失敗、炎上した年でもある。パリでは学生の革命運動が起き、実存主義的思想が社会を覆っていた。そのような騒然とした状況のなかで、前衛グループであった「耕」や「亜熱帯派」の活動に満足できなかった。いわば反芸術へ方向を変えたのである。それでも「耕」は当時としては、かなりの前衛であり、キャンバスに油彩を離れ、石膏やドンゴロス、オブジェなどを貼り付けた作品を制作していた。が、永山は、七二年には前衛活動を停止。その後絵画活動を再開し、県展最優秀賞を受賞している（一九七七年）。八〇年代からは黒一色の絵画を追求してきた。永山の八〇年代から続くモノクロミズムは、きわめて強い禁欲的意志に支えられているように見えた。

永山は「色を塗る行為」としてこう書いている。「絵を描く行為は単純に言えば言葉を色と形に置きかえる行為に他ならない。しかしそれは文学に於ける意味性とは異なる。出来れば無言がよい。（中略）自分の思考、論理的な一切な余分なもの、それを収れんする。描くのではなく、ただ色を塗る、その中に自分を投入したい。色を塗る行為の中に、呪文のような心の壁を染みとして残していきたいと今は考えている」（「デラシネからの問い」『ほね影から黴へ1968〜1998NAGO』永山信春発行、一九九九年一月）。

絵画がモノクロになったのは、イヴ・クラインからである。それはたぶん行為そのものに比重が置かれたからであるといわれる、つまりキャンバスが行為の痕跡の場となったということである。例えば、ポロック。彼は、あの広大な画面とドリッピングで、ヨーロッパの美術の伝統から離れた全く新しい方法を身につけた。しかしハロルド・ローゼンバーグが名付けた「アクションペインティング」、「行為としての絵画」を意味する〈アクション〉という呼び名が正しいといえるであろうか。行為と対象の完全な一致がありうるのかということである。そこにはある対象を芸術作品として享受しようすることは、それを行為から分離された対象としてでなく、行為そのものの直の痕跡として見ることであるとされている。永山は塗る行為が観客を意識しないで無心に塗ること、行為そのものが自立した表現となることを目指す。しかし芸術表現である必要がない表現でもある。描く側からすれば芸術表現となり得ることをめざすことだ。

周知の事として、芸術作品は社会の信用に基いている。展覧会の場では作品は作品として最初から社会のなかで安定的に受け入れられる。永山はそのことに当然ながら、きわめて意識的であり、内心忸怩《じくじ》たるものがあろうことは、あの困ったような笑顔が表出している。永山は共同体の正・負、光と影を熟知しており、そこに身を置くことは、しのぎを削ることでもあることは勿論認知しており、世過ぎのためとはいえ、それをあえて拒まず受け入れたことが、永山にとって逆に現実と芸術の拮抗する場であるキャンバス上でドラマを産むための材料となった。単一な色で塗り込めていくことは、作品として、鑑賞者に受容させつつも、流通するイメージを拒否することで、逆に永山の外部に向かおうとする精神が露《あらわ》になる。濃密な共同体の中で内部と外部の境界に立つ事が唯一精神を立たせることであると考えたのだろう。

平面からモノへ

晩年に永山は沖縄を離れ、異郷の地に身を置いた。あえて共同体から離れることにより、作品にドラマを呼びこもうとしたのだろう。永山は茨城で古い民具に新しいモチーフを見出して、すでに百数十点に及ぶ絵画とオブジェ＝半立体作品が出来上がっていた。私が訪れた時、住居兼アトリエの至る所に作品が置かれていた。この土地がいたく気に入っていて、冬の寒さ、四季折々の変化を楽しんでいる風であった。数十年ぶりに描いたという風景画も見せてくれた。岡倉天心らがいた五浦や水戸芸術館、益子が近くにあり、その環境をも気に入っている風であった。この五年かけて東日本大震災の犠牲者（一万六千人余の犠牲者）の弔いのために一万六千点のホタルの絵を描いたという。「人生の晩年にようやく方向が定まった。僕は5年を費やし、一万六千枚のホタルの絵を描いた。画家にとって何が重要か。今まで長年描いていた「黴《かび》」は仏教でいう空だったのか」（「白いホタルが帰ってきたと聞いた」出典、二〇一八年）と回想している。

新しい作品群は黒か茶褐色で描かれ、数十センチ幅の油彩画と高さ二メートル近い分厚い板に描かれた平面で構成されるものと、古民具の形を活かし、板に貼り付けた、いずれも物質性を強調したダイナミックな作品群であった。ときたま地域の美術展に出品しているようではあったが、沖縄での個展が見たかった。

14、中島イソ子——肖像を探して

素顔とは

人の素顔とはなんだろうか。果たしてそういうものがあるのだろうか。人は多様な顔を持ち、一つに収斂《しゅうれん》することがない。また通常鏡に映る自分の姿は左右が反対の上に、自己の感情が入っているのだという。では画家は何を見て自画像を描くのか。鏡の向こう側に「素」の顔があるのか。

中島イソ子（一九四〇年―）の自画像にその鍵が潜んでいる。中島は一九六二年に武蔵野美術大学を卒業し、帰沖後は彫刻を沖展に出品していた。その後絵画を中心に活動し始めた。しかし彫刻的形態の捉え方は絵画にも生きている。以後中島は延々と二千点あまりも自画像を描き続けてきた。人間の体の中で唯一人目に晒《さら》しているのが「顔」である。生きている人の顔は冷静に眼差すことが出来ないという。自分が眼差されているのを強く感じるからだ。他者を鏡として私を知ることとしか出来ない。ちょうどウロボロスの蛇のようにお互いに飲み込みあうように、他者とは、他者の顔は眼差しとともにあり、単純には行かないものである。さて、中島イソ子の場合、自画像の中に他者の要素が入っているのである。ほとんど鑑賞者を見つめるように描かれている。

自画像へ

彼女の自画像にはその時代、時代の顔が現れていると言う。

技法は茶色を下地にした、古典技法に近い描写である。自己を通して人物を深く見つめた自画像。学生時代に麻生三郎に影響を受けたからと本人は笑う。画面からは暗く、重いイメージが伝わってくるが、作者は明るく、快活な人である。

画家が自画像を描き始めるのは、自己というものを意識した頃からである。自分を描いて、発表するというのは一見ナルシシズムに見える。しかし、自分を描き、突き放すには画家にとっては良い機会とも言えるが、反面自分の醜さとも対峙することになるのでつらい。それを描き続けるというのは、相当な覚悟と精神の張りが持続しているのだと思う。自画像を主に描き始めた八〇年代から見てみよう。八〇年代の半ばまでは幻想的で、モチーフを組み合わせたような画面であるが、八〇年代半ばからはっきりと、自己を中心に置いた構成で、デッサンも構図もどっしりと落ち着いてくる。それまで構図やモチーフに迷いを見せていた作画から、モチーフを絞りこみ、克明に自己に迫ってくるように見える。

九〇年代半ばに入ってくると、それまでの自己像に揺らぎが見える。自我の解体というものを反映させたのではないかと思う。実体的な自我像とはつまり本質主義的なものであり、それに対して、〈私〉は常に対象との関係で現れてくるというものである。これは近代の自我への懐疑でもあろう。中島のその頃の自画像は多くの〈私〉の顔が出てくるのである。矩形の中のたくさんの顔であったり、真ん中に大きな自画像を配して、背後に水平線まで亡霊のように無数の自己像を描いたりしたものである。九〇年代後半からは大きな変化が見られる。顔を全面に持って来て、大きなキャンバスにほぼ顔のみを描いていることである。しかもそれまでの描き方と異なり、大きくデフォルメされている。作品によっては肌の表面さえきわめて克明に描写している。最近では、モナリザやイタリア古典派の作家の一部を大きくしたものや、表現主義的な叫んでいる人の顔を拡大して描くようになった。

視線と感情移入

生身の人間を凝視することは不可能であるが、絵画や写真などの表象の場合、吾々は冷静に見つめることが可能である。それでも絵に感情移入すると、その視線に射すくめられてしまう。しかし中島は喜んで描いているようである。とはいえ、中島にとって、自画像を描き続けるのは、覚悟のいる作業である。中島の自画像は、殆どが正面を凝視している。逆に描く本人が凝視されている。他者の視線を感じながら描いているのであろう。そのことがないと、突き放した表現になり得ない。しかし完全な他者ではあり得ない。自画像のややこしいところだと思う。そのややこしさをくぐり抜け、中島は一つのモチーフとして（多分）楽しく描いているのである。初期の頃は風景や家族が入っているのが、徐々に自分一人に絞られ、顔だけの自画像（究極の自画像）や古典を流用したデューラー、或いはラ・トゥール作品の婦人の目の中に自画像を描き込んだりした。

《私９歳》《証明写真》（いずれも二〇一八年）は、社会風刺的な作品である。終戦直後の衣服の不自由な時に母親が調達して作った服を着た希望に満ちた本人がいる。その子供時代の横にリクルートスーツ姿の「証明写真」を描いた自画像は、今日の青年たちの現実主義的な、ある意味時代の閉塞状況を生きていることを批判しつつ、その状況に入ってみたらどうだろうという諧謔《かいぎゃく》精神溢れる作品となっている。

さて、中島の自画像は「素」の顔を描いたのであろうか。それとも、ある日のある状況を顔に託して描いたのであろうか。権威の象徴としての王様や偉人の肖像画と異なり、アトリビュート（付属物）はいらない、純粋な自画像ではあるが、背景や技法の中に時代も感じるのである。

15、真喜志勉――ネオダダの沖縄的変容

戦後と「TOM　MAX」

真喜志勉（一九四一―二〇一五年）は、沖縄の戦後美術において「アメリカ」を描くことで独自の位置を占めていた。アメリカをイメージさせるもの、あるいは米軍そのものを描いた画家は安谷屋正義の後、ほとんどいなかった。真喜志の描くアメリカは社会主義リアリズムのようなストレートな表現ではなく、アンビバレントな対象としてのアメリカであった。生活世界ではミスターアメリカをことさら示して見せた。熱烈なアメリカ文化への憧れと反基地の思想が同居するアーティストであった。また、真喜志は美術のみでなく、文化全般について発言をした。本稿では欧米生まれのポップ・アートが沖縄の地においてTOM MAXというアーティストを通して変容する過程を見ることにする。

真喜志は那覇市に生まれる。父親が基地内のテーラーで仕事をしていた関係で、小学校のころからアメリカ文化、特にジャズに親しんだという。一九五九年、多摩美術大学洋画科に入学。大学二年のとき読売アンデパンダン展に出品した。一九六〇年、読売アンデパンダン展はネオダダ隆盛のころで、批評家東野芳明が反芸術という言葉を用い始めるきっかけにもなった展覧会であり、戦後が終わったかのような表現に突入している。真喜志は沖縄にネオダダの熱を持ち込もうとしていたと推察される。一九六一年に初の個展を那覇市の琉米文化会館で開催している。

一九六三年八月には沖縄戦後の前衛の生え抜きである第二回グループ「耕」の作品展に対抗するように野外展を開いた。会場は、「耕」の展覧会が開催されるタイムスビルの斜め向かいの空き地であった。「真夏の太陽と作家の出会い」というタイトルで比嘉良治・西銘康展と三人での野外展だった。これはアンデパンダン展の流れがそのまま反映したかのような展示であったという。真喜志は初個展以来、注目のアーティストとして迎えられている。

一九六七年、新報ホールでの「ジョン・ルイスの世界」展で顔のシルエットの反復をシルクスクリーンで制作したポップスタイルの作品を発表している。一九七二年の日本復帰の年には「大日本帝國復帰記念」というタイトルのパロディーに仕立てあげた個展を開催している。この展覧会はかなり政治色の強いものとなっている。硫黄島作戦での（よく知られる）複数の兵士が星条旗を立てるショットで、星条旗の代わりに日章旗を入れ込み、また正面向きの東條英機の像が印刷されたシルクスクリーンの作品を壁に連ねた。手の込んだことに、ダイレクトメールは赤紙の召集令状であった。その後、ニューヨークへ遊学に発つのである。真喜志は沖縄でのホットな動きを読み、そこにクールさを持ち込もうとした。ポップはネオダダを親に持つ。日本で日本的なネオダダが隆盛となり、それが読売アンデパンダン展の主流であり、真喜志に受け継がれた精神といえる。

ポップ・アートへ

ニューヨークでは、ジャズ・バーの皿洗いをしながら、その時代の空気を満喫。抽象表現主義、ネオダダ、ポップ・アート、ミニマルアートなど戦後のアメリカ美術の潮流を目の当たりにする。沖縄に帰ってきた当初はネオダダ、ポップ・アートに影響を受けたコラージュを連作する。ラウシェンバーグ風の絵画は、異質なイメージの寄せ集めからなり、当時の沖縄では極めて斬新な表現として迎えられた。ラウシェンバーグが受け入れられるには、アメリカでの論理的な展開があった。単なる意匠の交代ではないのだ。つまり価値基準の全く異なる作品画像の併置「フラットベッド」は、モダニズムの死と受け止められたのである。アメリカの美術史家ダグラス・クリンプはラウシェンバーグの写真を使った作品をポストモダンの到来と受け取った。

いってみればフラットベッドとは、モダニズム以前およびモダニズムの絵画にはなじみのなかった文化的イメージからなる、膨大で異種混交的な配置を受け入れるような絵画平面なのだ。〔中略〕モダニズム出現の時期にはひとつの画面に集約的な構造の一貫性があった。それに対して、ポストモダニズムの始まりにおいては、それとはまったく異なった絵画論理が獲得されている。

（ダグラス・クリンプ「美術館の廃墟に」『反美学 ポストモダンの諸相』室井尚・吉岡洋、勁草書房、一九八七年）

真喜志の後にポップを受け継ぐ沖縄の作家といえば一九八〇年代の渡名喜元俊から二〇〇〇年代の照屋勇賢、山城知佳子まで待たねばならない。渡名喜は別として、照屋はアンビバレントなアメリカ・オキナワ像を観者にゆだねるポップ特有のあり方という共通点がある。観者を宙吊りにする感覚とでも言おうか。しかし近年では、全体としては観者を一定方向に誘導していく。真喜志は一九七〇年代初期の頃は、油彩、筆で描いていたが、後半からは雑誌のグラビアから溶剤を使って転写するモノタイプやシルクスクリーンで印刷した作品を制作する。

変遷の例を見てみると、一九七〇年代半ばが真喜志の作品の一つの頂点であり、変わり目でもあった。一九七四年の《無題》は、油彩にキャンバス、全体が灰青色で筆触分割されている。画面左下に帽子を被った若い女性がグラビアから転写され、真ん中には黒いドアらしき図、隣には箱のなかに人物の影が描かれている。リズミカルで画面は明るい。一九七五年の《無題》は、画面はブラッシュストローク（運筆）が冴え渡り、イメージが分割される。人物の代わりに、転写の上から筆を引いたスポーツカー、上方にはレモン、その横には青空が描かれる。一見バラバラな画面であるが、持ち前の色彩センスとイメージの錬金術とでもいうような技が作品として成立している。シュルレアリスムの紹介や当時、豊平ヨシオなどのネオダダ的な作品展があり、沖縄でも真喜志のイメージの併置された作品は受け入れられる素地があった。しかし沖縄の政治・社会的バイアスが絶えず作品作りに影響してくる。

《カウントダウン》（一九七六年）は、ベトナム戦争終結翌年に描かれた。絵は様々な引用のコラージュである。アウシュビッツの絞死刑のシルエット、ベトナム戦争での路上の銃殺刑、沖縄戦での日本軍司令部の写真、上部中央にはポルノグラフィックな女性のヌード、その下には時計を背景としたアメリカンフットボールの選手と下部中央に米軍空母（らしき）の戦闘機に離陸の合図をしている兵士。それらが呼応して描かれている。選手と戦闘機、兵士は圧倒的にパワフルでクールである。そして雑誌のグラビアから転写されたポルノグラフィ。その周辺は戦争の禍々《まがまが》しさをまとわせている。そこに描かれているのは表面の格好良さに隠された戦争の暴力であろう。これまでの作品と異なり、作者の恣意的なモチーフの選択がある。そして画面がかなり求心的である。この世界の悲惨と快楽を散りばめつつ、全体として反戦の意図が強く出ている。この絵画はベトナム戦終結に合わせて、メッセージとして描かれた。それまで意味性の否定によって、解釈を許さない、制度に対するラジカルさが、ここ沖縄では時にメッセージを取らざるを得ないものに変容した（と考えられる）。

その最も印象的な例が、真喜志が参加した「'76展」である。真喜志は新聞紙の二つの大きな束の一方に、ネズミ捕り器と口をふさがれたマネキンの首を置いた。そしてもう一方にはビクター社の犬のマスコット人形を対置させた。現在では「インスタレーション」としてくれる表現だが、「ぶちまけるように」提示された一連の大規模な展覧会の終幕であった。口をふさがれたマネキン、犬という分かりやすいメッセージには沖縄的な急迫的事情があった。「海洋博覧会」という、列島改造論の一つがバリバリと音を立てて始まり、急激な消費経済、都市労働者の流入による倫理・経済破壊に終わったのであった。復帰後急激な消費経済、日本文化の流入によって、沖縄の危機的状況は長い間続いた。ニューヨークでのポップ・アート、ネオダダ体験は沖縄の政治的バイアスによって、より強く社会的なものになっていったのである。

利休鼠から漆黒へ

真喜志の一九八〇年代は一気に様々なスタイルを試すことができた時期である。この年代は《記憶の遠近法》（一九八三年）に代表されるアーチ型の形態、若干抑え気味のグレーや黒色の色面の画面分割（この色は真喜志が長年好んだ色であるが）、幾何的な形態や直線に対するフリーハンドによるブラッシュストロークなどあらゆる技法を駆使して展開している。グレーに黒のモノクロ画面について、「本土の作家は沖縄は明るくないと気がすまないらしいが、住んでる僕らにとってはそんなものじゃない。［中略］過去を今というフィルターを通してみると、今のぼくらにはこうしかならない」（「アシャギ」『琉球新報』一九八三年八月二六日）と述べている。以後、黒とグレーは素材が変わって、テーマが変化してもずっと変わらない基調色となる。概して洗練され都会的、デザイン的な印象をも与えている。その後明るいグレーをバックに米軍の戦闘機をフロッタージュ風に描き入れたシリーズ、抽象的な色面に白い点描などや、若干の汚れでもすぐに分かる繊細な画面に鉛筆の線を見せるなど、繊細さと技法、センスの良さを見せた。

真喜志の転機となったのは半年近くの結核療養後であった。《STUDY IN HOSPITAL》（一九九〇年）

は関係者を驚かせた。退院後は色彩も素材も大きく変化して、モノクロの墨による淡い色の漆喰の壁になったのである。それまでのコラージュを多用したバラバラなイメージの併置から、徐々にイメージが取り除かれていった。手漉き月桃紙など、これまでにない伝統的な手わざをいれこむことで、亀甲墓を想起させるものや、病院のマーク、そこに丸いくぼみなどでアクセントをつけたが、全体として静寂さが漂い、生死をめぐる想念の現れにも思えた。これまでのキャンバスにハイセンスな画面作りからモノトーンの「壁」に移行した。

アメリカのモダニズムの評論家、クレメント・グリーンバーグはポップ・アートなどイメージ絵画を「キッチュ」として排除したが、批判的立場に立つレオ・スタインバーグは一九六〇年代後半から現在までずっとポップ・アートの言葉を使い続けてきたといい、ミニマリズム絵画でさえもポップ・アートの要素を含んでいると考えた。そういう意味では真喜志はもっと徹底してその技法を使用して行くのかと思わせた。しかしながら一九九〇年代は同一画面へのイメージの併置、繰り返しではなく、物体―壁を思わせる作品を制作していくのである。但し、反復する作品展示はポップの方法であった。真喜志は一九九〇年代ほとんど漆喰と薄墨のモノクロのマチエール、鉄板などを入れた作品を制作している。その作品は内面へ潜ろうとする様子を窺わせ、一九八〇年代のハイセンスなデザイン感覚から一転したように見えた。

二〇〇〇年代からは漆喰にベンガラの色をまぶし、さらに墓標を思わせるモノクロの画面作りが続いた。転機は二〇〇一年アメリカ同時多発テロ事件の年の個展での真っ黒な箱と認識番号のような鉛の札による追悼作品、さらに二〇〇四年八月一三日の沖縄国際大学へのヘリ墜落への抗議を表した作品群であった。真っ黒の漆黒の作品の中に、傘やネクタイ、電球などのシルエット、言葉遊びを入れて洒落《しゃれ》にしている。しかし展示空間の一角にはキープアウトの黄色いテープ、向こう側には沖国大へのヘリ墜落事件の記憶を留めるオブジェが吊り下げられた。それ以後の真喜志は沖縄の基地問題にアイロニーをきかせた表現を続けた。ベースは墓標を思わせる箱型のモノクロ（黒色のボックス）に白のブラッシュストロークで制作していた。熱い反戦のイデオロギーを避けるように、漆黒の作品群から言葉遊び、「I love Marilyn not Marine」、「Jet noise is The truly sound of freedom」など英語も作品に入れ込んだ。言葉や痕跡、色のシミがアクセントとなり、記号化されインデックスともなった。

二〇〇四年以降、真喜志の表現に再び転機が訪れたといえる。これまでも沖縄の状況を自らのスタイルに入れ込んで表そうとしていたが、完全に真っ黒に塗られた墓標に変化する。その中に白色の塗料や、チョークでジェット気流や基地にまつわる言葉を暗示した。とくに二〇〇〇年代以降は、モノトーン（灰色か黒色）の作品群であり、一〇年代からはポップの形式を利用したメッセージ性のある絵画に近づいた。「真っ黒は闇、出口が見えない。それでも希望を見いだしたくて、描き続ける」（「画家・真喜志さんに聞く」『沖縄タイムス』二〇〇九年九月二二日）という言葉がこの時期の画家の心情を物語っている。

16、大浜英治──色彩の迷宮

色彩と線

大浜英治（一九四五年―）は色彩の画家として知られる。かなり強烈な色彩も併置し、調和させる。近年は横長の画面に色面のみのシンプルな画面構成である。それでも、独特な筆さばきとセンスで、いかにも大浜らしい特性ある画面である。周囲の美術家が、沖縄の風土や現実を取り入れて制作するようになっても、その姿勢は変化しない。

一九七〇年代、幻想絵画によって自分の画風が確立して、実質的なデビューとなる。大浜は《預言者》（一九七六年）、《追憶》（一九七七年）でシュールな空間と表出的な筆致を融合した。無意識にまかせて描くシュールな手法と勢いにまかせてキャンバスにジェスト（身振り）をぶつける手法である。前者の絵は暗青色の背景に風がうずまき、よく見ると動物の顔や目が描かれている。後者は複雑で狐の顔など多くのモチーフを盛り込んでいる。

この作品らは作者の心理を表出するかのような渦巻く嵐の中に、それぞれ画面中央に預言者がいて、追憶する人物がいる。自分の周りの世界が激しく動いて見える青年期の終盤の心理かもしれない。事実、この年周辺は海洋博覧会閉幕、ベトナム戦争集結、最後の沖縄でのネオダダ展「'76展」の開催、「人類館」の公演、具志堅用高が世界チャンピオンを奪取している。金城規克、屋富祖盛美、比嘉武らの「四人展」の結成も大浜の仕事に拍車をかけた。一九七〇年代、四人のシュールな作品が時代をリードした。一九七三年タイムス・ホールで開催された「現代の幻想絵画展」は大きな旋風と化したが、その中から出てきたのが上記の四人と喜久村徳男、与久田健一、川平惠造らであった。逆に沖縄の固有性にこだわったのが普天間敏、喜友名朝紀らであった。

一九八〇年代になると細かい図の画面、装飾的な絵画になる。《星をつかむ男》（一九八二年）は平面的であるがドリッピングや筆のはねが暗い画面から浮き上がって見える。完全抽象であり、オールオーバー、実験的な仕事であった。〈風景のなかで〉シリーズでは筆の筆勢に任せて、激しい身振りをキャンバスにたたきつけていた。色そのものの物質性というよりは、色の持つ感情を身振りで表現するといったものである。転機は一九八八年の画廊みやぎでの個展であった。色彩の乱舞といった印象を受けたのを覚えている。《恋人たちのいる街》（一九八八年）は装飾的な襖絵を想起させる大胆な大型作品で衝撃的であった。もともと線描よりは、色彩、理性よりは感性に重きをおくこの作家ならではの仕事であった。

色彩の官能へ

色彩の解放は新印象主義以来、ゴッホの表出的な筆致からマティスのフォービズムで完全に色彩が自律していく。ピカソの原点はアフリカ彫刻＋キュビスムであるが、大浜の画風はマティスの豪奢な装飾を彷彿とさせる。この後完全な抽象になり、技法もキャンバスに筆という伝統のパターンを続けている。その色彩は赤色が目立つが、原色の色がそれぞれ輝いて見えるのは長年の修練であろうか。〈風景のなかで〉が、この二〇年近いシリーズであるが、徐々にシンプルになりつつある。つまり、線描による理性主義を離れ、完全に色彩の官能に委ねようということである。世紀末に現れた装飾的価値の再発見は「印象主義のレアリスムに対する反動」（宮川淳「絵画における近代とはなにか」『美術史とその言説』中央公論社、一九七八年）であった。大浜にもそれが言えるだろうか。抽象絵画には必ず深遠なイデアが必要なのか。それに疑問を持った絵画ともいえる。

沖縄では近代美術は戦後に大きく展開していくが、現実をリアルに描くことから抽象化へ、次にローカルをどう取り入れるかが問題になっていった。ただ近代絵画の問題を突き詰めて行く前にモードとして入ってきた可能性がある。印象派は前代からの大きな切断であったからだ。「ボードレールはマネに『近代的現実への断固とした好み』と想像力とを結びつけた画家を見て賞賛を惜しまなかったが、マネに見られる明るい色彩、技法の単純化、ヴァルールの否定、フォルムの平面化―それは『自然の模倣』としての絵画伝統に対する最初の大胆な挑戦にほかならない」（前掲書）。

大浜にはそのようなモードや流れにとらわれない覚悟があったのだろうか。沖縄では戦前から原風景を描き続ける画家がいて、五〇年代と復帰前後は新たなローカルが求められた。一九六〇年代はモダニズム隆盛、一九七〇年代から再び固有なテーマが芽生え始める。沖縄の社会問題に言及した作品が増えるのが二〇〇〇年代以降である。大浜のスタンスはモダンの領域からはみ出ることはない。今後も個々の色彩の輝きを磨いていくのだろう。

17、宮城明——世界の皮膜

素材へのこだわり

宮城明（一九四五年―）の原点として、一九七〇年から一九七三年までのニューヨーク、アメリカ滞在と帰国途中の南米、ヨーロッパ、アジア経験がある。現在でこそ、誰でもどこでも海外に行けるようになったのだが、時代を考えると実に思い切りの良い行動である。

ニューヨークから帰ってしばらくは、ポップ・アートに影響を受けた作品を制作していたが、一九八〇年代に入り、タブローを離れ、支持体である布地そのものを前面に出して作品化するようになる。波状にうねり、ボリュームのあるシェイプトキャンバス（変形キャンバス）は、視覚的なものから触覚的なものへの移行を意味している。それまでのキャンバスへの単色のみによる単純な三角や円、四角などの形態の描画から、《Body'87》などの半立体への移行。おそらくそこには、根源的な造形への懐疑や考察があったと思われる。

あるいはミニマルアートの作家たちが立体化していく過程と同様のことも考えられる。ミニマルアートは完全な非イリュージョン、外部に参照項をもたない完全な形態を求めた。平面であるかぎりイリュージョンが発生する。それを解決するため図のみで成り立つ立体に向かったのである。つまりイメージから物そのものに語らせるという手法に転換していくのである。宮城の場合、素材との出会いである。最初の出会いは、布や和紙であった。和紙や布が持つモノとしての存在感をどのようなかたちで表現すればよいのかというのが、そのころの宮城の考え方であった。

素材にこだわるのは、もちろん選ぶ主体があるという意味では、モダニズムの範疇に入るが、しかしながら素材によって選ばれるという受動性において、ことは若干位相が異なってくるのではないか。平面の形態あるいはイメージから、立体への移行は形態論的な展開ではなく、素材論からというのは大きな転換ではあった。

作家という主体が素材に身をゆだねるという、視覚的なものから触覚的なものへの転換でもある。従来の四角いキャンバス、絵具という素材から、不定形で、織られた布や、和紙を使用しての作品化でもあった。しかし宮城の作品からは、「手仕事」という言葉はまったくでてこない。それに反して、荒々しくダイナミックである。この傾向は以後様々に素材を変えても同様である。あくまで平面にこだわりながら、どちらかといえば布や和紙の風合いから、沖縄やアジアなど土地の持つ記憶や、美術作品の成り立つ場所まで降り立ったところで作品化を図ろうとしたのである。和紙による自然を想起させる作品、様々な色合の、縄で織り込んだかのような荒々しいタピストリーに近い作品。張り込んだ布は一色で染め上げたり、縫い合わせたりしており、キャンバスのエッジの曲線のフォルムはボリューム豊か、荒々しいが、たおやかで美しい。

一九八八年宮城は、作品をコンテナに積み込み、かつて一九七〇年代に三年間学んだニューヨークにある世界的にも有名な画廊、「レオキャステリ」、「ＯＫハリス」に単身売り込みに行く。結果は芳しいものではなかったが、厳しい美術環境に身をさらすことにより、自分の仕事がより明瞭になったという。

ジーンズシリーズへ

一九九〇年代に入りスタートしたのが〈ジーンズ〉シリーズである。一九九一年の個展が転換期であった。胴体から大腿部までくりぬいた人型の板の下半身にジーンズ、胴体にはドンゴロスを貼り付け、漆で固め、黒や赤色で着彩する。上半身に弾痕のようなものの穴が穿《うが》たれ、否が応でもこの地の戦争や、戦後の様々な暴力の記憶を観者に想起させた。荒々しい質感と漆の持つ艶やかさと硬質感が強烈な印象を与えたのである。素材にジーンズを使用することは、あきらかにジーンズの持つ多様な意味性を引き入れることになる。さらに一九九六年の南風原文化センターでの個展では漂白されたジーンズの荒々しい質感と縫い目によって描かれた図に異質な素材を貫入させ、分断し、切断、縫合、針金などによる分節が図られた。焼き跡や、裂かれた痕跡が暴力を連想させたのである。

二〇〇〇年から印刷製版用のアルミ版を使用する。古い木板の上に貼られたアルミの板を叩いて皺を出し、腐食させマチエールを出して行くもので、憑りつかれたように、使用済みのアルミ製版を素材とするようになった。アルミ板をキャンバスに見立てて、ローラーで何度もプレスし、彩色を施し、穴が穿たれたボードにそれを貼り付ける。その上からさらに木槌で叩き、穴を開け、切り裂き、ワイヤブラシでこする、といった作業を繰り返すことで、マチエール（絵肌）を作っていくのである。その上にビス、ワイヤー、あるいは異質な金属質の素材を貫入させ、腐食液をかけてさらにバーナーで焼いて作品として深化させていく。

「描くより、刻む、切る、叩く、焙る、腐食する行為となる」（宮城明「表皮一体 2002」『表皮一体』沖縄科学技術大学院大学、二〇一三年）。それが見事に結実したのが二〇〇二年五月、前島アートセンターでの個展であった。焼かれた表皮のすきまから赤い溶岩あるいは血が露出し、それは密度の濃い歴史の隠喩としても捉えられ、地球のマグマと表皮のような地殻のイメージの連鎖を誘うものでもあった。ジーンズのようにもともと素材が持っている意味性やイメージが強烈でない、ニュートラルに近い素材を使用することで、宮城の仕事は大きく転換したといえる。この年宮城は読谷村立美術館の「三人展」と前島アートセンターでの個展、そして佐喜眞美術館の個展と、旺盛な制作を持続している。宮城明の仕事に一貫してあるものは、人間や地球のすべてのものにある境界としての「皮膚」「膜」であると考えられるのではないだろうか。きわめて薄いものではあるが、それによって、美が生まれ、それなくしてはあらゆる形が壊れる。しかしまた内部を覆い隠すものでもある。

マグマ07の意味するもの

沖縄県立博物館・美術館のアトリウムの壁―真っ白で、いかにもモダンなニュートラルな壁である。その空間に対峙して、巌として屹立する《マグマ07》は四×八メートルというかなりの大作であり、物理的にも作品の持つ意味も重い（二〇〇七―一四年まで展示）。禍々しいとでもいえる暴力の痕跡の露な「皮膚」といったような平面である。

作品のアルミの薄い膜の破れ目から出てくる、赤い血や、マグマなどをイメージさせる。アルミの印刷版自体に暴力が振るわれ、断裂や陥没や穴などが開けられることの誘惑がある。現実の暴力は許されないが、作品として成立させるための暴力。それはまるで悪魔払いのように自分が悪魔になることで、救われることに似ている。ドイツの美術家キーファーは自らが、ナチスになったかのごとく、ふるまったが、それは悪魔払いにおいて自らが悪魔になった所作ともいえた。宮城は逆に受苦をうけつつ、自らに暴力を振るう。しかしながら宮城の作品世界は単なる閉鎖する一個の皮膚ではなく、受苦をうけつつも世界、宇宙をも感受する皮膚である。

18、鎮西公子――線と面のハーモニー

はじめに

鎮西公子（一九四八年―）の作品の特徴をあえて一言でいうなら、初期の頃から通奏低音のように一貫して響く「線と面のハーモニー」である。

画家が絵画で表現する時、自己の外部に対象を参照するのか、精神の内部のイメージを取り出してくるのか、どちらに比重を置くか二通りの方法がある。鎮西の場合、後者である。絵具をキャンバスに筆で塗る。色彩があり、絵具の厚みがある。あるいはモノのコラージュがある。鎮西はその物質感と色彩の官能性を常に探っているように見える。もちろん、見る側は画面から勝手に個人的イメージ＝連想を呼び起こすものである。

鎮西の作品の様式である抽象画にも様々な表現方法がある。抽象画の先駆カンディンスキーは、音楽にその色彩とトーンを求め多くの言葉を残した。絵画を作曲に例えた言葉がある。具象から抽象への道は、モンドリアンも有名な樹木の具象絵画から抽象化を経て完全な抽象絵画に移行する連続した作品を残した。初期の頃の抽象画家たちが言葉や作品で抽象への過程を著したのは、一般、関係者に理解されなかったのが大きな理由である。その後、現代美術なども数多くの作家や批評家が作品の「意味」を解説した。抽象の自明化は、初期のころは全くそうではなかった。開拓者たちは新たな現実をキャンバスに定着しようとしたのだ。それはそれまでの絵画芸術との

断絶でもあった。抽象が自明化しているということは、「風化」しているということでもある。「抽象」の捉え直しが必要なところでもある。鎮西はキャンバス上での「現実」をつくりだそうとする。

鎮西は抽象画家たちの中でもクレーがもっとも好きな作家だという。クレーも著作に具体的に作品制作に関する有名な言葉を著した。「芸術の本質は、見えるものをそのまま再現することではなく、見えるようにすることにある。たとえば線描の本質はともすれば抽象に向かうが、当然のことだ。もともと線描芸術は、想像力の産物」（パウル・クレー「10．創造についての信条告白」『造形思考上』ちくま学芸文庫、筑摩書房、二〇一六年）という絵画の原理的な言葉を残した。抽象の方向性として対象の痕跡を匂わすか、対象を全く感じさせないか、その両極を画家は動くものであるが、鎮西は八〇年代頃から、画面の中だけで表現するようになった。

具象から抽象へ

初期の頃はセザンヌ、モネに傾倒していたという。ニシムイ周辺ののどかな風景がモチーフになっている。《道のある風景》（一九七〇年）はすでに建物と道、空が溶融している。《風景》（一九七〇年）などはさらに溶融度が増し、緑一色に近い画面の中にわずかにスピリットのように赤瓦が見える程度である。セザンヌよりはモネの作品に近い。色彩の緑と形の溶融感は持続する。この緑の森の色彩は持続して現在にまで至るのである。色彩の選択と好みは個人的なものである。自らが育ったニシムイの森や儀保界隈の街と自然が鎮西の絵画を作ったというべきであろう。様式の複数性はこのころから見られる。例えばほぼ緑一色で描かれた《風景》（一九六五年）はフォービズムやセザンヌの動く視点の影響も考えられる。鎮西の身体と風景＝空間が一体化した表現から、主体と客体が分離（建物や物、空や自然など）してきたと言うべきかもしれない。その点からいえば《風景》（一九六五年）の方が直情的であり、色彩も直接的で、その後の「ニシムイ」の部の完成された作品群よりも衝迫度がある。

鎮西は具象的モチーフを残した調和的な画面よりもマチエールを重視した物質感のある画面へと移行していく。徐々に抽象的になり、八〇年代後期になると《白夜の頃》（一九八七年）、《顔のない自画像》（一九八七年）のような具象的なイメージのない「完全な」抽象に移行する。画面に奥行きがなく、平面的であり、尚且つ分厚い油彩絵具の層が重量感を感じさせる。色彩も茶褐色が加わり、色彩、図像もクレーの画風を思わせるものになっていく。なぜそのような展開になっていったのか。要するに具象からなぜ抽象に移行するのか。本人にとって具象の限界があったのだと思われる。それは抽象絵画の奥深さに魅了されたとも言えるし、抽象そのものへの誘惑があったとも言えるが、作品を見ていくと必然性を感じる。事物の形態や物質性を強調する絵画空間を作っていくようにみえる。芸術上の現実を作ろうとしたとも言える。クレーは「芸術家は媒介者である」（前掲）とも述べている。媒介者とは現実と表現された作品との中間にある作者である。鎮西はゼロ地点にいて、メディア（霊媒師）のように、感覚に従い、理性で制御し制作する。《メモリー》（一九九二年）は三角の大小の形態の重なりの画面の真ん中を縦状に蛇行する一本の線が走り、絵具の厚みとフォルムの見事な軽快な調和となっている。よく見ると重なりあったフォルムの中に細かい線が無数に描かれ、そのエッジがまるで布の縁のような感触でもある。

多様性へ ── 二〇〇〇年代

先述したクレーの言葉、「芸術の本質は、見えるものをそのまま再現することではなく、見えるようにすることにある」とは見方を変えると、絵画も自由な媒体として、様々な志向が考えられるということでもある。鎮西は二〇〇〇年代、画面に布を貼り付け、印刷された雑誌片を貼り付けるなどコラージュを試みる。コラージュはピカソ、ブラック、シュルレアリストなど多くの先駆者がいるが、外部の流用であり、様々なものをキャンバスというフラットな面に貼り付け、統合して見せるものである。この章で、コラージュの他に特筆すべきは黒い線のドリッピングである。線が自在に画面を跳ねまわり、空間の硬さを溶融しようとするのである。一般的に線を強調するのは理性、色彩は感性的であると言われる。鎮西はその二つの特性を統合しようとする。

二〇一〇年代の作品群はこれまでの総合ともいえる構成となっているが、画面を構成するフォルムが大きくなり、縦長や楕円形のゆらめく形や、白抜き、ぼかした雲状の図像が特徴である。特に白抜きの浮遊する形態が軽快な感じを与えている。《はじまりの詩》(二〇一三年)は縦長の作品四組で構成された実験的ともいえる、場所に合わせた作品であり、画面上のフォルムも円状や三角、棒状の形態が踊っているような洒脱《しゃだつ》さである。何かから解き放たれた自由さがある。地=

空間が世界だとして、図＝フォルムがそれぞれの人生として、これから自由に生きるという世界観にあふれている。自画像や少女像など人物画も手がけているが、《回帰》（二〇一一年）は人物が左右に配され、真ん中の上下に人物が描かれている。この作品は画面全体がこれまでの抽象の構成を下地にしており、今後の展開に繋がるものである。

二〇一二年からの近作では、《太古との対話》（二〇一八年）に見られるように矩形の大小の重なりはホワイトを多用し、例えば早朝の薄明、行き交う雲や街、自然などを連想させる。真ん中付近の左右におぼろな青灰色の四角いフォルムを置き、画面の縁に小さく強めの赤の色斑を点滅させ、視線を中心に集中させないようにしたオールオーバーの画面構成は、枠の外にも広がって行く感覚を与える。《ある日のできごと》（二〇一八年）も同様なコンセプトに基づくが、構成された画面を不定形な雲が覆う。赤味や青味がかった灰色の不透明なフォルムが画面＝世界を繋ぐ。鎮西にとって、二〇一八年の展覧会「ＺＥＲＯのステージ」には初期の絵画制作のスタート時に戻り（ゼロ地点）、感覚と認識を新たに磨き、作品を生み出そうとする意図が強く見えるのである。

19、川平恵造――表層の風景を超えて

あたらしい風景

川平恵造（一九四九―二〇二二年）の一九八四年、琉球新報大ホールでの第二回個展は圧巻であった。沖縄の新しい風景と言える作品を並べて見せたのである。

対象となった「新しい風景」とは、都市の風景であった。それも復帰後数年で急激に作られた都市、あるいは都市生活者の望む南国風景の出現というべきものであった。映画のセットのような、ハワイかマイアミのような、にわか風景が沖縄の都心部から北部までを縦貫したのであった。それがたった一〇年足らずで沖縄の風景として定着したのである。その当時出現した風景は日本政府の沖縄の近代化＝消費社会化政策によるものと、沖縄側からの呼応であった。今ではそれにプラス「癒し」のおまけもつく。

川平は、いち早くその風景の表層を引きはがしてキャンバスに定着させたのである。手法としてはシュルレアリスム的手法である。例えば〈NOW〉シリーズでいえば、そこは抜けるような青い空と海であった。まぶしい白い砂浜とパラソル、パラソルの下には当然ビキニ姿の美しい女性と思いきや、牛骨が居座っている。あるいはアルミサッシの窓の外には青い空が広がり、その下方には雲がたなびいているが、その下には米軍基地のゲートがある。よく見ると基地は窓の中に入り込んでいる。基地さえも観光化されはじめた時代を取り入れた、とこじつけることもでき

る。しかしその空間はきわめてからりとしたクールでポップな、なおかつ美しい風景であった。あるいはカーブミラーと駐車禁止の標識の精緻な描写の背景に夕闇に影となって、その形を黒々とあらわにする民家のシルエット――いかにも沖縄らしい――スラブ打ち、ブロック壁、水タンク、テレビのアンテナ、ハイビスカスの葉らしき影。そのストレートで突き放したようなリアルな描写が逆に沖縄の風景と風景を視る我々の視線の変化に気づかせてくれたのであった。ちなみに風景として見るというのは、近代化の過程で起きる視覚の変容である。都市の視線が風景（美化することと）を生みだす。それまでは生活空間でしかない。

あるいはくっきりと晴れた青空に星条旗と日章旗がはためいているだけの作品は美しい。かつて西部のような荒涼とした1号線の脇に立て掛けたコカ・コーラの看板が美しかったように、観ているうちに、訳のわからない感情に襲われる。背景にある沖縄の歴史まで考えてしまう。

抽象への転換

そして一九九〇年代に入ると作風も様式もがらりと変化させた。その変化があまりに大き過ぎて従前の川平像とは異なり、戸惑いを持った覚えがある。明快な決断によってこれまでの具象画から抽象に切り替わったのであった。急激な変化のひとつは具体物を描かないこと、もう一つは現実にあるものの流用であった。この頃の初期作品は、キャンバスにピスタチオの殻を接着させ一方向からエアブラシを吹き付けていた。あるいは沖縄の砂浜のイメージであった。その後は箱状の、キャンバスに彩色したミニマルアートを思わせ、自分で木工をてがけ、水屋（食器棚）の一部を制作し、平面作品を組み込むなどしている。しかしあくまでも平面からは離れず、制作している。

窓の外に砂のイメージあるいは星空のイメージをほどこした空間を作り出し、内と外の往還を考え、引き裂かれた窓枠、あるいはたわめたキャンバスを使ったりした。現実をいかに絵画の中に取り込むかということであった。イリュージョンを排してモノそのものに近付こうとすると、必然的に絵具と支持体としてのキャンバスの物質性を前面に出していくことになる。しかし、現実性に終始すると「いま、ここにある」という現前性のみに捕らわれ、逆に肝心の超越的な意味性が喪失することになりかねない。それゆえおそらく川平は現実とイリュージョンの境界を探る地点に留まった。

新たな川平の変貌と、沖縄がすっかり都市化された時期とは期せずして一致していた。そしてすぐに現在まで続く〈夏〉シリーズがはじまる。小さな画面に曲線状の波の形態やうねるような線が画面をよぎる。それをプロジェクターで拡大して大型キャンバスにトレースし、タブローに仕上げることで、一瞬の夏の感覚を表そうとする。激しい筆致の波はマスキングテープでかたどられ、画面にまぶされ、ながれるような砂も同様にマスキングされ、あくまでクールで分析的である。鮮やかな原色の「波」、夏の陽光にまぶしく照り返す砂浜のようなキャンバスとまぶされた「砂」も、具体的な「夏」の再現ではない。永遠の瞬間とでもいった、感覚の記憶の再現である。

しかしあくまでも「沖縄」の夏である。

ここ二〇年近くの川平の仕事に一貫して言えることとは、沖縄の夏の風景の奥、その表層の下にある感覚を独特の色彩や線で、自らの元に取り戻すような仕事をしている。二〇二一年の沖縄県立博物館・美術館コレクション展での最近作も縦長の作品を組み合わせ、九メートルの幅でダイナミックなスケール感であった。本作は新象作家協会主催の公募展「新象展」にて東京都美術館から大阪市立美術館まで巡回した。見事な色彩と線の妙があり、ベテランの仕事であった。

20、屋良朝彦——オブジェの再生

閉塞感を描く

屋良朝彦（一九五三年—）が画家としての頭角を見せ始め、斬新なイメージを提供したのが一九八四年からの「My Space——光と影シリーズ」であった。この年は、川平惠造の第二回個展（新報ホール）のあった年である。新象作家協会の先輩にも当たる川平からの刺激は大きかった。

身の回りにある、陽のあたらない対象を描いたというこの作品群は当時の時代状況の閉塞感を間接的に表してもいた。復帰から一〇年が過ぎ、沖縄の社会も落ち着いてきたが、何らかの喪失感も拭えないままに過ぎ去ろうとしていた。その閉塞感を自身の体験に即して描いたのである。工事現場にある、打ち捨てられたかのような赤錆びた鉄骨の破片やチェーンなどが前面に置かれ、コンクリートの壁に南国の草木の影が映っている。まるで沖縄固有の文物が無機質の中にとらえられていくような印象を持ったのである。それまでの沖縄の絵画にはない風景イメージの提出であった。

平面と立体のはざま

一九八九年からの〈ラッピング〉シリーズはキャンバスに折り目を作り、キャンバス自体を様々な形に変形させ、まるで立体のかたちがあるかのような作品（ラッピングシリーズ2）で、平面性を保ちつつ画面に光と影を取り入れ、立体的な処理を施している。錯視的で平面と立体のぎりぎりの境界をねらったものだが、描かれる樹木の影は前シリーズから引き継いでいる。一九九〇年代からは〈ドリッピング〉シリーズが始まる。これも前作の一部に取り入れられたものである。技法的には薄く解いた絵具を流して、キャンバスなどに染み込ますように定着させた作品であるが、偶然性と手業による必然性のせめぎ合いの緊張感が心地よい。

そして二〇〇〇年代からはBoxArtとして、それまで登場しなかった沖縄的なものが取り込まれる。ヒラウコウ（線香）、カビジン（紙銭）である。その他ビーチで拾ったグラスや流木などが箱状のフレームの中に配置されている（ミクスト・メディアシリーズ）。ことさら沖縄的なものをねらったのではなく、日常的にあるものとして、取り上げたということであるが、洒脱《しゃだつ》な表現である。二〇〇〇年代後半からは〈メタル〉シリーズが始まる。ビールの空き缶を平たく長方形にしたものを、ワイヤーブラシなどで磨き、メタル感のある状態にして、パネルにはりつけて構成したものである。もとの缶に塗られていた塗料が若干残り、面白いアクセントとなっている。わずかに角状に組み合わされた二枚パネルで作成された作品は構成と色彩、立体的な造形性が相まって金属的な肌触りを醸している。作者は消費される同形の物質たちが現代の人間社会と重なって見えるという。かすかに見える色彩はその中の残された個性ということだろうか。

二〇一二年、読谷での回顧展形式の展覧会「MY Space――イメージの形象化・五つのシリーズより」は、ほぼ五、六年単位で変化していく画家の軌跡を追える展覧会となっていた。その後現在まで製作方法は変化がなく洗練と深化、テーマとイメージが変わった。この二、三年は《Off Limits》（二〇一六年）といった沖縄の社会的現実に言及する作品も制作するようになった。ほぼ日常的な風景から大量消費されるオブジェまでをモチーフに制作してきた屋良は、一定の単位で作風が変化する。つぎはどのような飛躍になるのか期待させる。

21、粟国久直――言葉とモノ

透過光

粟国久直（一九六五年―）は宮古島で十代を過ごし、大阪芸術大学に進む。彼が制作活動をし始めた時期はバブル期で、おりからの関西ニューウェーブが吹きはじめたころであり、彼自身かなりの影響を受け、且つ悩んだということである。いわゆるポストモダン的な、主体を不問にし、消費社会を肯定するかのような、都市から派生する作品群を前に同様な作品作りを試みたこともあった。しかしそれは、粟国が真に作りたいものではなかった。「率直に原点に戻って」作品に向かうため、粟国は自己の深層にある言葉のイメージをランダムに羅列していき、「言葉の地図」を作り、造形へと立ち上げていった。それは沖縄本島ではすでに久しく経験できなくなった復帰前の宮古の自然や神々、死者との豊かな交感の記憶を核として、現代に生きる我々にも受け継がれている「事柄」を作品にしていくことであった。

沖縄の作家を紹介する川崎市主催の展覧会「EGO-SITE」展（アートガーデンかわさき、一九九八年）では木製の箱に塩、砂、サンゴのかけらを入れたきわめて原初的なオブジェを設置。壁にはDNAを模した蜜蝋で作ったフォルムを方形の無数の箱に入れて青ガラスをはめ込んだ。透過光により深遠で精神性が伝わる作品となった。自己撞着や、オリエンタリズムから逃れるため、様々な要素を分類し、意図的ではない意識のつながりを探し、複雑性や言語のゲームから方法を試行し、制作へ結び付けていく。素材を究める過程で、ものの背後にある意味を立ちあがらせ、「光」を獲得した。観者はその微かな光によって深い想念が喚起されるのである。栗国の手によって、塩、石灰岩、砂、鉄、木、蜜蝋、宝貝が象徴性を帯びる。とはいえ、栗国の作品は「物語」としてではなく、その作品の強さによって屹立《きつりつ》しているのである。

言葉の地図

栗国久直の作品は一見するとこれまでの絵画という常識を逸脱したものである。二〇〇〇年、画廊沖縄での作品〈Diagram〉は、白地に墨色でランダムに描かれた図像、短い単語やフレーズがレイアウトされたキャンバスが壁に掛けられているばかりである。広い壁に架けられた多数の白い正方形の小さなキャンバスの併置された作品群はその配置により表情が変わるが、基本的にはひとつひとつが独立した世界をもちつつ、序列なしに横に広がっている。従来の絵画からすると中心がないうえに、文字から意味を読み取ることになり、観者は新たな鑑賞体験をする事になる。マチエール（絵肌）のある画面に置かれた文字は時に上から白い霧（白地）がかぶさり、かろうじて見えるものもある。その空間の距離感は鑑賞者に読み取る行為を促すことと、対象にたどり着く前に中空に視線を漂わすという、両義的な経験をすることになるのである。

これらの作品群は直接的な作者のメッセージの伝達ではなく、メッセージと言葉の持つ霊性といったようなものの往環を観者に促しているのであろう。それは作者にとって内に篭《こも》ったものを限りなく引き留めておいておもむろに開放することに見える。つまり物としての言葉（描かれた文字）と意味の伝達との間の往環を提示しているのである。

粟国は作品を制作する前に、「言葉の地図」を立ち上げる。内部から言葉をたぐりよせ膨大な数を書き、限りなく自己撞着から離れるため、ランダムに配置していく。勿論その配置や提示する方法の美学については、作者の無意識の操作がかかわってくるが、それはあくまで消極的なものである。そこから絵画や立体に作品を立ち上げていくのである。画廊沖縄での展覧会はこれまで制作のために書かれていたキーワードを、作品そのものとして提出した。言葉の群れからは、やはり現在のこちら側（沖縄）の現状に引き写して意味を読み取ってしまうが、白い霧のなかで見えたり、見えなかったりするイメージの遠近に作者の抑えられた情動と倫理がある。

沖縄県立博物館・美術館開館記念展に出品した《Cube-Suger & Strawberry》（二〇〇七年）は沖縄戦でのシュガーローフと呼ばれた丘をめぐる日米の泥沼の戦いの写真をコピーし、ガラスに刻印して反射光を壁や天井に反映させたものであった。それから一〇年、粟国のテーマは、沖縄戦を超えて人類の長い歴史の中の戦争にシフトしてきている。それはまるでギリシャの長い叙事詩『ユリシーズ』を髣髴とさせる。粟国にこのような粘り強い長期的な仕事を要請するのも、沖縄の歴史的条件と作家の個性という要素の融合であろう。

22、阪田清子――還元装置としての「記憶」

初期作品

写真や、映画の体験は、記憶イメージを現前させ、過去をたどっていくような快楽がある。我々の記憶は常に過去へと辿《たど》るものと思われがちである。しかし記憶の更新といった効用もあるのではないだろうか。

阪田清子（一九七二年―）は、一貫して記憶とイメージ、その発生の初発にもどって確かめながら、現在とのズレを問題とする作家である。阪田の記憶は常に更新される現在進行形の記憶である。それは存在と非在のあわいを行き来する。記憶の原点にあるものは世界との交感である。ふるえる手つきで触れる自然やモノの感触、匂いやかすかに聞こえる葉擦れの音などを美術表現に置きかえようとする。阪田は沖縄県立芸術大学への進学のために沖縄に移り、以降郷里の新潟と行き来しながら活動をしている。彼女の卒展は作家としての第一歩を印象付けるものであった。アクリル板で作った直方体に詰め込んだ木の葉を、二年の歳月の間にその水分を枯らし、徐々に蒸発させ、それがアクリル表面に付着して底に伝って流れていき、静かなギャラリー空間に水滴がポツンポツンと音を響かせて、観客を出迎えていた。

薄暗く、映画館に入っていくような導入は、なにかわくわくするような期待させるものがあった。映画の始まる前のあの至福感。それを感じたくて映画館にいくというのは、主体が積極的に、何かの出会いを熱望しているからで、その導入がなければ、映像の正方向の時間の流れの渦に受動的に身をまかせるだけだが。阪田のインスタレーションはその意味ではきわめて劇場的と言えた。とはいえ、阪田の作品は彼女の個人的な生活世界を「モノ」を介在し、表象＝再現したものである。その熱＝伝達の意志が、インスタレーションによる時間性の導入となったのである。

モノトーンの平面作品が壁に架けられ、その前にいくつか、木の葉が詰ったアクリル板の箱が置かれ、部屋全体に草の匂いが立ちこめている。彼女の作品は視覚、聴覚、嗅覚が絶妙なバランスで配されていた。そして部屋全体が薄暗いので空間に気が充満している。つまり第六感も刺激するのである。ギャラリー奥のメインの壁にかけてある平面作品は暗くて見えないが、作品上方の端にある裸電球による微かな明りをたよりに観者は想像を働かせるのである。とはいえ目が馴れても、その暗さではほとんど何があるのかわからず不安になり、そっと作品に触れるのである。その繊維質のごわごわした触感により、今度はさらに触覚を刺激される。これは周到に準備された企みである。

その後、二〇〇一年冬の前島高砂ビルにおける展示は、かつてその中華料理店で使われた食器を、会食が行われているかのように配置し、テーブル上のすべての皿には薄墨色のスープが若干残り、よく見るとスープを透かしてかすかに写像が見えるようになっていた。それは場所の記憶が、残ったスープに張り付いたかのような印象を与えたのである。きわめて静かで、やさしげな肌触りであるが、阪田の仕事は同時代的であり、時代の体温が感じとれるのである。それは七〇年代でモダニズムの前進運動が終わり、バブル崩壊とともに社会の大きな目標を失い、冷戦崩壊後の世界が渾沌《こんとん》としている今日の時代において、再度自分の身近な世界から存在を再確認するとでも言うべき営為であろう。

黄昏時、すべてが美しく溶暗《ようあん》し、形が定まりなく、寄る辺なさに思わずそっと手を延べ、触れて見ること。これこそ彼女が自然＝世界に自らを開放した時に感じた原体験であろう。それを記憶として封じ込めることなく、「現在、今、この場所」とのかかわりの中で絶えず記憶を更新していくこと。阪田にとって、作品を作ることは、身体を介した「モノ」との濃密なかかわりを、あるいは外界（世界）の原初的な体験のリアリティとアウラを、現在を検証するために使うこと、つまり「還元」の装置として続けることである。

止まったカーテン

阪田は以後発表の場を全国に移す。まずは《TOKYO FLOWERS》（二〇〇六年）が東京都主催の東京ワンダーサイトに入賞・展示している。ギャラリースペース一杯に大きな無数の白い花が咲き、作品それぞれに照明が当てられ幻想空間を醸していた。モノクロによる強烈なインパクトであり、見る側の記憶を刺激するものであった。

阪田は徐々に自分の沖縄での立ち位置を意識するようになり、作品にもそのことが反映するようになる。《止まったカーテン》（二〇一〇年）はまさにその感覚を凍りついたカーテンに顕にした作品だ。一見簡単に押して向こう側に行けそうな布のカーテンだが、正体は布より固く、石より柔らかい素材である。容易に超えられそうな境界が、なかなか超えられない難物として大きな壁のように迫ってくる。《Story-Reclaimed Land》（二〇〇八年）は木製の椅子の四本の高さを揃えず、石を重ねて接合している。それは不安定な基盤にある沖縄を客観的に観つつ、現在の自己を重ねてみているようだ。あるいは執務すべき机の足を入れる空間に石が敷き詰められて執務ができない作品《Story-Reclaimed Land No.2》（二〇〇九年）や異常に多い足の椅子が擬人化されて動き出せない椅子《例えば一つの部屋》（二〇〇八年）など外的状況と自己省察的な思いが一つ一つの形態に込められている。

23、照屋勇賢——森の記憶を再生する

コラボレーションへ

照屋勇賢（一九七三年―）は代表作《結い，you-I》（二〇〇二年）に見られるように、伝統的な琉球＝沖縄の紅型を流用しポップ・アートの技法で米軍基地のある沖縄を提示した作品や、《Notice-Forest（告知―森）》のようなマクドナルドなどの紙袋を樹木の形に切り抜く美しい作品で世界的に知られる。二〇〇二年の「ＶＯＣＡ展」の《結い，you-I》での奨励賞受賞以後、国際展の日本の代表の常連とまで目される存在となる。現在、ニューヨーク近代美術館、グッゲンハイム美術館、イギリスサーチ・ギャラリー、金沢21世紀美術館、沖縄県立博物館・美術館など世界の主要な美術館に収集されている。

照屋は南風原町に生まれる。親戚には芸術家肌の気質を持った人々がおり、母親は自然保護活動家で自然食のレストランを経営していた。叔母が喜如嘉の芭蕉布を織り、祖母はハワイ帰りという環境で育った。近所にはウルトラマンの生みの親ともいえる脚本家の金城哲夫の生家がある。照屋がもっとも尊敬するアーティストの一人だ。戦後沖縄の建築をリードした金城信吉が照屋の祖母の住居を設計した。それらの環境は充分に照屋の表現活動に影響を与えたといえる。

多摩美術大学からニューヨークのスクール・オブ・ビジュアルアーツ大学院を二〇〇一年に修了、ＶＯＣＡ展受賞は、その翌年であった。ＶＯＣＡ展出品時は、エコロジーや、政治的なテー

マなど、社会との関わりを真摯に追求する作家が増えてきた時期であった。照屋は作家としての活動はまだ浅いが、その一人として沖縄の特異な状況を示した。これまでの仕事を見ると、歴史的時間の経過とともにいつのまにか異なるものにすり替わっていく。沖縄の現実を常に目のあたりにして、取り入れた手法がメタモルフォーゼ（変化）である。彼が媒体とした紅型は、ある意味で様々な異なる文化を取り入れて混淆《こんこう》させ、新たなものを生み出してきた沖縄の対外的なイメージ、南島＝日本の鏡を表象するものでもある。

照屋は伝統的な職人とのコラボレーションにより、古典的な紅型の構成をそのままにして図柄のみを入れ替えることによって沖縄の変容していく自然がそのまま現在の政治的状況に重なる作品を制作した。今や、混淆＝チャンプルー文化として讃えられる調和させる力が、逆に自然に敵対するものともチャンプルーになりかねないという皮肉である。キャンバスに油彩、アクリルなどの絵画という手法ではなく、照屋は紅型という媒体を利用し、着尺に仕立てた。それはVOCAという現代美術の展覧会に、伝統工芸品とみまがう作品を滑り込ませることによって、展示の場における作品の位置と政治の場における沖縄の位置を露《あら》わにし、作品と展示の場との関係に違和を生み出すことをも目論《もくろ》んでいたのである。その若さにもかかわらず、ポリティカルで批評を含んだプランをいくつも構想している照屋には、コラボレーションを通して異なる分野の境界を越え、多面的な展開をしていくことが期待された。

展開期

照屋の初期の制作の方法に示唆を与えた重要な体験に、一九九六年に来沖したスザンヌ・レイシーとの出会いがある。台頭してきたニュージャンル・パブリック・アートの旗手として活躍中のレイシーがプロジェクトのため沖縄滞在中、照屋はかなり刺激を受けている。東京都主催の大型プロジェクト「アトピックサイト」で、沖縄でも幾つか在るうちのプロジェクトの一つとして展開された。照屋は展覧会の一つ、東京ビッグサイトのオン・キャンプ・オフ・ベースに出品している。《Sweat and Sunny Days》というパフォーマンス+インスタレーションは、観客の着ているTシャツを洗濯機で洗っている間に、沖縄で売られている英語のTシャツを着てもらい、展覧会場を歩いてもらうという内容で、沖縄の現在と展覧会の場を読み取るという、優れたセンスをすでに発揮している。ちなみにTシャツに書かれていた文字は以下のとおり、「与えながら盗め」「ビバ」「トマホーク」「海は私たちのものだ」「奇襲攻撃のため特別訓練を受けた兵隊」「嘉手納爆音差し止め訴訟」「受け入れることは守られること?狙われること?」「出撃基地」などであった。このプロジェクトは参加作家から評価が高かった。

二〇〇五年には横浜トリエンナーレで、マクドナルドなどの紙袋を樹木の形に切り抜き、壁に展示、さらに、スペインのチェロ奏者カザルスの故郷カタルーニャの「鳥の歌」がドアの向こうから流れてくるという仕掛けを作る。カザルスのホワイトハウスでの演奏、ケネディ大統領に捧げる故郷カタルーニャへの愛と照屋の沖縄への熱い思いが重なった作品であった。《Notice-Forest

《告知―森》は、街などで日常目にする樹木の写真を撮り、あるいはスケッチし、マクドナルドなどの紙袋をカッティングし、樹木として紙袋の中の空間で立体的に再生させるきわめて美しい手仕事である。グローバルな企業の森林破壊を示唆し、作品の美しさと、深く静かな訴えによって、横浜トリエンナーレではもっとも注目された作家のひとりであった。同年には横浜美術館の「水の情景―モネ、大観から現代まで」展に出品した。同時にバングラデッシュ・ビエンナーレ、アジアン・パシフィック・トリエンナーレ、日豪展など、海外での国際展でも活躍している。

二〇〇六年にはアサヒビールの助成を受けて、東京で個展「水に浮かぶ島」（すみだリバーサイドホール・ギャラリー）を開催している。この時期までには現代美術の国際的作家として知られており、照屋作品の所蔵先のニューヨークグッゲンハイム美術館の紹介文は「照屋勇賢はきわめて洗練されたアイデアと美しいフォルムによって知られる作家である。作品には社会的メッセージが込められている」とある。出品作は《結い，you-I》とトイレットペーパーの芯を樹木の形に切り抜いて立たせた《Corner Forest》、《Notice-Forest（告知―森）》とビール＝水を連想する作品を展示した。アサヒビール主催の「ビール」というテーマを、大自然の中の水の特殊なあり方として、再解釈し、洗面所のタオルからの滝の連想、バケツに落ちる雨水がビールのジョッキへと移り変わる大きな自然から身近な世界へと引き寄せた力技であった。

道標としてのアート

二〇〇七年には沖縄県立博物館・美術館の開館のためのパフォーマンスを実施する。アンリ・ルソーの《第22回アンデパンダン展に参加するよう芸術家達を導く自由の女神》(一九〇五―〇六年)を模してマーチングバンド、美術家たちが作品を持って館内に入場することによって、マブイ込め(魂を入れる)の儀式を実行する。開館記念展には大山健治とともにエントランスに道路標識を模した、美術館を導いていくという象徴の画像のある標識を複数箇所に立てることにより、開館を寿ぎ、未来の道標となる「標識」であった。

二〇一二年六月下旬から七月下旬まで一ヶ月間、ニューヨークで初の沖縄の戦後美術の展覧会「OKINAWA ART in NEW YORK」(日本クラブ)が開催された。県内とアメリカ系沖縄アーティストによる約四〇点が展示された。照屋も参加し、新作、旧作を取り混ぜた《儲キティクーヨー、手紙ヤアトカラ、銭カラドサチドー》(二〇〇八年)、《Color The World》(二〇〇二年)、《Minding My own business(自分のことで精一杯)》(新作)の三点である。彼はニューヨークでは個展、あるいは現地の人とのグループショーは数多くやって来たが、沖縄系だけの展覧会での出品は、これまでとはスタンスが異なっていた。ニューヨークで沖縄を見せる、その中に照屋の作品があることで見えたものがあった。照屋が一身に背負って世界に向けて表現している沖縄と、表現するべき世界との関係が見えたのである。照屋は明らかに、沖縄や日本とは異なる他者にむけて表現している。

二〇一五年の画廊沖縄での個展「I have a dream」でのテーマはヒーローシリーズであった。前回の続きとその発展した紅型の展示である。二〇一二年は沖縄を主体的に打ち出した歴史上の英雄たち、尚寧、瀬長亀次郎、具志堅用高、安室奈美恵が展示された。今回はもっと踏み込んで天皇裕仁、ウルトラマン、オバマ大統領が紅型で染め直され展示された。ヒーローたちは沖縄の紅型に包まれて権威や見えない暴力性を抜き取られてしまうという隠れたメッセージが読み取れる。

やわらかな抵抗

基地の壁は厚い。繰り返される事件や事故。普天間飛行場の辺野古移転計画と反対運動はつづく。照屋はそれら一連の沖縄を巡る情勢について、米国での反応も熟知している。沖縄問題が日本でほとんど広がらないように、残念ながら米国で沖縄はほとんど報道されないことも知っている。しかしアートの可能性を信じる。朝日新聞のインタビューでこう答えている「作品を通して意思表示をしたり、会話が生まれたりする。政治のぶつかり合いで行き詰まる場にこそ、芸術という曖昧な世界が入り込む余地がある」(『朝日GLOVE』、2012)。

世界に向けて沖縄を発信するため二つの現代美術の手法を取り入れている。伝統的手法である紅型の流用と、マクルーハンの言葉を借りれば、「クール」で相手の入る隙を作るポップ・アートの手法により、こちらのことを考えさせることである。プロパガンダアートでは、伝わらないのは既知の事実である。これまでの作品を見ると彼にはこれまで三つのテーマがあり、生命と環境問題、社会システム、沖縄の問題をいかに普遍化し、ビジュアル化するというものである。

紅型という伝統的な染色技術を使った作品に昭和天皇が紛れ込んでいるというアンビバレンツな表現は、展覧会直前の天皇来沖と相まってタイムリーとも言える。それが対面にあるウルトラマンがセシウム光線を放つ。「アトミックサンシャイン」はかつて占領軍が日本側に放った言葉であるが、照屋はそれをユーモラスに沖縄側から日本へと逆照射する。一一月の大統領選で二期目となったオバマも紅型の草花に包まれて沖縄とリンクする。オバマが大統領になる五〇年前の一九六三年、キング牧師が有名な演説の中で二〇数万の聴衆に向かって、本展のタイトル「I have a dream」と述べた。紅型による英雄シリーズの中にオバマを加えた理由はマイノリティの復権から全体の代表へというヒーロー像がそこにあるといえる。

24、山城知佳子——身体のアンガージュマン

初期作品

山城知佳子（一九七六年—）は現在もっとも注目すべき映像作家である。《墓庭クラブ》（二〇〇二年）、「オキナワTOURIST三部作」（二〇〇四年）以来、沖縄の風土や死者たち、戦争体験など＝集合の記憶の継承や沖縄の現実についての映像作品で、今や国内のみでなく普遍的な表現として世界で注目されつつある。

沖縄県立芸術大学卒業展示会での山城のインスタレーション作品は、見るものを揺さぶる力があった。積まれた膨大な量の新聞紙の圧倒的重量感と、暴力的な物質感、自然との強引な組み合わせが群を抜いていた。卒業制作の前に山城は長い期間部屋に籠ってユングの著作を読み続け、巡礼のように御嶽を巡った。その際ユングの「集合の記憶」に触れ、それが新しい表現の展開となったという。さらに留学中のアイルランドで体感した、ケルト文化の基層にある体験によって沖縄の後生観と融合、沖縄的かつ普遍性なるものであるという確信へとつながっていった。山城にとってもうひとつの大きな衝撃は、パフォーマンスへの切り口となるギルバート＆ジョージの歩き回るだけの一カット一六分長回しの映像である。

次の展開が、山城自身が被写体となる、墓の前でのパフォーマンスシリーズである。墓庭で踊るという発想は、最初奇抜な印象を与えたが、考えるに墓前で踊るという行為自体は優れて沖縄

の伝統的な心性の本質を掬《すく》い取ったものではないか。山城は基層文化とモダンな身体性の異種混合に止まらず、さらに、社会批評的な作品作りへと展開して行く。

「オキナワTOURIST三部作」は、県内でかなり評判になった。国会議事堂前でプロテストする女性が、なぜか口をついて出る言葉がステレオタイプな沖縄観光イメージへの、あまりにも控えめなプロテストという《日本への旅》。沖縄の夏、基地の前で大きなアイスクリームをいくつも貪り、喜悦に浸る女性=沖縄を撮った《I like Okinawa sweet》は、基地=植民地的暴力とエロスの組み合わせが、自らの内部のおぞましさを見せつける。目隠しの白い袋を被った集団が踊る《墓庭エイサー》と三作とも痛烈な沖縄への自己批判が横溢《おういつ》していた。おそらくこれらの作品は、映像では初めて沖縄を自己批判した作品である。もちろん日米両国に対する批判でもある。

一転して、二〇〇五年の倉敷ビエンナーレで優秀賞を受賞した写真作品《anyway…》は、山城自身が墓の前で花を放りなげ、自己肯定的に底抜けに生命を謳歌することによって、時間の表層である「現在」をかえって意識させるものである。続く《life》には、静かな中心のない風景が広がる。ダイナミックな身体感覚で走り抜けてきたこの作家は、次のステップへと身体を投企する。

身体表現

山城は自らの身体で表現するアーティストである。彼女はわが身を投げ出すように作品に向かう。かつてサルトルが投企＝社会参加（アンガージュマン）という言葉を使ったが、新しいひらめきや、感覚、イメージに（あるいはイメージはないかもしれないが）身を投げる。いわゆるボディではなく、市川浩が説く精神を含んだ「身」である。理屈は事後的にあるいはずっとあとにふと浮かんでくる。何かを探り当てるためではあるが、果敢なその行為が様々な深い意味を浮かび上がらせる。それは常に事後的に、である。彼女は、身体で意味を感じ取るアーティストなのである。パフォーマンスをビデオで撮るが、演じるのは本人である。視覚的な単線的な思考を越えて、すべてを「身」で受け止めようとする。そのような山城のアンガージュに今多くの視線が集中している。

山城は映像作家の少ない沖縄にあって、かなり大胆な発表をしてきた希有な存在である。最初のころの映像など墓前で踊るパフォーマンスは、特に年配の人の逆鱗に触れた。沖縄の先祖を敬う精神を冒涜《ぼうとく》するものではないかということであった。しかしそれは逆に先祖を現在生きている者が喜ばせ、死を感じ取ることで生をくっきりと浮き出させるという彼女自身のコンセプトからくるものでもあった。他者（死者）の記憶を容易に継承することはできないがゆえに、パフォーマンス（身体）によって想像＝創造し直すということでもあっただろう。

そして現在まで長大な映像詩が続く。それは沖縄の戦後の歴史・社会状況と深くコミットしながら、土地の記憶や男性性、女性性にまで言及するものである。

沖縄の戦争体験者という非常に近い他者への関心から、《バーチャル継承》（二〇〇八年）や《あなたの声は私の喉を通った》（二〇〇九年）が撮られた。山城のパフォーマンスは他者の経験を継承することの困難さの果ての選択であった。《沈む声、紅い息》（二〇一〇年）は浮かび上がる空気の泡に想を得て、多数のマイクを海に沈めた。それは多くの無念の内に亡くなった人々や抑圧された人々の声だったのだと思い至ったという。しかし肝心の声のイメージがわかない。偶然にも出会った女性を撮影した作品は一種異様な存在感があり、水の泡と揺らめくマイクの束、うなるような女性の声が聞き取れない音声となって我々の想像力を刺激する。次作の《肉屋の女》（二〇一二年）、これは肉という極めて意味の分厚い象徴を巡って、死者、開発、ジェンダー、生き延びることについて描いた、山城初めての「映画」である。最後の場面に、助け合いながらも、女性たちがそれぞれに散っていくシーンに力強く生きていくメッセージが読み取れる。これは先の《I like Okinawa sweet》に表された植民地的身体からの脱却であろうか。

主体を取り戻す物語

《黙認浜─浦添市イバノの海》（二〇〇七年）、《アーサ女》（二〇〇八年）、《肉屋の女》について考える。《黙認浜─浦添市イバノの海》は、基地があるが故に埋め立てから免れた場所─そこはかつては豊かな漁場─アーサや貝類、タコなどが大量にとれた浜であった。黙認浜という聞き慣れない名称に、勝手に黙認耕作地のイメージを抱いていたが、基地沿いに出来た行政や法制度からはみ出た耕作地＝領域と重ねた意味合いを持って名付けたようである。（一〇年前の）現在でも各地からいろんな人々がやってきて、小屋を建てたりしてまったく肩書のいらない隠れ場のように見える。不法投棄のゴミや船も放置されている。「境界の間に存在する異質な空間」で制度から離れた場所であり、豊穣の海から恵みをもらって帰っていく、秘密の場所とも言える。男たちの風体がなかなか強烈で独特であった。

《アーサ女》は、アーサに絡まった女性が波にプカプカと浮く映像と、海中の映像と喘《あえ》ぐ女性の声をダブらせ、時折見える辺野古の海は太平洋に浮かぶ基地沖縄のイメージが重なって見える。プカプカ浮く美しい女性はジョン・エヴァレット・ミレイの「オフィーリア」を思い起こさせるが、アーサがひげに見え、女性性を超えた存在の主張、例えば日本を男性、沖縄を女性と観る視線、もっと狭い意味では男性から見た女性性の視線を跳ね返す、身体＝生命のマニフェストとも言える。

《肉屋の女》は、やはり、基地との境界に位置する「黙認」の場所と海が共通している。個人的に言えばこの作品はクオリティが高く、映画的である。海底から肉が浮かび上がり、少女が基地のフェンス内に出来た黙認のフリーマーケットの肉屋に肉を持っていくところから作品は始まる。二〇一二年の森美術館での三面マルチスクリーンでは音と映像の迫力、肉の生々しさに圧倒され放しであったが、シングルチャンネル版ではじっくりと映像と筋を辿《たど》ることが出来た。それでも通常の筋を考えていると裏切られる。肉屋の女は浜辺の開発建設に従事する男たちに食べられた後に複数の女性へと増幅し、散っていく。鍾乳洞をくぐって行く女達が映し出されるが、食べられた肉は、複数の継承者となって生産される。そこには一人の女性の肉体ではなく、我々の感じる肉体でもなく、共有できる身体として蘇って力強く生きていくメッセージが込められているると思えた。辺野古の果てしない基地反対闘争の継続の希望が重なって見える。

山城知佳子の作品は様々な意味が重層され、言葉を超えたイメージが広がっており、見ている我々の感性を刺激する。作者によればイメージが先に出てきて、作品を制作している間か後に意図がわかるという。近年は作風も物語的、映画的になっている。ところが二〇一六年の《土の人》は複数のメディアを使い、群像パファーマンスによって一気に広がりを見せ、戦争、歴史が描かれ、奪われた土地、言葉などを取り戻す人々の行為が肉体によって迫力ある表現となっている。済州島と沖縄という本国とは歴史的にも地理的にも異質であることで共通している。それは肉体=身体を通して自分=主体を取り戻す物語を必要としていることだ。

275　Ⅱ－24　山城知佳子

あとがき

この著書が出版されるまでに五年以上が経過している。一九八〇年代から二〇一〇年代の約四〇年間の論考を選択、構成するのに思いがけず時間がかかってしまった。

戦後の沖縄美術史をいつかまとめたいと考えていた。県の美術館の準備室に赴任した一九九五年に開催された展覧会「戦後美術の流れ」のためにその一年前からチャートを作り始めたのがきっかけである。収集・展示のためには骨と流れが必要だということである。しかし、作業している間にだんだん考え方が変わってきた。沖縄という場所の特異性である。美術史などというものに消極的だったのが、一国のアイデンティティを立ち上げる気持ちになっていった。そして戦後沖縄美術史を「作り上げた」。九五年、浦添市美術館での最初の展覧会を「モダニズムの系譜」にしたのは「歴史主義」を避け、「系譜」としたのである。第二回目は「固有性」に焦点を当てた。結果的には抽象系と具象系に分けた。もちろんそのことは、これまでの先達の成果に負っていることは確かである。

評論活動に入るきっかけを与えてくれたのが八〇年代半ば、画廊「匠」での毎月一回の評論である。中学校から進学高校への赴任によって、ついに続けられなくなるまで書き続けた経験は大きい。「匠」のメンバー、特に永津禎三氏には感謝している。美術館の開館まで、業務以外にも多くのプロジェクトを手掛けた。そのときから今に続くまでお世話になった方は数しれない。また教員時代や美術館時代の同僚、スタッフにもお世話になった。個々の名を記せないことをお詫びする他ない。

この本のきっかけと二回目の編集について厭わず労をとってくれた神谷厚輝氏、最初の編集担当の友利仁氏には感謝したい。大きな構成はその時点でできたが、重複が多く、きちんとした構成までできないままに来てしまった。その時点で通読をお願いした真久田巧氏には深謝である。

今回編集三度目で完成したのは、編集者である城間有氏と編集を支えた町田恵美氏の推進力とスピーディーな校正のおかげであった。感謝の念にたえない。

最初に観た展覧会といえば、六〇年代の沖展。ドンゴロスの壁面に蟹や闘牛のテーマ、セピアの色の絵画の数々。中学生のときに安谷屋正義《望郷》を見た。一人ぽつんと立つ歩哨に感情移入したことが忘れられない。表紙に安谷屋の作品を使わせてもらうことを快諾していただいたご遺族、装丁を手掛けてくれた教え子であり美術家の大山健治氏にも感謝したい。家族の励ましも大きかった。本書は多くの方の協力によって完成に至った。

論ずるべき作家は、まだ多くいる。写真、映像は特に心残りこのうえない。本書が後進の役に立つことを願っている。

翁長直樹

初出一覧

Ⅰ 沖縄・美術の流れ

1．「自己表現を求めて」『沖縄文化の軌跡』沖縄県立博物館・美術館、二〇〇七年
2．「沖縄戦後美術の流れ」WEB 琉球文化アーカイブ、一九九九年に加筆修正
3．「前衛に見る沖縄戦後美術の流れ」『琉球新報』二〇一四年二月～八月、全一五回から抜粋し加筆修正
4．「ニシムイの時代」『美術館紀要 VOL.1』沖縄県立博物館・美術館、二〇一〇年
5．「沖展序章 70年代初めまでのスケッチ」『沖展60年記念会員作品集』沖縄タイムス社、二〇〇八年
6．「琉球イメージを求めて 沖縄に来た画家たち」『沖縄文化の軌跡』沖縄県立博物館・美術館、二〇〇七年
7．「往還する移動民の表現」『沖縄文化の軌跡』沖縄県立博物館・美術館、二〇〇七年

Ⅱ 作家論

1．「南風原朝光とその時代」『新生美術13号』、新生美術協会、二〇〇四年
2．『名渡山愛順と安谷屋正義の戦後』より抜粋、加筆修正、私家版、二〇〇二年
3．「大嶺政寛展に寄せて」『琉球新報』二〇〇一年四月二日
4．未発表
5．未発表
6．「安次嶺金正―写実からローカルへ」『安次嶺金正展―緑の抒情―』沖縄県立博物館・美術館、二〇一三年
7．『玉那覇正吉』二〇一二年一月、沖縄県立博物館・美術館
8．「安谷屋正義の近代―そして、その後」『安谷屋正義展―モダニズムのゆくえ』沖縄県立博物館・美術館、

二〇一一年
9.「ZUとSUの間」『タカエズトシコ展―両親に捧ぐ』沖縄県立博物館・美術館、二〇一〇年
10.「土・再生・カオス」『TAKUMI ART NEWS』画廊匠、一九八六年六月
11.未発表
12.「山城見信の独自性と新作について」『山城見信… KURU（黒）』山城見信展実行委員会、佐喜眞美術館、二〇一六年
13.未発表
14.「展評」『琉球新報』、二〇一八年四月一三日に加筆修正
15.「ポップから、利休鼠、黒、白墨へ―真喜志勉の変容」『TOM MAX ART WORKS』真喜志勉展実行委員会、二〇一六年
16.未発表
17.「宮城明―世界の被膜」（アルミシリーズ　パンフレット）二〇〇八年に加筆修正
18.「鎮西公子の絵画　その力」『鎮西公子作品集』、二〇一八年
19.「展評」『琉球新報』二〇〇八年八月二二日に加筆修正
20.「展評」『沖縄タイムス』、二〇一二年九月一四日に加筆修正
21.「展評」『沖縄タイムス』、二〇〇〇年二月一七日に加筆修正
22.「還元装置としての記憶」（モノクロームの魅力　阪田清子展　パンフレット）二〇〇二年一月九日に加筆修正
23.「世界に向けて沖縄を発信する」『The Gallery Voice』画廊沖縄、二〇一二年に加筆修正
24.「展評　Anyway….」山城知佳子個展『琉球新報』二〇〇五年六月四日／「展評　第二回個展」『沖縄タイムス』二〇一七年六月二日に加筆修正

◆『思想 カルチュラルスタディーズ特集』岩波書店、1996 年 1 月号
◆『新沖縄文学　1971 年 7 月号　対談：岡本太郎・豊平良顕』沖縄タイムス社、1971 年
◆『美術手帖　都市とアートの真相　パブリックアートが変わる』美術出版社、1996 年 11 月号

報告書、その他

◆『沖縄対話』沖縄県学務課、1882 年（国会図書館蔵本復刻シリーズ kindle 版、1982 年）
◆『久米島記行　土俗学的島内踏査紀』比嘉景常　ガリ版刷り製本 1937 年 2 月 10 日（翌月『琉球新報』掲載）1937 年
◆『沖縄諮詢会会議録』沖縄県教育委員会、1987 年
◆山本秀夫『かたちとまなざしのゆくえ報告集』かわさき IBM 市民文化ギャラリー、1994 年
◆国際シンポジウム「占領と文学」占領と文学編集委員会、1993 年
◆『沖縄文化の源流を探る　環太平洋地域の中の沖縄』復帰 20 周年記念沖縄研究シンポジウム実行委員会、1994 年
◆『逆・格差論による計画理念 : 沖縄県名護市総合計画・基本構想 - その 2 : 都市計画』名護市、1973 年
◆報告書『アウトオブジャパンそしてアジアへ』シンポジウム実行委員会、1994 年
◆『沖縄県文化芸術振興条例』沖縄県、2013 年
◆金城満『石の声』記録集、佐喜眞美術館、2007 年
◆『沖縄諮詢会会議録』沖縄県教育委員会、1987 年
◆『第５回フォトシンポジウム in 沖縄 '95「写真と家族」』フォトシンポジウム in 沖縄 '95 実行委員会、1995 年 1 月
◆古市保子・中本和美編『アジアのモダニズム』国際交流基金アジアセンター、1995 年

ウェブサイト

◆新城栄徳「琉文 21」 http://ryubun21.net
◆琉球文化アーカイブ　沖縄県立総合教育センター、 1999 年
◆日本美術協会小史　https://www.praemiumimperiale.org/ja/jaahistory/shorthistory
◆ Culture Power インタビュー（武蔵野美術大学芸術文化学科）岡部あおみ：宮城潤 http://apm.musabi.ac.jp/imsc/cp/menu/NPO/MAEJIMA/interview.html
◆沖縄系移民の地域別統計　https://www.stat.go.jp/info/guide/pdf/okinawa.pdf

◆渡名喜元俊「労働と絵画」『Gallery Voice ②』画廊沖縄、1988 年 5 月 1 日
◆照屋勇賢「CUT」『The gallery Voice No.39』画廊沖縄、2009 年 9 月
◆『LP　特集　山城知佳子』7 号、photo genic person's peace、2009 年 6 月
◆喜舎場順「状況の絵画」『沖縄文学全集第 17 巻』1992 年、『琉大文学第 9 号』1955 再掲載
◆知念正真『人類館』脚本『新沖縄文学 33 号』沖縄タイムス社、1976 年
◆石川友紀「沖縄移民関係資料」『新沖縄文学 No.45』沖縄タイムス社、1980 年
◆「沖縄土産」（石川寅治談）『みづゑ』86 号、1912 年 4 月号
◆加治屋隆二「沖縄旅行」『みづゑ』429 号、1940 年 8 月号
◆『みづゑ 二科展』404 号、1938 年 8 月号
◆安次嶺金正「自由の色調」『青い海 116 号特集現代沖縄絵画の先達たち』1982 年
◆宮里正子「父の肖像」『新生美術 11 号特集安次嶺金正の画業を偲ぶ』1996 年
◆『今日の琉球 第 2 巻 2 号』1958 年 2 月発行
◆『新生美術　創刊号』新生美術協会編集委員会、新生美術協会、1982 年 8 月
◆『新生美術　3 号〈特集・玉那覇正吉〉』新生美術協会、1984 年 8 月
◆『新生美術　5 号〈美術は現代をどう生きるか〉』新生美術協会、1986 年 5 月
◆『新生美術　6 号〈新城栄徳『浦崎永錫画伯』美術史を語る〉』新生美術協会、1987 年 5 月
◆『新生美術　7 号〈特集・大嶺政寛　追悼アルバム〉』新生美術協会、1988 年 5 月
◆『新生美術　8／9 合併号〈特集・山里永吉・豊平良顕・宮城孝也〉』新生美術協会、1990 年 5 月
◆『新生美術　10 号「特集［追慕］山元恵一・山里昌弘・浦崎永錫」』新生美術協会、1992 年 6 月
◆『新生美術　11 号〈特集・安次嶺金正の画業を偲ぶ〉』新生美術協会、1996 年 3 月
◆『新生美術　12 号〈特集・追悼　思い出アルバムー具志堅聖児・金城安太郎・大嶺政敏・大嶺信一・宮良信成〉』新生美術協会、2001 年 3 月
◆『新生美術　13 号〈特集・比嘉景常・島田寛平・南風原朝光・名渡山愛順・大城皓也・宮城健盛・安谷屋正義・新川唯盛・仲嶺康輝・山之端一博〉』新生美術協会、2004 年 9 月
◆『青い海　10 月号特集　現代沖縄絵画の先達たち　名渡山愛順・南風原朝光・大城皓也・山元恵一・安谷屋正義）』青い海出版社、1982 年 9 月
◆『琉球の文化　創刊号』大城精徳、琉球文化社、1972 年
◆『琉球の文化　第 2 号　琉球の染織』大城精徳、琉球文化社、1974 年
◆『琉球の文化　第 4 号　沖縄戦と終戦直後の生活』大城精徳、琉球文化社、1974 年
◆『琉球の文化　第 5 号』大城精徳、琉球文化社、1974 年
◆『建築文化　9 月号 / 変容する沖縄の風景』彰国社、1989 年
◆『春陽会 70 回展記念誌』春陽会、1993 年
◆『批評空間 モダニズムのハードコア』太田出版、1995 年
◆『批評空間（No.10）/ 芸術の理念と〈日本〉』福武書店、1993 年

◆岡﨑乾二郎『抽象の力』亜紀書房、2018年
◆小林秀雄『小林秀雄全集　第11巻　近代絵画』新潮社、1978年
◆シャルル・ボードレール『ボードレール批評1、2』阿部良雄訳、ちくま学芸文庫、筑摩書房、1999年
◆多木浩二『眼の隠喩』ちくま学芸文庫、筑摩書房、2008年
◆千葉成夫『現代美術逸脱史』晶文社、1986年
◆テオドール・W・アドルノ『プリズメン』渡辺祐邦・三原弟平訳、ちくま学芸文庫、筑摩書房、1996年
◆針生一郎『戦後美術盛衰史』東京書籍、1979年
◆ハル・フォスター編『視覚論』榑沼範久訳、平凡社、2000年
◆エトワード・W・サイード『オリエンタリズム　上・下』今沢紀子訳、平凡社、1993年
◆柄谷行人『近代日本の批評　昭和編（下）』福武書店、1991年
◆柄谷行人『日本近代文学の起源』講談社文芸文庫、講談社、1988年
◆『沖縄大百科事典　上・中・下』沖縄大百科事典刊行事務局編、沖縄タイムス社、1983年
◆ベネディクト・アンダーソン『想像の共同体』白石隆・白石さや訳、書籍工房早山、2007年
◆ミシェル・フーコー『言葉と物』渡辺一民・佐々木明訳、新潮社、1974年
◆E・Hゴンブリッチ『芸術と幻影』瀬戸慶久訳、岩崎美術社、1979年
◆ジョージ・E・H・カー『琉球の歴史』琉球列島米国民政府、1956年
◆マーシャル・マクルーハン『メディア論』栗原裕・河本仲聖訳、みすず書房、1987年
◆『日本近代思想体系　美術』青木茂・酒井忠康編、岩波書店、1989年
◆ Jane Dulay『Painting to Live』Jane Dulay、2007年
◆ Stanley Steinberg『Sarah Stein: The Woman Who Brought Matisse to San Francisco』Stanford University press、2013年

逐次刊行物

◆久志芙沙子「滅び行く琉球女の手記」『婦人公論』1932年6月号、月刊青い海1973年秋季号再掲載
◆『匠アートニュース Vol.1-vol.28』画廊匠、1986-1988年
◆『Maejima Art News』前島アートセンター
◆ A・P・jenkins「復興期の沖縄美術市場―公文書に見る米軍の管理統制1947～1948」『県立芸術大学紀要　No.16』沖縄県立芸術大学、2008年
◆針生一郎「前衛芸術に疲れました」『芸術新潮1962年8月号』新潮社
◆中原佑介「前衛のゆくえ」『美術手帖12月増刊』美術出版社、1962年
◆大澤真幸×岡﨑乾二郎「固有名の諍い」『Frame No,1』河出書房新社、1991
◆『発想』沖縄大学文学研究会、1969年
◆『ヤチムン研究会誌』ヤチムン会、1970年7月1日
◆『やちむん　やちむん会30周年記念特別号』やちむん会、2000年

◆椹木野衣『日本・現代・美術』新潮社、1998年
◆ロザリンド・E・クラウス「彫刻とポスト・モダン　展開された場における彫刻」、ダグラス・クリンプ「美術館の廃墟に」、ハル・フォスター編『反美学 ポスト・モダンの諸相』室井尚・吉岡洋訳、勁草書房、1987年
◆中原佑介『中原佑介美術批評選集 第5巻「人間と物質」展の射程』現代企画室＋BankART出版、2011年
◆川村湊『アジアという鏡』思潮社、1989年
◆三木健『リゾート開発』三一書房、1990年
◆安里 英子『揺れる聖域』沖縄タイムス社、1991年
◆大澤真幸『虚構の時代の果て』ちくま新書、筑摩書房、1996年
◆西山太吉『沖縄密約』岩波新書、岩波書店、2007年
◆多田治『沖縄イメージの誕生』東洋経済新報社、2004年
◆真久田巧『戦後沖縄の新聞人』沖縄タイムス社、1999年
◆岡本太郎『沖縄文化論』中公新書、中央公論新社、1996年
◆島尾敏雄『ヤポネシア考－島尾敏雄対談集』葦書房、1991年
◆山城正雄『帰米二世』五月書房、1995年
◆ベイジル・ホール『朝鮮・琉球航海記』春名徹訳、岩波文庫、岩波書店、1986年
◆新井白石『南島志』現代語訳（琉球弧叢書2）榕樹書林、1996年
◆曲亭馬琴『椿説弓張月 上下巻 』岩波文庫、岩波書店、1930、1931年
◆柳宗悦『沖縄の人文』新装柳宗悦選集5、春秋社、1972年
◆柳田國男『海上の道』岩波文庫、岩波書店、1978年
◆与那原恵『美麗島まで』文藝春秋社、2002年
◆田中淳「新思潮の開花」『日本の近代美術4』大月書店、1993年
◆高村光太郎『緑色の太陽』岩波文庫、岩波書店、1982年
◆清田政信『造形の彼方』ひるぎ社、1984年
◆宮川淳『美術史とその言説』中央公論社、1978年
◆パウル・クレー「10.創造についての信条告白」『造形思考（上）』土方定一・菊盛英夫・坂崎乙郎訳、ちくま学芸文庫、筑摩書房、2016年
◆照屋善彦ほか編『戦後沖縄とアメリカ』沖縄タイムス社、1995年
◆岡本恵徳『「ヤポネシア論」の輪郭』タイムス選書、沖縄タイムス社、1990年
◆諸見里道浩「美術工芸科」『琉大風土記』沖縄タイムス社、1990年
◆河合隼雄『ユング心理学入門』培風館、1967年
◆ジャン＝ポール・サルトル「アンガージュマンについて」『方法の問題　弁証法的理性批判序説』平井啓之訳、人文書院、1962年
◆ A.ブラント『ピカソ〈ゲルニカ〉の誕生』みすず書房、1981年
◆東珠樹『近代彫刻　生命の造形』美術公論社、1985年
◆ヴァルター・ベンヤミン『ベンヤミン・コレクション1、2、3』浅井健二郎・久保哲司訳、ちくま学芸文庫、筑摩書房、1995~97年

◆『MAM プロジェクト 018：山城知佳子』森美術館、2012 年
◆『山城知佳子－リフレーミング』東京都写真美術館、2021 年
◆『YAMASHIRO CHIKAKO』東京都歴史文化財団東京都現代美術館トーキョーアーツアンドスペース、2022 年
◆比嘉景常「琉球焼物考」『琉球の陶器』復刻版、榕樹書林、1995 年（初版 1942 年）
◆『沖縄美術全集 4　絵画・書』沖縄タイムス社、1989 年
◆『沖縄画壇の先達』ギャラリーみやぎ、1988 年
◆『沖縄画壇の先達　宮城健盛 安次嶺金正 玉那覇正吉 顕彰三人展』顕彰三人展実行委員会編、沖縄タイムス社、1984 年
◆『沖縄の美術十五人集』沖縄教育出版、1982 年
◆『沖縄近代の絵画展』沖縄県立博物館友の会、1987 年
◆『世界美術全集　21 巻』（琉球美術所収）平凡社、1928 年
◆『宮城与徳遺作画集』沖縄タイムス社、1990 年
◆ Suzanne Lacy『Mapping the Terrain: New Genre Public Art』Bay Press,1994 年
◆ Kaz oshiro『Common Noise』Galerie Frank elbaz, 2007 年
◆ Kaz oshiro『Unlimited Recording』Clear Galery, 2008 年
◆ Yuken Teruya『Free Fish 』Asia Society, 2007 年
◆『The Steins Collect 』San Francisco Museum of Art, 2011 年

単行本

◆伊東忠太『琉球』東峰書房、1942 年
◆伊波普猷『沖縄歴史物語』平凡社ライブラリー、平凡社、1998 年
◆伊波普猷『沖縄女性史』平凡社ライブラリー、平凡社、2000 年
◆市川浩『〈身〉の構造』青土社、1984 年
◆大城立裕「沖縄で日本人になること」『沖縄文学全集 第 18 巻 評論 II』国書刊行会、1992 年
◆吉見俊哉『博覧会の政治学 まなざしの近代』中央公論社、1992 年
◆ピーター・ブルッカー『文化理論用語集』有元健・本橋哲也訳、新曜社、2003 年
◆玉那覇正吉「第 5 章美術」『沖縄県史第 6 巻』沖縄県教育庁、1975 年
◆山里永吉「私の戦後史」『私の戦後史　第 2 集』沖縄タイムス社、1980 年
◆大嶺政寛「私の戦後史」『私の戦後史　第 3 集』沖縄タイムス社、1980 年
◆柳田國男『柳田國男全集 1 』筑摩書房、1989 年
◆村井紀『南島イデオロギーの発生―柳田国男と植民地主義』福武書店、1992 年
◆小熊英二『〈日本人〉の境界』信曜社、1998 年
◆宇佐美承『池袋モンパルナス』集英社文庫、集英社、1995 年
◆中野好夫、新崎盛暉『沖縄戦後史』岩波新書、岩波書店、1976 年
◆川平朝申『終戦後の沖縄文化行政史』月刊沖縄社、1997 年
◆大城精徳「焦土の中から甦った画家達」『写真集沖縄戦後史』那覇出版社、1986 年

◆画集『大城皓也の世界』Kohya'75、〔大城皓也の世界〕編集委員会編、ワイド企画、1975年

◆『山元恵一遺作展』山元恵一遺作展実行委員会編、沖縄県立博物館、1978年

◆『山元恵一作品集』山元恵一回顧展実行委員会編、那覇市文化振興課、1993年

◆『山元恵一展 まなざしのシュルレアリスム』沖縄県立博物館・美術館、2017年

◆『安次嶺金正画集』琉球大学教育学部美術工芸科編、安次嶺金正、1982年

◆『安次嶺金正展ー緑の抒情ー』沖縄県立博物館・美術館、2013年

◆『玉那覇正吉作品集』宮良薫編、玉那覇吉子、1985年

◆『沖縄近代彫刻の礎　玉那覇正吉ー彫刻と絵画の軌跡ー』沖縄県立博物館・美術館、2012年

◆『絵と文』安谷屋正義作品集刊行会、1973年

◆『安谷屋正義展　モダニズムのゆくえ』沖縄県立博物館・美術館、2011年

◆田中岑『画家の記録』三彩社、1974年

◆沖縄ルーツシリーズ1『タカエズトシコ』沖縄県立博物館・美術館、2010年

◆山城見信『美尻毛原の神々ー美咲養護学校における土の造型学習・その実践』自費出版、1979年

◆山城見信『盲学校・土の造型20年』自費出版、1981年

◆山城見信『受容と放射ー南からの光線』(島武巳との二人展) ギャラリー日鉱、1993年

◆『Work on the Paper　山城見信・南部芳宏二人展』沖縄県立芸術大学、1997年

◆『公開アトリエ　カオスとコア　山城見信と仕事』前島アートセンター、2000年

◆『KURU KENSHIN YAMASHIRO』佐喜眞美術館、2016年

◆『ほね影から黴へ 1968~1998 NAGO』永山信春、1999年

◆『中島イソ子展ーなぜ自画像か』前島アートセンター、2001年

◆真喜志勉『TOM MAX』真喜志奈美、2018年

◆真喜志勉『TOM MAX Turbulence1941-2015』多摩美術大学、2020年

◆『真喜志勉展　Out to Lunch』真喜志勉展実行委員会、2016年

◆『真喜志勉展　Ambivalent』沖縄県立博物館・美術館、2016年

◆宮城明『Maguma07』自費出版、2008年

◆『MIYAGI AKIRA 表皮一体』沖縄科学技術大学院大学、2013年

◆『ZEROのステージ 1965～2018　鎮西公子作品集』鎮西公子、2018年

◆サロン・ド・ミツ十周年特別企画『川平恵造個展』サロン・ド・ミツ、1998年

◆『屋良朝彦絵画展　My Space』、読谷村立美術館、2012年

◆『EGO-SITE』アートガーデンかわさき、1998年

◆ SHIGA-ANNAL98'『精霊の宿るところ』1998年

◆『VOCA展1999』VOCA展実行委員会編、上野の森美術館、1999年

◆『横浜トリエンナーレ2005』国際交流基金、2005年

◆『VOCA展2002』VOCA展実行委員会編、上野の森美術館、2002年

◆『山城知佳子』ユミコチバアソシエイツ、2012年

参考文献一覧

図録、画集、写真集、パンフレット

◆『山本森之助展』長崎県美術館、2006年
◆『ニシムイ　NISHIMUI』沖縄県立博物館・美術館、2016年
◆『五人展パンフレット No.1－9』、1950-54年
◆稲嶺成祚「戦後美術の流れと現状」『沖縄現代画家78人』画廊沖縄、1982年
◆『創斗会パンフレット No. 1－15』1958-71年
◆『グループ「耕」パンフレット　第1回展』1962年8月18日
◆『現代の幻想絵画展』朝日新聞社、1971年
◆『沖縄戦後美術の流れ　シリーズ1モダニズムの系譜』沖縄県、1995年
◆『沖縄戦後美術の流れ　シリーズ2固有性へのこだわり』沖縄県、1996年
◆『戦後50年 沖縄の美術』那覇市、1995年
◆『JAPAN 牛窓国際芸術祭』パンフレット、服部恒雄、1986年
◆『今日の作家〈位相〉展』横浜市教育委員会、1987年
◆『Topos, Ethnos 現代美術における文化のはざまをめぐって』川崎市文化財団、1992年
◆『道の島美の交流展』沖縄県美術家連盟、奄美美術協会、1991-2003年　不定期8回
◆東松照明『沖縄マンダラ』沖縄県、2002年
◆『フォトネシア／光の記憶　時の果実』展、琉球烈像展実行委員会、2002年
◆『沖縄文化の軌跡 1872-2007』沖縄県立博物館・美術館、2007年
◆『移動と表現』沖縄県立博物館・美術館、2008年
◆山城茂徳、山内盛博画集『風景／組成』自費出版、2017年
◆比嘉康雄『生まれ島・沖縄』ニライ社、1992年
◆平良孝七『パイヌカジ』自費出版、1976年
◆クリスト『SHINCHOSHA'S SUPER ARTISTS』新潮社、1990年
◆『沖展図録 vol.1-vol.31』沖縄タイムス社、1949-79年
◆『TOSHIKO TAKAEZU　RETROSPECTIVE』京都国立近代美術館、1995年
◆『帰米2世画家小橋川秀男展—永久少年の夢と生涯－』沖縄県、2000年
◆比嘉良治『シャツの鼓動』角川書店、1988年
◆『南風原朝光遺作画集』、南風原朝光遺作画集刊行会、1968年
◆『彷徨の海－旅する画家・南風原朝光と台湾、沖縄』沖縄県立博物館・美術館、2017年
◆『名渡山愛順が愛した沖縄 名渡山愛順展』沖縄県立博物館・美術館、2009年
◆『名渡山愛順画集』名渡山愛順画集刊行委員会編、琉球新報社、1979年
◆『名渡山愛順回顧展』那覇市文化振興課、1990年
◆『沖縄に生きる－大嶺政寛の世界』沖縄タイムス社、1979年
◆『大嶺政寛－情熱の赤瓦 沖縄の原風景を求めて－』沖縄県立博物館・美術館、2015年

年	美術関連事項	一般事項
2016	8-　国際芸術祭「あいちトリエンナーレ 2016」に高嶺剛、ミヤギフトシ、山城知佳子が参加	4-28　うるま市で米軍属による暴行殺人事件 10-　機動隊が東村高江で基地建設工事に抗議する住民に対し「土人」発言
2017	4-25　沖縄本土復帰 45 年「写真家が見つめた沖縄 1972-2017」石川竜一によるセレクション（～ 5-21 沖縄県立博物館・美術館コレクションギャラリー、県民ギャラリー、主催・NHK） 6-　マブニピースプロジェクト（糸満市） 11-1　美術館開館 10 周年記念展「彷徨の海―旅する画家・南風原朝光と台湾・沖縄」（～ 2018-2-4、沖縄県立博物館・美術館コレクションギャラリー） 12-19 「邂逅の海―交差するリアリズム』（～ 2018-2-4、同館企画展示室） 12-　やんばるアートフェスティバル 2017-2018（大宜味村ほか）	
2018	2-24「東京⇔沖縄　池袋モンパルナスとニシムイ美術村」（～ 4-5、板橋区立美術館）	
2019		新元号「令和」施行 10-31 首里城が火災で正殿焼失
2020	6-　沖縄アジア国際平和芸術祭（糸満市ほか） 9-29 「琉球弧の写真」（～ 11-23、東京都写真美術館）	新型コロナウィルスが流行
2021	10-31　那覇文化芸術劇場「なはーと」開館 11-3 「琉球の横顔描かれた「私」からの出発」（～ 2022-1-16　沖縄県立美術館企画展示室）	自衛隊基地や米軍基地から有機フッ素化合物（PFAS）含む汚染水流出 10-　小笠原諸島の海底火山由来とみられる大量の軽石が漂流・漂着
2022	7-20　復帰 50 年コレクション展「FUKKI QUALIA（フッキクオリア）」（～ 2023-1-15　沖縄県立博物館・美術館コレクションギャラリー） 8-　国際芸術祭「あいち 2022」カズ・オオシロ、石川竜一が参加 山城知佳子が第 72 回芸術選奨美術部門文部科学大臣新人賞	5-15 本土「復帰」50 年

年	美術関連事項	一般事項
2007	4-20　平敷兼七写真集『山羊の肺沖縄 1968-2005』（影書房）→ 2008 伊奈信男賞受賞 10-30　沖縄県立美術館開館記念関連イベント「写真０年　沖縄」展（～ 11-4、那覇市民ギャラリー） 11-1 沖縄県立博物館・美術館、那覇市おもろまちに開館、開館記念展「沖縄文化の軌跡　1872―2007」（～ 2008.2-24　美術館企画展示室、講堂、エントランス他美術館全施設、屋外） 12-12　写真雑誌『LP』（タイラジュン、松本太郎）創刊	6-22 沖縄県議会、高校歴史教科書の沖縄戦「集団自決（強制集団死）」の記述から日本軍の関与を削除した文部科学省の教科書検定の撤回、記述の回復を求める意見書、全会一致で可決
2008	11-1 「沖縄・プリズム 1872-2008」（～ 12-21、東京国立近代美術館）	
2009	1-13「移動と表現」（～ 3-29 沖縄県立博物館・美術館企画展示室）	
2010	コザクロッシング 2010（沖縄市）	
2011	11-5　前島アートセンター解散シンポジウム「アートの遺伝子（DNA）」 アートと批評雑誌『las barcas』（仲宗根香織）創刊 インタヴュー映像アーカイヴプロジェクト「Okinawa Artist Interview project」（代表・大山健治）開始	
2012	5-8 「眼の記憶」（～ 20、那覇市民ギャラリー） 5-12 「オキナワゼロポイント」（～ 20、那覇市平和通り） 6-　OKINAWA ART in NEW YORK（～ 7-27 日本ギャラリーニューヨーク）、カズ・オオシロ、照屋勇賢ら参加	10-1 オスプレイ配置が始まる
2012	第１回イチハナリアートプロジェクト（うるま市） 9-17　連続写真展「沖縄で / 写真は」（～ 11-18、ギャラリー M&A）	
2013	アートサイト「compass」開設 7-13 「visions-for the world to come」（～ 28、キャンプタルガニー）、照屋勇賢、阪田清子ら参加 オルタナティブスペース OCAC 開設（那覇市）	
2014	石川竜一『絶景のポリフォニー』『Okinawaportraits』（赤々舎）→ 2015 木村伊兵衛賞 共同アトリエ「BARRAK」開設（那覇市）	辺野古新基地建設が本格化 4-　那覇クルーズターミナル運用開始
2015	6-13　戦後 70 年特別企画「ニシムイ～太陽のキャンバス～」展（～ 2016-3-13、沖縄県立博物館・美術館コレクションギャラリー） 6-　戦後 70 年沖縄美術プロジェクト「すでぃる REGENERATION」発足	

年	美術関連事項	一般事項
2001	3-17　前島アートセンター（旧高砂ビル、通称 MAC、代表・宮城潤）開設（2007-2-28 高砂ビル閉鎖） 10-9『沖縄県写真協会創立 20 周年記念誌おきなわ写真の歩み』（沖縄県写真協会） 12-25 第 1 回太平洋美術会沖縄支部展（～ 28、那覇市民ギャラリー）	9-11 米中枢同時テロ発生。在沖米軍が厳戒態勢をとり、修学旅行など沖縄旅行キャンセルが相次ぐ
2002	7-3　琉球烈像－写真で見るオキナワ「フォトネシア / 光の記憶・時の果実　復帰 30 年の鼓動」（～ 14、那覇市民ギャラリー・前島アートセンター） 7-5　東松照明写真展「沖縄マンダラ」（～ 28、浦添市美術館） 9-21　沖縄美術復帰 30 年展「軌跡と展望」（～ 10-20、読谷村立美術館、同館・村教育委員会主催）、図録刊行 10-25　本土復帰 30 周年記念事業・沖縄文化祭「沖縄県収蔵品展」（～ 27、沖縄コンベンションセンター第 1 会議棟） 11-23 「wanakio2002」（～ 12-8、農連市場・前島 3 丁目） 12-3　沖縄県立現代美術館（仮称）収蔵品展「ニシムイ－名渡山愛順と安谷屋正義の戦後－」（～ 15、県立芸術大学附属図書・芸術資料館）	
2003	10-10　山形国際ドキュメンタリー映画祭 2003（～ 16、山形市中央公民館ほか）、「沖縄特集・琉球電影列伝 / 境界のワンダーランド」など沖縄関係映像作品 74 本を上映。『島クトゥバで語る戦世—100 人の記録』（琉球弧を記録する会）刊行	8-10 沖縄都市モノレール（愛称「ゆいレール」）開通
2004	9-19 「非情のオブジェ現代工芸の 11 人」展（～ 11-28、東京国立近代美術館工芸館）、上原美智子「あけずば織」出品	8-13 米軍普天間飛行場に隣接する沖縄国際大学本館に、米海兵隊大型輸送ヘリコプター CH53D1 機が接触・墜落・炎上
2005	私設美術館「キャンプタルガニー」（主・大田和人）開館	
2006	7-8　那覇市歴史博物館、パレットくもじ 4 階に開館、開館記念特別展「 琉球王国の煌めき 」（～ 8-30） 10-21 「これでいいのか？県立の美術館」シンポジウム 2006（教育福祉会館、主催・美術館問題について大いに語る会）	「しまくとぅばの日に関する条例」が制定され、9 月 18 日を「しまくとぅばの日」とする
2007	3-31 「 アート NPO フォーラム美術館の意義と可能性」＋これでいいのか？県立の美術館 Part2（教育福祉会館大ホール）	

年	美術関連事項	一般事項
1995	8-2　沖縄近現代美術家展「沖縄戦後美術の流れ―シリーズ1・モダニズムの系譜―」（～13、浦添市美術館・浦添市民会館中ホール、主催・沖縄県） 10-17　「戦後50年沖縄の美術家展」（～11-5、那覇市民ギャラリー、主催・那覇市）、図録『戦後50年沖縄の美術』刊行	9-4　本島内で少女が米兵3人に乱暴される事件発生 10-21　少女暴行事件に抗議する県民総決起大会（宜野湾海浜公園）、8万5000人が参加
1996	2-15　『EDGE』（編集長・仲里効）創刊 3-19　クリスト＆ジャンヌ＝クロード来沖特別記念展（画廊サロン・ド・ミツ） 4-1　「ジョナス・メカスin沖縄－リトアニア・台湾・沖縄」（～3、シティコートホテル・ホール） 4-10　第15回土門拳賞、砂守勝巳『漂う島とまる水』（クレオ） 5-1　「アトピックサイト国際現代美術展」（主催・東京都）沖縄プロジェクト（～7-20那覇・読谷、）東京展（8-1～25、東京ビッグサイト） 6-15　「石の声」金城満（～23、佐喜眞美術館）述べ600人参加 10-2　沖縄近現代美術家展「沖縄戦後美術の流れ―シリーズ2・固有性へのこだわり―」（～27、浦添市美術館、主催・沖縄県）	
1997	4-22 第1回「個我の形象展」（～27、那覇市民ギャラリー）	
1998	2-1 那覇市立壺屋焼物博物館（設計・真喜志好一、館長・渡名喜明）開館	
1999	5-25　映画「夢幻琉球・つるヘンリー」（監督・高嶺剛、脚本・高嶺剛、仲里効）上映会（～31、リウボウホール） 9-28　「戦後復興期の美術／ロマンとしての沖縄」（～10-24、県公文書館） 10-8　りゅうせき美術賞展・10周年記念特別展（～24、浦添市美術館）、大賞：ウルカトム「環（カン）・赤」、『りゅうせき美術賞10年のあゆみ』刊行 11-20　映画「ナビィの恋」（監督／脚本・中江祐司）上映会（~22、パレット市民劇場）→2000.3-16 第1回文化庁優秀映画賞 美術館問題を考え、ボランティアを育成する任意組織「琉・動・体」発足	
2000	10-　「第1回前島三丁目ストリートミュージアム」 11-7　「帰米二世作家小橋川秀男展―永久少年の夢と生涯―」（～19、那覇市民ギャラリー、11-24～30、本部町民ギャラリー）	7-21　沖縄サミット開催

年	美術関連事項	一般事項
1990	7-20　大琉球写真帖編集委員会編『大琉球写真帖』（同会）、→第 11 回沖縄タイムス出版文化賞特別賞 9-11　第 1 回りゅうせき美術賞展（～ 16、那覇市民ギャラリー）、㈱りゅうせき主催の絵画公募展、大賞：砂川則男「時」	8-23　第 1 回世界のウチナーンチュ大会（～ 26）
1991	1-20　第 1 回「道の島・美の交流展」（～ 27、奄美文化センター、主催・名瀬市、沖美連） 7-4　県内画家展望展パートⅠ県内 7 支部美術団体画家の展望（～ 8-30、読谷村立美術館） 7-26　現代水彩画研究会沖縄支部（支部長・仲村兼明）結成	11-15　国際シンポジウム「占領と文学」（～ 17、沖縄国際大学、タイムス・ホール）
1992	7-3　OKINAWA Open Air Exhibition（～ 5、百名ビーチ） 10-1　第 1 回街と彫刻展（～ 1-30、パレットくもじ 1F 広場ほか	11-3　首里城公園開園、首里城正殿復元
1993	2-15　「パイナップル・ツアーズ」中江裕司・真喜屋力・當間早志、日本映画監督協会新人賞 5-12　平良孝七、ネガフィルムなど 13 万点の写真関係資料を名護市に寄贈 5-14　第 43 回日本写真協会年度賞決定、比嘉康雄写真集『神々の古層』 8-23　沖縄県立美術館基本構想検討委員会（会長・大城立裕）第 1 回委員会	
1994	2-25　県立美術館を考えるシンポジウム（RBC ホール） 5-10　沖縄県立美術館建設を考えるシンポジウム実行委員会報告書編集部『報告書アウトオブジャパン、そしてアジアへ』	
1994	8-31　第 1 回沖縄県立現代美術館建設検討委員会（会長・大嶺實清） 11-23　佐喜眞美術館（館長・佐喜眞道夫）、宜野湾市上原に開設．県内初の私立美術館	
1995	3- 7　沖縄県文化協会（会長・池原貞雄）発足 5-15　石川真生写真展『沖縄と自衛隊』（～ 15、那覇市民ギャラリー）、写真集刊行→第 1 回平和共同ジャーナリスト基金賞 6-6 「思索する色とかたち作陶 50 年タカエズ・トシコ展」（～ 7-9、京都国立近代美術館） 8-1　第 1 回済州道・沖縄美術家連盟合同交流展（～ 6、那覇市民ギャラリー、8-28 済州道・文芸会館展示室）	

年	美術関連事項	一般事項
1982	8-3　現代彫刻展（～8、県民アートギャラリー）加藤友一郎・黄婉芳・高垣篤・能勢孝二郎・能勢裕子・八柳尚子・山本秀夫 9-7　第1回新生美術協会展（～12、県民アートギャラリー）、美術誌『新生美術』創刊 11-1　『画集沖縄現代画家78人』（画廊沖縄、月刊沖縄社）	
1983	2-17　第1回沖縄のモダンアート絵画展（～28、マキシー、主催・画廊沖縄）安次富長昭・翁長自修・城間喜宏ら12人	
1984	9-15　フェスティバルビル（設計・安藤忠雄建築研究所＋国建）、那覇市松尾・国際通りに落成	
1985	4-2　画廊宝開設記念「絵画9人展」（～9）城間喜宏ほか 写真同人誌『美風』創刊、平敷兼七・嘉納辰彦・石川真生ら	
1986	4-1　沖縄県立芸術大学（学長・山本正男）、首里に開学 5-1　画廊「匠」、宜野湾市に開設	
1987	3-14　那覇市民ギャラリー、久茂地セントラルビルに開設、開設記念展「那覇近現代美術展―明治・大正生れの作家たち―」（～31） 4-28　ギャラリーみやぎ開廊記念「現代沖縄絵画選抜展」（～5-3） 10-20　沖縄近代の絵画・物故作家展（～11-22、県立博物館）、図録刊行 「フォトシンポジウム in 沖縄」（名護市にて隔年開催）。名護写真まつりと名称を改め2003年まで続く	10-26　読谷村の国体会場で、日の丸焼捨て事件発生
1988	3-27　第40回沖展（～4-17、浦添市民体育館）以後会場が定着、会期も長期化 10-10　画廊サロン・ド・ミツ、那覇市牧志に開設	
1989	11-3　首里城正殿復元起工式	1- 7　昭和天皇死去 1- 8　新元号「平成」施行
1990	1-9　光陽会沖縄支部結成展（～14、那覇市民ギャラリー） 1-27　第1回あけみお展（～2-4、名護市営体育館）、名護市主催の絵画公募展、大賞：宮城和邦 2-1 浦添市美術館（館長・宮城篤正）、宇仲間にオープン、県内初の公立美術館 3-29　読谷村立美術館オープン	

年	美術関連事項	一般事項
1974	2-23　沖縄近代物故美術家展（〜 3-17、県立博物館） 6-27　第 1 回郷土の女性作家による絵画展（〜 7-1、リウボウ 4 F ホール、主催・リウボウ）、22 人出品（遡及的に「第 1 回展沖縄女流美術展」とされる） → 1977-7 WORKSHOP 沖縄写真教室、八汐荘で開催（講師・東松照明・荒木経惟・森山大道・深瀬昌久・細江英公）	
1975	2-　沖縄国際海洋博覧会・沖縄館（設計・金城信吉＋海洋博沖縄設計 JV）、本部町字石川に落成 12-2　鎌倉芳太郎、画稿 99 点を八重山博物館に寄贈	7-17　皇太子夫妻来島、ひめゆりの塔参拝中、火炎ビン投げられる 7-20　沖縄国際海洋博覧会開幕（〜 1976-1-18）
1976	5-19　-'76 展（〜 22、タイムス・ホール）豊平ヨシオ・喜村朝貞・新垣安之輔・新垣安雄・山城見信・真喜志勉 7-1　比嘉康雄「おんな・神・まつり」、第 13 回太陽賞 8-15　写真ひろば「あーまん」開設（那覇市西町） 10-12　ちねんせいしん「演劇集団“創造”第 11 回公演台本・人類館」（『新沖縄文学』33）→ 1978 第 22 回岸田戯曲賞 平良孝七『パイヌカジ』→ 1977 木村伊兵衛賞	
1977	7-8　沖縄県博物館協会を結成 7-12　沖縄女流美術家協会（会長・久場とよ）発足	
1978	9-18　山田真山「沖縄平和祈念像」完成 10-1　沖縄平和祈念堂、摩文仁の平和祈念公園内に開堂	7-30　交通方法変更（「人は右、車は左」）実施
1979	やんばる絵画同好会（会長・山之端一博）結成	
1980	7-27　沖縄県美術家連盟（会長・与儀達治）結成	2-20　沖縄ジアンジアン那覇市牧志に開館
1981	5-　沖縄県写真協会（会長・比嘉康雄）発足、沖縄県芸術祭写真部門の支援組織 6-1　名護新庁舎（設計・象設計集団＋アトリエ・モビル）完成 8-15　沖縄作家五人遺作展（〜 11-15、平和祈念堂美術館） 9-1　画廊沖縄（上原誠勇）、那覇市前島に開設 → 1984 那覇市泉崎に移転 10-1　県立県民アートギャラリー、那覇市久茂地・電波堂ビル 2F に開設 12-16 新生美術協会（会長・大嶺政寛）結成	

年	美術関連事項	一般事項
1968	5-25　亜熱帯派展（～27、タイムス第2ホール）安次富長昭・大浜用光・大嶺實清・城間喜宏 11-23 現代美術研究会作品展（～25、与儀公園広場）、永山信春・高良憲義・金城暎芳・新垣吉紀	2-16　日米琉諮問委員会、正式に発足 11-11　初の主席選挙に屋良朝苗が当選 11-19　B52、嘉手納町飛行場で離陸に失敗し爆発炎上
1969	7-29　安谷屋正義遺作展（～8-17、琉球政府立博物館） 9-4　沖縄現代作家展（～9、リウボウ4階ホール）与儀達治・大浜用光・稲嶺成祚・岸本一夫・翁長自修・普天間敏・新垣安雄・安次富長昭・大嶺實清・大嶺信一・真喜志勉ら21人が出品 11-22　「グループNON」野外展（～24、漫湖水上）	1-　『発想』（沖縄大学文学研究会）創刊 11-22　佐藤・ニクソン共同声明、沖縄の72年返還合意
1970	3-28　沖縄物産センター画廊開設、「名渡山愛順と紅型展」（～4-2） 5-11　沖縄新象作家協会創立展（～5-15、タイムス・ホール） 5-25　八重山美術協会第1回展（～28、八重山琉米文化会館） 10-14　沖縄現代画家秀作展（～20、新報第2ホール）、沖縄を代表する画家22人の秀作展 11-18　那覇市民会館(設計・現代建築設計事務所[金城俊光・金城信吉])、那覇市寄宮に竣工	12-20　コザ暴動
1971		4-　月刊誌『青い海』（津野創一）、大阪で創刊 6-17　沖縄返還協定日米調印式
1972	11-　第1回沖縄県芸術祭 12-8「グループ現」結成第1回作品展（～10、那覇市立文化センター）永山信春・高良憲義・金城暎芳・新垣吉紀 写真集団「ざこ」結成	3-31　『琉球の文化』（編集人・大城精徳、発行所・琉球文化社）創刊 5-15　施政権返還、通貨交換開始（～20） 6-25　知事・県議員選挙、新知事に屋良朝苗
1973	1-　大嶺薫美術館、那覇市久茂地に開設 4-7　現代の幻想絵画展（～22、タイムス・ホール、第2ホール、主催・沖縄タイムス社） 8-30　第1回沖縄新美展（～9-3、リウボウ5Fホール）上地弘・大浜英治・大嶺信一・川平惠造・普天間敏・屋富祖盛美・和宇慶朝健ら20人が出品 11-1　第2回沖縄県芸術祭現代美術展「第1回県展」（～6、リウボウ6Fホール）	

年	美術関連事項	一般事項
1963	8-18　野外展「太陽と作家の出合い」（～ 20、琉球本店空地［沖縄タイムス社向い］）比嘉良治・真喜志勉・西銘康展のオブジェ展 11-27　玉那覇正吉、彫刻研究団体・槐（えんじゅ）会を結成 アマチュア絵画グループ「エンブリオ会」（主宰・大嶺信一）結成（～ 1978）	4-28　北緯 27 度線付近で初の海上集会
1964	9-6　聖火到着記念オリンピック美術展（～ 8、タイムス・ホール） 9-26　第 1 回琉球新報賞、山田真山（美術に関する功績） 12-17 琉球文化連盟（会長・山田真山）発足	8-1　キャラウェイ高等弁務官更迭、ワトソン陸軍中将、第 4 代高等弁務官に着任 10-31　松岡政保が主席に就任 12-26　沖縄民主党結成（自由・自民両党による保守再合同）
1965	2-　沖縄平和祈念像（山田真山作）建立 「ねじの会」発足、安谷屋正義・玉那覇正吉・大城立裕・中山良彦・池田和	6-11　読谷村で米軍機から小型トレーラー落下、少女が圧死 8-19　佐藤首相、日本の総理大臣としては戦後初の沖縄訪問
1966	2-23　沖縄近代物故美術展（～ 3-17、琉球政府立博物館） 2-25　「沖縄少年会館」（設計・宮里栄一設計研究所）、那覇市久茂地に落成 2-28　現代大家沖縄風物洋画展（～ 3-2、琉球新報社ロビー）、出品者：有島生馬・東郷青児・伊藤清永・浦崎永錫ら 17 人、「沖縄風景写生会」（2-16 ～ 25）での作品を展示 4-5　水島源晃（会長）・山田實・当真荘平・親泊康哲・島耕爾・名渡山愛誠、「沖縄写真連盟」を結成、この月、岩宮武二写真教室（首里博物館）を開催 11-3　琉球政府立博物館新館開館記念・現代美術展（～ 12-2）、尚家所蔵文化財も特別陳列	10-5　海上自衛隊練習艦隊、那覇港に入港、市内をパレード．初の自衛隊沖縄上陸 10-31　沖縄初の横断歩道橋、那覇・久茂地交差点の 1 号線に設置
1967	2-14　第 1 回沖縄タイムス芸術選賞大賞、（美術）大嶺政寛・大城皓也・安谷屋正義・玉那覇正吉・安次嶺金正 9-　絵画グループ「赤土会」結成、大城精徳・慶田喜一・名渡山愛拡・高江洲盛一（～ 1982-1）、11-10 ～ 26 に琉球政府立博物館で第 1 回赤土会展 10-14　沖縄旺玄会（会長・宮城健盛）結成、第 1 回沖縄旺玄展（～ 16、那覇琉米文化会館）	7-21　大城立裕「カクテル・パーティー」（1967-2-5『新沖縄文学』第 4 号掲載）で第 57 回芥川賞。沖縄初の受賞 11-16　日米共同声明発表

年	美術関連事項	一般事項
1957	11- 琉球国際美術連盟（会長・大嶺政寛）結成（～1972)、RIAL（リアル）と略称 12-10 第1回ぴよぴよ会展（～22、タイムス・ホール)、アマチュア絵画グループ30余人参加、特別会員・大城皓也	6-5 アイゼンハワー米大統領、高等弁務官制度を新設
1958	1-11 第I回創斗展（～13、タイムス・ホール） 11- 山田真山、本年度の全国日本学士会アカデミア賞（文化部門) 11-24 第2回創斗展（～26、タイムス・ホール）安次嶺金正、玉那覇正吉、安谷屋正義、安次富長昭、岸本一夫 12-16 二科会沖縄支部（責任者・大城皓也）結成。絵画：大城皓也、大嶺精徳ら、写真：水島源晃、山田實ら 創斗会研究会、創斗会の下部組織として発足	10-15 守礼門復元
1959	1-11 第1回二科会沖縄支部展（～13、タイムス・ホール) 4- 沖縄ニッコール・クラブ（会長・山田實）結成、第1回ニッコール展（～25、那覇市松尾・岸本ビル）木村伊兵衛・土門拳・西山清・三木淳、招待出品 11-16 岡本太郎、民俗文化調査のため来沖（～12-2) 創元会沖縄支部（支部長・安次嶺金正）発足	6-30 石川市宮森小学校に米軍ジェット機墜落、死者17人、負傷者121人
1960	3-11 第1回琉球美術展（～14、那覇市安里・昭和会館）山里永吉・山田真山・慶田喜一・名渡山愛順・高江洲盛一・大浜用光ら出品 6-28 安谷屋正義、ロックフェラー財団基金により米・英・仏・伊の美術館を視察（～12月）	4-28 「沖縄県祖国復帰協議会」結成（タイムス・ホール) 6-19 アイゼンハワー米大統領来沖、阻止デモにあい予定を変更して帰米 6-23 日米新安保条約発効
1961	名渡山愛順と山田真山が「郷土の文化を守る会」設立	2-16 キャラウェイ陸軍中将、第3代高等弁務官に着任 4-5 沖縄人権協会設立
1962	1- 美術家集団グループ「耕」結成、大浜用光・新垣吉紀・城間喜宏・永山信春・上原浩・大嶺実清(8-18～20、タイムス・ホールで第1回展 3-9 沖縄民芸家協会（会長・豊平良顕、のち沖縄民芸協会）設立 純沖縄映画「吉屋チルー物語」(監督/脚本/製作・金城哲夫、製作・沖縄映画製作所)	
1963	3- 創斗会研究会、NEOと改称し、芸術愛好者の集まりとなる（～1971)	2-28 国場君事件（米兵による男子中学生轢殺事件）

年	美術関連事項	一般事項
1950	5-22　琉球大学（初代学長・志喜屋孝信）、首里城跡に開学、美術工芸科、音楽科を開設 名渡山愛順、豊平良顕、大嶺政寛、末吉安久、大城皓也、南風原朝光らが「琉球紅型研究会」を発足	2-10　GHQ、沖縄に恒久的基地建設を始めると発表 6-25　朝鮮戦争勃発 12-15　琉球軍政府を琉球列島米国民政府（USCAR）と改称
1951	3-9　大嶺政寛・名渡山愛順、第２回国民指導員として美術界視察のため米国へ出発	4-29　日本復帰促進期成会結成 9-8　対日講和条約、日米安保条約調印（発効 1952- 4 -28）、南西諸島の日本からの分離決定
1952	10-19　崇元寺石門修復竣工を記念して「第１回文化財展覧会」（～ 21、那覇琉米文化会館）	4-1　琉球政府発足
1953	2-28　1955 年協会第１回作品展（～ 3-2、那覇琉米文化会館） 5-18　首里博物館、東恩納博物館（石川市）を吸収合併し、首里当蔵・龍譚池畔に移転 5-26　龍潭池畔に新設されたペルリ記念館（首里博物館別館）、米軍政府より寄贈	1-18　第１回祖国復帰県民総決起大会 7-15　伊江島土地闘争起こる
1954	3-27　第６回沖展（～ 31、那覇高校）、アンデパンダン展を廃し、沖展運営委員会（委員長・豊平良顕）を設け審査制を復活、工芸、書道部門を新設 7-18 沖縄文化協会（会長・豊平良顕）設立	10-6　人民党事件
1955	9-　沖縄民政府立首里博物館、琉球政府立博物館と改称	9-3　石川市で「由美子ちゃん事件」（米兵による幼女暴行殺人事件）発生
1956	3-24　第８回沖展（～ 28、壺屋小学校）、写真部門を新設 10-11 沖縄美術家連盟第１回展（～ 14、那覇琉米文化会館） 11-24 美緑会第１回展（～ 27、那覇琉米文化会館）、沖展に批判的な仲里勇・慶田喜一・大城精徳・名渡山愛拡らが結成	7-28　軍用地四原則貫徹県民大会（那覇高校）、10 万人余が参加、“島ぐるみ闘争”へと発展 12-25 那覇市長選挙、瀬長亀次郎（人民党）が当選
1957	3-27　アメリカ映画「八月十五夜の茶屋」（監督：ダニエル・マン、製作会社：ＭＧＭ）、那覇・国映館で沖縄初公開 8-　創斗会結成、メンバーは安次嶺金正・玉那覇正吉・安谷屋正義・安次富長昭（翌年 1-11-13 に第１回創斗会展をタイムス・ホールで開催）	

年表

※『美術館開館記念展　沖縄文化の軌跡 1872-2007』、「沖縄県立博物館・美術館開館 10 周年記念「彷徨の海」「邂逅の海」関連年表」を参照し、展覧会は本書で取り上げている作家に関するグループ展を主に作成した。

年	美術関連事項	一般事項
1945	8-　米軍政府文教部長ハンナ少佐ら、石川市東恩納に沖縄陳列館を設置→ 1946-4 11-　仲座久雄、米海軍の指示により、ツーバイフォー工法による応急住宅（規格住宅）の設計を完成、このころから 3 年間にわたり 7 万 5000 棟を建設	3-27　米軍、慶良間諸島に上陸 4-1　米軍、沖縄本島に上陸 8-20　米軍政府、石川に沖縄諮詢会設置
1946	3-　仲吉良光・豊平良顕ら、首里郷土博物館（トタン葺き木造バラック建て）を設立 4-22　山田真山・大城皓也・屋部憲・大嶺政寛・山元恵一・金城安太郎・糸数晴甫・榎本正治ら、芸術課美術技官に採用 4-24　沖縄陳列館、沖縄民政府に委譲され、東恩納博物館と改称 5-　首里郷土博物館、首里市に移管され、首里市立郷土博物館（館長・豊平良顕）となる	1-29　GHQ、日本と南西諸島の行政分離を宣言 4-24　沖縄民政府発足
1947	4-19　石川琉米文化会館開設、最初の琉米文化会館 5-　美術展覧会（北谷キャンプ桑江）。山田真山、大城皓也、山元恵一、名渡山愛順らが参加。 7-　名渡山愛順・屋部憲（会長）・山元恵一・大城皓也ら「沖縄美術家協会」結成、石川市東恩納に常設ギャラリーおよびアトリエ設置 8-2　沖縄美術家協会巡回展、知念高校を皮切りに羽地・本部・名護・首里・糸満で開催 12-　東恩納博物館・首里市立郷土博物館、沖縄民政府に移管	5-3 日本国憲法施行
1948	4-　首里儀保町ニシムイ（北森）に石川市から名渡山愛順・屋部憲・山元恵一・大城皓也・金城安太郎・玉那覇正吉・具志堅以徳・安谷屋正義ら 8 人の画家が移住を開始、「美術村」を形成 8-　島田寛平、絵画同好会「新緑会」結成	10-　リビー台風襲来によりニシムイのアトリエ倒壊
1949	7-2　第 1 回沖縄美術展覧会 [沖展]（～ 3、崇元寺前・旧沖縄タイムス本社）、絵画部門のみ 64 点、大村徳恵「テントのある風景」、沖縄タイムス美術賞受賞 3-31　第 1 回「五人展」（～ 4-2、壺屋小学校）玉那覇正吉・安次嶺金正・安谷屋正義・金城安太郎・具志堅以徳（～ 1954-7 第 9 回展、11-25 解散宣言）	7-　グロリア台風襲来 10-22　米軍政府、沖縄議会を解散、任命制の沖縄民政議会を設置

いうことは画期的の大事件だった〉と述べているように、沖縄の民俗は日本民俗学にとって重要な位置を占めており、こうした柳田の考えは晩年の著作である『海上の道』において、日本の基層文化を形成した稲作が南島の島伝いに日本本土へ伝播したとする仮説に到達する。

民藝運動　1920年代、柳宗悦によって提唱され、これまで美術の分野で省みられることのなかった、民衆の日常の用具・工芸に美的な価値を見出そうとする運動。〈民藝〉とは民衆的工芸の略語で、柳の造語。1936年、東京・駒場に〈日本民藝館〉が設立されると、そこを拠点として河井寛次郎、濱田庄司、芹沢銈介、バーナード・リーチらが各地へ活動を広げていった。そのさなか、柳ら民芸協会員が沖縄に来島することになるが、そこで「方言論争」が起こるのである。

山里永吉　1902～1989年。洋画家、作家。渡嘉敷唯選、野津久保、浦崎永錫、永岡智行らと「ふたば会」を結成。日本美術学校中退。前衛画家グループ「マヴォ」同人となり、オブジェやコラージュなどの作品を発表。琉球政府立博物館館長、同文化財保護委員長などを歴任。

ＵＳＣＡＲ　ユースカー。琉球列島米国民政府（United State Civil Administration of the Ryukyu Islands）の略称。米民政府、民政府ともいう。1950年、それまでのあからさまな軍人統治の米軍政府を廃して、新たに設立された沖縄の統治機構。その背景には、52年の対日講和発効（日本の独立）以降も長期的に沖縄の米軍を維持するため、形式的にも軍政ではなく民政に移行する必要があった。

琉球国旗　米軍統治下、「沖縄を象徴する旗をつくったらどうか」という米軍政府高官のすすめで、民政府が美術家協会にデザインを委嘱。1950年1月、地を三等分して青、白、赤の三食を配し、左肩に白い明星をつけた旗を作った。青は平和、白は自由、赤は熱誠、明星は希望を象徴。しかし、沖縄県民が関心を示さなかったため立ち消えになった。

琉球処分　首里王府を中心とした統治体制が、明治期の日本の近代化に伴って廃止され、完全に日本国家に組み込まれていった時期を指す。1872年、琉球国王・尚泰を琉球藩王とする〈琉球藩設置〉に始まり、79年の首里城を武力で占拠する〈廃藩置県〉を経て、翌80年の〈分島問題〉で清国の領有権の放棄が明確となった、前後9年間にまたがる時期。

琉球美術展　1959年に沖展から分離したグループが「琉球美術会」を結成。翌1960年第1回琉球美術展開催。山里永吉、山田真山、慶田喜一らが出品。

琉大文学　1953年7月創刊の、琉球大学文芸クラブの機関誌。沖縄の文学に大きな刺激を与えた。一般に『琉大文学』と呼ぶ場合は，1950～60年代までを指す。米軍と大学当局から政治的弾圧を加えられ、56年に発行停止となるが、57年に復刊。

誠登録」が強制された。そのなかで、「いつどこでも、アメリカ軍隊として戦闘義務を果たすか」「アメリカ合衆国に無条件の忠誠を誓うか」という二つの項目に「ノー」と答えた1万3千人が「ノーノーボーイ」として不忠誠のレッテルを貼られた。彼らはカリフォルニアにあるツールレイクに収容された。

東恩納博物館　「沖縄陳列館」が前身。陶器、彫刻、織物など収蔵品は367点に及ぶ。首里博物館と1953年に合併、現在の県立博物館の母体となった。

比嘉春潮　沖縄歴史研究者。小学校教員などをへて『沖縄毎日新聞』『沖縄朝日新聞』の記者となる。記者時代から社会主義思想の学習グループを作り、その影響下で瀬長亀次郎らを輩出した。41歳で柳田國男に師事し、南島談話会に参加。戦中・戦後も柳田の下で民俗研究をおこなった。1947年に沖縄文化協会を作り、戦後の沖縄文化研究の基礎を築いた。

復帰記念三大事業　沖縄の日本復帰を記念して行なわれた植樹祭、沖縄特別国民体育大会（若夏国体）、沖縄国際海洋博覧会の三事業。沖縄経済の遅れを取り戻すべく社会資本の整備を促進するなどの狙いがあったが、海洋博への投資として公共・民間から巨大な資金が流入したことにより、土地の高騰や自然破壊、閉会後の企業倒産など様々な問題を引き起こした。

ベトナム戦争　1960年5月に始まり、1975年4月まで南ベトナムでゴ・ディン・ジェム独裁政権とそれを支持する米国に対して、南ベトナム解放民族戦線が繰り広げた戦争。1961年には米軍は沖縄からグリーンベレー（陸軍第一特殊部隊群）と爆撃戦闘機などを送り込み、1965年には嘉手納飛行場が北ベトナム爆撃の発進基地となった。

ペリー　マシュー・カルブレース・ペリー、1794〜1858年。米国海軍軍人で日本海国交渉のための特命全権大使に任命され、米国東インド艦隊を率いて1953年那覇の泊港に来航。以降、日本との条約交渉のための基地として利用した。

方言論争　1940年1月、来沖中だった柳宗悦ら日本民藝協会一行が、沖縄観光協会、郷土協会主催の座談会場で沖縄県学務部の標準語奨励運動を批判。同席していた県当局側がこれに反論した。翌日このことが報道され賛否両論が起こり、中央の論壇まで波及。ほぼ1年にわたり論争がおこなわれた。沖縄発展のために標準語を推奨した県当局に対し、柳らは琉球方言を保護すべき日本の文化として主張。沖縄県内では県当局を支持する向きが強かった。

ポール・W・キャラウェイ　1961年2月16日から1964年7月31日まで琉球列島高等弁務官を務めた。「ケネディ政権の日米協調政策は沖縄におけるアメリカの軍事的利益を損なう」と強く反発して、日本への沖縄返還に反対の意思を表明した彼の強権発動政策はキャラウェイ旋風と呼ばれ、内外に波紋を広げた。

柳田國男　1875〜1962年。日本民俗学の創始者。『郷土生活の研究法』（1935年）のなかで、〈我々の学問にとって、沖縄の発見と人が陳列されていた。〈琉球貴婦人〉と銘打たれた沖縄女性は、小屋の興行主から博覧会の店員として雇われてきたジュリ（遊女）であった。これを見た各国大使の抗議、また在阪の沖縄県人らの『琉球新報』紙上での批判キャンペーンによって、興行はまもなく打ち止められた。

一九五五年協会　1952年に名渡山愛順と大嶺政寛の呼び掛けにより発足した一時的な美術組織。沖縄から中央画壇へ進出することを目的とした。

丹青協会　明治、大正期における県内唯一の美術団体。1908年に西銘生楽を中心に結成され、県内の旧制中学・女学校・小学校の美術教師を主会員とした。年に数回の合評会の開催、中央画壇から画家を招くなど、県内の美術の振興、相互研鑽につとめた。1920年にふたば会、1935年に龍舌会が分派するなど、徐々に諸流派を立てての個別活動が盛んになる。1935年に発展的に解消、南島美術界が誕生した。

創斗会　1957年、安次嶺金正、玉那覇正吉、安谷屋正義、安次富長昭の4人で結成。沖縄のモダニズム運動の中心的役割を果たした。1958年には下部組織として「創斗会研究会」ももうけられた。

ソテツ地獄　第一次大戦中、世界の砂糖市場が主要な生産国からの供給が途絶え一時暴騰し、政府方針のもとで、沖縄でのサトウキビ生産に大規模な投資が行われるようになった。1920年株価暴落ともに戦後不況が始まり、砂糖市場も大暴落。沖縄の特別地方自治制度が撤廃され、他府県並みになり県民の税負担が制度廃止前の3倍になった時期が重なり、県財政は破綻に追い込まれた。不況の長期化は、各地に生活困窮者を出し、人身売買も行われるようになった。調理を誤ると死に至ることもあるソテツを食べることで飢えをしのぐほど困窮に追い込まれた時期を「ソテツ地獄」という。

南島論　1970年前後は、島尾敏雄による〈ヤポネシア論〉のほかに、吉本隆明、谷川健一らによって再び「沖縄」が注目され、その後の思想・文芸に大きな影響を与えた。彼らの「沖縄」をめぐる〈南島論〉は、それまでの郷土史研究としての民俗学を引き継ぎつつ、幼時の政治的・社会的な状況に根本的な疑義を突きつけるものであった。

南洋　第一次大戦後、日本政府は国際連盟により委任統治を認められた南洋（マリアナ諸島）への植民政策を進め、1921年サイパン島に半官半民の「南洋興発（株）」を設立する。翌22年にサイパン―沖縄に直行便が就航し、パラオに〈南洋庁〉が設置されると、おりから「ソテツ地獄」にあえいでいた大量の沖縄の人々が送り込まれた。いわゆる「南洋移民」である。

日系人強制収容　第二次大戦時、南米各国では対日断行がなされ、在留日系人の逮捕が相次ぐ。ペルーでは帰化した者を含む約1000人が米国テキサスの収容所に送られた。北米・南米を含め、強制収用された日系人は11万人余にのぼる。

ノーノーボーイ　第二次世界大戦中、アメリカ合衆国では17歳以上のすべての日系人に対し、いくつもの質問条項にサインする「忠を象徴する出来事である。

高等弁務官　1957年に公布された米大統領令により、これまでの米軍の沖縄統治機構「米民政府＝USCAR」の責任者を琉球軍司令官（軍政長官）が兼任する「民政副長官」に代えて、民政を専任職とする高等弁務官制となった。

コザ暴動　1970年12月20日午前0時すぎに起こったコザ市中の町で米兵運転の乗用車が軍雇用員の男性をはねた事故をきっかけに米軍車両に群衆が投石、焼き打ちした事件。交通事故自体は軽微なものであったが、憲兵の威嚇発砲により、住民たちの米軍支配への不満が爆発。米軍車両に次々と放火し反米感情の強さを見せつけた。

島袋全発　1888～1953年。1905年上京、一時早稲田大学に在学した後、京都帝国大学法学部に入学。帰京後、「沖縄毎日新聞」入社、市職員、高等女学校校長を経て、1935年県立図書館館長に就任する。1923年に、〈沖縄郷土研究会〉を組織し『南島研究』誌を出す。また、1935年には〈おもろ研究会〉を組織する。

写真集団「あーまん」　1976年、那覇西消防署の裏に開設。東松照明の主催による「写真学校ワークショップ」に参加した若者達と、平良孝七が中心になって結成された沖縄で初の写真の自主ギャラリー。東京の自主ギャラリーとの合同展、メンバーの精力的な展示、写真集の発行など、活発な活動をみせた。メンバーを変えながら3期ほど続く。

写真集団「ざこ」　1972年に結成された、琉球大学、沖縄大学、沖縄国際大学の各大学写真部有志による合同写真サークル。東京の写真学校卒業後、高梨豊の写真事務所を経てフリーになった伊志嶺隆が、デモの現場などで知り合った各大学の写真部員たちに働きかけて結成された。1972年の沖展において、「反沖展写真部」を掲げたビラ配りや、会場付近での「反沖展野外展」をおこなった。1年ほどで解散。

首里市立郷土博物館　沖縄民政府立首里博物館の前身。仲吉良光、豊平良顕らによって、1946年3月に設立され、トタン葺きの木造バラック建ての建物だった。1947年12月、沖縄民政府移管と同時に首里博物館と改称された。1953年5月、琉球政府立博物館として新築移転されると同時に、石川市にあった東恩納博物館も合併された。現在の県立博物館の前身でもある。

樹緑会　1922年、図画の教師西銘生楽が中心となり、沖縄県立第二中学校の生徒によって結成された絵画グループ。西銘の後任として赴任した比嘉景常が指導にあたり、後の沖縄画壇の中核をなす多くの画家を生んだ。会の創立メンバーが16人だったことから16会（樹緑会）と名付けられた。名渡山愛順、大城皓也、山元恵一、大嶺政寛、安谷屋正義らを輩出。

人類館事件　1903年、大阪で開かれた政府主催の第5回勧業博覧会において、会場周辺の見せ物小屋に「学術人類館」と称した小屋が建った。学術資料として、小屋の中に朝鮮人、北海道アイヌ人、台湾高山人、などアジア・アフリカの諸民族と一緒に沖縄年4月に沖縄民政府が創設されるまでの間、米軍政府と住民との間をつなぐ役割を担った。

沖縄県写真協会　1981年、沖縄県芸術祭写真部門を支援する目的で、平良孝七の呼びかけにより発足。現在まで続く団体である。初代会長は比嘉康雄。沖展写真部を中心とした写真サークルと、そこに属さない比嘉康雄、平良孝七のような写真家達が、初めて合同した会である。しかし、方向性の違いから比嘉・平良は会を離れた。

沖縄美術家協会　戦後、石川市において最初に結成された美術団体。1947年、沖縄中央政府文化部芸術課のメンバーを中心に、地位向上と生活を守る趣旨から＜沖縄美術家協会＞を結成、のちに首里儀保町の＜美術村＞に移行する。

カタカシラ　琉球王府時代の成人男子の髪型。もともと頭の片方に偏して結ったことからこの名称になったといわれる。

鎌倉芳太郎　重要無形文化財「型絵染」保持者。1921年、沖縄女子師範学校、及び第一高等女学校の教諭として沖縄に赴任。赴任中の二年間の間に、沖縄の文化や風俗の調査を行った。1924年に再来沖し、沖縄赴任中の研究をもとに、伊東忠太とともに共同研究を行った。その際に鎌倉が撮影した3000枚余りの写真や調査資料は、戦災で失われた文化財の貴重な記録となっている。

画廊「匠」　1986年、画家の永津禎三と批評家の翁長直樹を中心として設立された作家主体の自主運営組織。1988年閉鎖。実験的な空間として、従来の沖縄にはなかった先鋭的な作品、展開をみせた。

久志芙沙子　小説家。1932年『婦人公論』6月号に「滅びゆく琉球女の手記」を投稿。原題は「片隅の悲哀」だが、編集部が改題発表した。東京遊学中の沖縄県出身の若い女性が、沖縄県人ということを隠して東京に永住する叔父の劣等感に満ちた言動を、批判的に見るという内容。東京在住の県人達を非常に刺激し、抗議行動が起こった。

グループ「耕」　1962年、「創斗会研究会」のメンバーだった大浜用光、大嶺實清、上原浩、永山信春、城間喜宏、新垣吉紀の6人によって結成された前衛美術団体。同年8月、タイムス・ホールで第1回展を開催。

現代美術研究会　グループ「耕」の5回展の後、「亜熱帯派」と「現代美術研究会」に分離。1968年11月に「現代美術研究会」の4人による野外作品展が与儀公園広場で開かれた。その後「現代美術研究会」は「NON」を経て1972年「現」になり、名前を変える度に一度だけのグループ展を開催した。

県立二中　1910年創立、沖縄県立第二中学校の略。県立沖縄中学校（のちの県立第一中学校）の分校として首里城北殿で開校した。沖縄戦をうけ1945年4月に幕を閉じたが、戦後は那覇高等学校となり現在に至る。

交通方法変更（730）　通称ななさんまる。戦後、米軍統治下時代と復帰後の6年間を通じて、沖縄は米国と同じく車は右側走行であったが、復帰事業の一環として1978年、日本本土と同様の左側走行へと交通方法が変更された。たった1日でアメリカ世からヤマト世へと移り変わった様はまさに時代

用語集

※『美術館開館記念展　沖縄文化の軌跡 1872-2007』を参照し作成

亜熱帯派　1968 年 5 月、安次富長昭、大浜用光、大嶺實清、城間喜宏の 4 人によって結成。同月、沖縄タイムス第二ホールで「第 1 回亜熱帯派展」を開催するものの 1 回限りで終える。

池袋モンパルナス　昭和初めから終戦頃まで東京都豊島区の池袋周辺に周辺に画家、音楽家などの芸術家が集うアトリエ村が存在した。同時期にパリのセーヌ左岸、モンパルナス駅の近くに芸術家の集落がいくつかあったことにならい、詩人の小熊秀雄が「池袋モンパルナス」と言い出したとされる。

伊波普猷　1876 年～ 1947 年。言語・文学・歴史・民俗などを総合した沖縄研究の創始者、啓蒙的社会思想家。

移民　1899 年にハワイ移民を送りだして以来、沖縄県は他府県に比べ圧倒的多数の移民をだしており「移民県」とも呼ばれている。戦前だけで 7 万人余の人々が、南北アメリカ大陸に渡った。当初は、移民先のプランテーション地主との「契約移民」であったため、奴隷的な過酷な労働を強いられた。沖縄の人々は、移民先でも共同体意識は高く、郷土文化への愛着は人一倍強い。このことから、現在では移民各国の県人の交流がさかんに行われ、沖縄県民の国際化の一因となっている。

ウィラード・ハンナ　アメリカでは大学教授をしていたが、終戦直後から 1946 年 6 月までの約 1 年間、米国海軍軍政府教育担当官として来沖。地上戦によって焼け野原となった沖縄各地を歩き回り、焼け残った書籍、陶磁器などの文化財を収集。1945 年 8 月に沖縄陳列館（後の東恩納博物館）を石川市東恩納に設立。沖縄の歴史、文化に対する理解とともに、戦後の教育、文化復興に多大な影響と業績を残した。

江戸上り　1609 年の薩摩の侵入後、義務づけられた徳川幕府への「慶賀使」（将軍の襲職を慶賀するための使節）と、「謝恩使」（琉球国王の即位を謝恩するための使節）の派遣のこと。

大城立裕　1925 ～ 2020 年。小説家。1945 年、上海の東亜同文書院大学予科を敗戦により中退。高校教師を経て琉球政府、沖縄県職員となる。1967 年『カクテルパーティー』で芥川賞を受賞。その他、小説、戯曲やエッセーなど多くの作品を発表。県の文化行政にも関わり、1986 年まで沖縄県立博物館長を務めた。

岡本太郎　洋画家。戦後日本美術のアヴァンギャルドを牽引した。1959 年に来沖。沖縄本島と八重山を訪れた。沖縄の文化に衝撃を受け、1960 年に「沖縄文化論」を『中央公論』に連載。翌年『忘れられた日本』と改題し、中央公論社から刊行。

沖展　「沖縄美術展覧会」の略称、のちに正式名称となる。1949 年沖縄タイムス創立 1 周年記念として、沖縄タイムス本社（崇元寺前）で第 1 回展が開催。

沖縄諮詢会　戦後沖縄最初の中央政治機構として 1945 年に石川市でスタートし、1946

事項索引

【あ行】

【か行】

人名索引

著者
翁長直樹（おなが・なおき）
　1951年沖縄県うるま市（旧具志川市）生まれ。琉球大学教育学部美術工芸科卒業。中学校教諭に採用、高校在職中93～94年米国ワシントンDCジョージ・ワシントン大学にて美術館学を学ぶ。95年県文化振興課に美術館建設のため赴任。2007年美術館開館。2009年副館長、2011年退職。在職中は多くの展覧会を手掛け、業務外でも数々のプロジェクトに関わる。退職後も企画展や沖縄美術の評論活動を継続している。企画した主な展覧会に「沖縄戦後美術の流れpart 1，part 2」「開館記念展」「移動と表現」「安谷屋正義展」「OKINAWA ART in NEW YORK」「沖縄美術プロジェクトすでぃる」などがある。美術評論家連盟会員。

沖縄美術論　境界の表現 1872-2022

2023年3月1日　初版第1刷発行

著　者　翁長直樹
発行者　武富和彦
発行所　㈱沖縄タイムス社
〒900-8678　那覇市久茂地2-2-2
TEL 098-860-3591（出版コンテンツ部）
https://www.okinawatimes.co.jp/
カバーデザイン　大山健治
印刷所　㈱東洋企画印刷

ISBN 978-4-87127-297-1　C0070